The Mystery Collection

OPEN SEASON

パーティーガール

リンダ・ハワード／加藤洋子 訳

二見文庫

OPEN SEASON

by

Linda Howard

わたしはほんとうにたくさんの友人に恵まれている。こうして仕事ができるのも、みんなの支えがあればこそ。

編集者のケイト・コリンズは、みんながパニックモードになっているときでも、涼しい顔でいてくれる。わたしのエージェントで友人のロビン・ルーは、最高のチアリーダー。ゲイル・コクランは、必要なときにいつもそばにいてくれる。ほかにも、その愛情で、ユーモアのセンスで、笑い声でわたしを支えてくれる友人たち。ほんとうに、わたしは恵まれている。キャサリン・コールターとアイリス・ジョハンセンとケイ・フーパーも、わたしの人生になくてはならない存在だ。

ところで、バッファロー・クラブは実在する。ただし、本書に登場するバッファロー・クラブと共通するのは、店の名とアルコールを出すという点だけ。実在のバッファロー・クラブは何年も前に焼け落ちてしまったが、いまでも語り草になっている。

パーティーガール

主要登場人物

デイジー・アン・マイナー……アラバマ州ヒルズボロの図書館司書
イヴリン……デイジーの母親
ジョエラ……デイジーのおば
ベス……デイジーの妹
ジャック・ラッソ……ヒルズボロの警察署長
テンプル・ノーラン……ヒルズボロ町長
ジェニファー・ノーラン……テンプルの妻
トッド・ローレンス……アンティークディーラー
エルトン・フィリップス……大物実業家
チャド・ミッチェル……前科者
グレン・サイクス……プロの殺し屋

プロローグ

カーメラは、おずおずと麻袋を抱きしめた。中身は着替えと水、それに北の国境を越える旅のためにとっておいた食料の小さな包み。オーランドーから言われていた。ロサンジェルスに着くまで、食事やら水やらを補給するのにいちいちトラックを停めたりしない、と。カーメラは、揺れの激しいトラックの荷台に閉じこめられていた。隅っこに背中をぴたりとつけ、両脚をVの字に開いて足を踏んばっていなければ、右へ左へと投げだされてしまうし、一瞬でも気を抜こうものなら、ざらざらした木の荷台を転がってしまうから、眠ることもできなかった。

怯《おび》えていたが決意は固かった。エンリケが国境を越えてから二年。きっと呼び寄せると言ったのに、彼はアメリカ人と結婚した。強制送還をまぬがれるために。あとに残されたカーメラは、夢を打ち砕かれ、プライドをずたずたにされた。メキシコに未練はなかった。エンリケがアメリカ人と結婚できたのなら、あたしにだってできるはず！　金持ちと結婚するのだ。彼女は美人だった。みんながそう言った。金持ちの合衆国民《ノルテアメリカーノ》と結婚したら、エンリケを見つけだし、ざまあみろと言ってやる。きっと彼は、嘘をついて彼女を裏切ったことを後悔するだろう。

夢は大きかったが、でこぼこ道を突進するトラックの荷台で飛び跳ねる自分は、とってもちっぽけに思えた。オーランドーがギアを入れ替えるたびに金属がきしむ音がして、トラックの壁にぶつかった少女のだれかが小さな悲鳴をもらした。ほかに三人の娘がいたが、みんな彼女と同じように若く、メキシコに残してきたものよりもましななにかを求めていた。名前も教えあわず、めったに言葉も交わさなかった。危険を冒しているという思いで頭はいっぱいだった。それに悲しみと興奮。あとに残してきたものを悲しみながら、もっとましな人生が待っていることに興奮していたのだ。どんなものだろうが、なにもないよりはましだ。

カーメラにはなにもなかった。

七カ月前に死んだ母親のことを考える。きつい仕事と子どもを産むだけの人生に疲れ果てた母。「いいね、エンリケに脚のあいだを触らせるんじゃないよ」母親は繰り返し言った。「女房におさまるまではだめ。一度でも許したら、あいつはおまえと結婚しない。おまえは赤ん坊と置き去りにされて、あいつはほかにきれいな娘を見つけるだろうよ」なにさ、脚のあいだを触らせなかったのに、やっぱりあいつはほかに女を見つけてしまった。赤ん坊と置き去りにはされなかったけれど。

それでも、母親の言いたいことはわかっていた。**あたしのようになるんじゃないよ。**カーメラにはもっとましな生き方をしてほしかったのだ。早くから老けこんでしまうような人生、いつも腕にひとり、腹にもうひとり赤ん坊を抱えて、四十になる前に死んでしまうような人生を送ってほしくはなかったのだ。

カーメラは十七歳。母親は、その歳にはすでにふたりの子持ちだった。カーメラがヴァージンにこだわる気持ちを、エンリケはわかってくれなかった。セックスはしないとはねつけるたびに、怒って不機嫌になった。おおかた彼が結婚した女はやらせたのだろう。彼の目当てがそれだけだったとしたら、ほんとうにあたしを愛していたわけではないのだ。あんな奴、いなくなってせいせいした！　嘆き悲しんで一生を無駄にしたりするものか。あんな……馬鹿ったれのために！

アメリカに行けばなにもかもよくなる。そう自分に言い聞かせて元気を出そうとした。ロサンジェルスでは、人の数より仕事の数のほうが多いそうだ。だれもが車とテレビを持っているらしい。彼女なら、映画に出て有名になれるかもしれない。みんなが美人と言うのだから、なれないことはないだろう。でも、現実の彼女はひとりぼっちの十七歳で、怯えていた。

娘のひとりがなにか言ったが、その声は奮闘するエンジンの音にかき消された。それでも、緊張はつたわってきた。カーメラははっと気づいた。ほかの三人も怯えているのだ。そう、彼女はひとりぼっちではない。ほかの三人も同じ思いなのだ。ちっぽけなことだが、にわかに勇気が出てきた。

轍《わだち》にはまるたびに車が跳ねあがるので、急激な揺れに注意しながら、カーメラはざらざらした荷台を滑って進み、さきほどの娘の声が聞こえるところまで近づいた。外はすでに明るく、隙間から射しこむ光で娘たちの顔を見分けることができた。「どうしたの？」カーメラは尋ねた。

娘はスカートの擦りきれた布地を両手で握りしめていた。「トイレに行きたい」恥ずかしさで消えいりそうな声だった。

「みんなそうなんだよ」カーメラは同情して言った。彼女の膀胱《ぼうこう》もいっぱいで痛いほどだった。できるだけ考えないようにしていた。いずれはいやでもしなければならない。わかってはいたが、いやだった。

娘の頬を涙が流れ落ちた。「どうしても行きたいの」

カーメラはまわりを見たが、残りのふたりも頼りになりそうにない。泣いている娘といい勝負だ。「じゃあ、なんとかしなくちゃ」なにかを決めることができるのは自分しかいないらしい。「場所を決めよう……あそこ」右うしろの隅を指さした。「あそこなら隙間があるから、流れ出ていくもの。交代でしようよ」

娘は涙をふいた。「大きいほうはどうするの？」

「それまでに停まってくれることを祈るしかない」陽が昇るにつれ、トラックのなかの温度はどんどん上がった。夏だった。オーランドーが車を停めて外に出してくれなければ、暑さで死んでもおかしくない。目的地に着くまで停まらないと言っていたから、まちがいなくロサンジェルスはもうすぐなのだろう。オーランドーには通常料金の半分しか払っていなかった。彼女が死んでしまえば、残りの半分を回収できない。密入国業者《コヨーテ》には、国境を越える前に全額払うのが普通だが、おまえは美人だから例外だ、とオーランドーは言っていた。

ほかの娘たちも美人だった。おそらく、同じように例外扱いされているのだろう。トラックが揺れるので、用を足すにはみんなの助けが必要だった。カーメラが最後にやることにして、全員に指示を出した。順番に隅っこにしゃがみ、ほかの三人が取り囲んで支える。用を足すとぐったりしたが、気分はずっとよくなって、四人とも荷台に坐りこんだ。最後のひと揺れのあと、トラックは急に調子よく走りはじめた。ハイウェイに入ったのだと、カーメラは気づいた。ハイウェイ！　ロサンジェルスはもう間近だ。

しかし、朝の時間は刻々と過ぎてゆくばかりで、トラックのなかはしだいに熱気で息苦しくなっていった。カーメラは普通に呼吸しようとしたが、ほかの三人は喘《あえ》いでいた。少しでも余分な空気を吸いこめば涼しくなると思っているのだろうか。空気自体が熱いのだから、理屈にあわない。それでも、これだけ汗をかけば、次に用を足すのはずっと先になるだろう。

いったいどれぐらい旅がつづくかわからなかったので、カーメラはできるかぎり待った。とうとう我慢しきれなくなって、麻袋から水の入った小壜《こびん》を取り出した。「水を持ってるんだ」彼女は言った。「ほんのちょっとだけ。だから、みんなで平等にわけなくちゃ」ひとりひとりに、厳しい視線を投げかける。「ほんのひと口ずつ飲んで壜を回すんだよ。それ以上飲んだりしたら、ぶつからね。ほんのひと口ずつだよ」

カーメラの鋭い視線を浴びながら、娘たちはおとなしくほんのひと口ずつ飲んで壜を回した。用を足すときにまとめ役になったせいか、カーメラはリーダー格になっていた。そんなに背は高くないが、見るからに気が強い。壜が戻ってきて、カーメラもほんのひと口飲むと、もう一度回した。みんなでふた口ずつ飲み、カーメラは壜に蓋《ふた》をして麻袋にしまった。「足りないってわかってるけど、たくさんあるわけじゃないから、とっておかなくちゃね」

おそらく、もうふた口ずつ飲めるくらいはあるだろう。それでもじゅうぶんとは言えない。汗で水分をどんどん失っているのだからなおさらだ。命をつなぐのがやっとかもしれない。

みんなはなぜ、水や食べ物を持ってこようと考えなかったのだろう？　頭にきたが、苛立《いらだ》ちをなんとか脇に押しやる。持ってこようにも、きっとなにもなかったのだ。カーメラも貧しかったけれど、いつだってもっと貧しい人たちがいた。行ないだけではなく、頭のなかでも親切にしてあげなくては。

トラックはハイウェイを下りると停止した。エンジンはかかったままだが、オーランドーが外に出てドアを閉める音が聞こえた。カーメラはすばやく麻袋をつかんで立ちあがった。ロサンジェルスに着くまでぜったいに停まらないと言ったのだから、着いたにちがいない。それにしては静かだった。トラックのエンジン音のほかはなにも聞こえない。

鎖のじゃらじゃらいう音がして、巻きあげ式のドアがするすると上がり、目がくらむような陽光が射しこんだ。熱いけれども新鮮な空気がさあっと入ってきた。オーランドーは白くまばゆい光を背に、黒いシルエットにしか見えなかった。娘たちは手をひさしにして目をかばいながら、トラックの後方へよろよろと集まり、ぎこちない動作で降りた。

目が慣れてきたので、カーメラはまわりを見渡した。期待していたのは……自分でもなにを期待しているのかわからなかったが、とにかく都会だ。ここにあるのは、空と太陽と灌木《かんぼく》の茂み、吹き溜まった灰色の砂地。カーメラは目を見開き、もの問いたげにオーランドーを見つめた。

「おれの役目はここまでだ」彼は言った。「このトラックでは暑すぎる。おまえたちは死んでしまう。これから先はおれのダチが連れていく。そっちのトラックはエアコンがついてる」

エアコンつきだって！　カーメラのいた小さな村でも、何人かは車を持っていたけれど、エアコンはついていなかった。ヴァスケスじいさんは、自分の車のダッシュボードについているつまみを自慢げに指さしたものだ。昔はそれを回せば吹き出し口から冷たい空気が出たそうだが、壊れてしまっていた。カーメラは実際にエアコンの風を肌に感じたことはなかったが、どういうものかは知っていた。エアコンつきのトラックに乗るのだ！　ヴァスケスじいさんが聞いたら、さぞ羨《うらや》むだろう。

ジーンズとチェックのシャツを着た背の高い痩せた男が、車の脇から現われた。水の入った透明なボトルを四本抱えてきて、娘たちに渡した。水は冷たく、ボトルは水滴で濡れている。喉の渇いた娘たちがごくごくと水を飲むあいだ、男とオーランドーは英語で話していた。四人とも英語は話せない。

「こいつはミッチェルだ」やがてオーランドーが言った。「こいつの言うことをよく聞けよ。こっちの言葉も少しは話せるから、なにをしてほしいと言っているのかぐらいは、おまえたちにもわかるはずだ。言うとおりにしなかったら、アメリカのおまわりに見つかって牢屋にぶちこまれるぞ。そうなると一生出られない。わかったか?」

四人は真剣にうなずいた。ミッチェルの大きな白いピックアップ・トラックはキャンパーシェル(バス・トイレなどの設備を備え、ピックアップ・トラックに搭載するとキャンピングカーになる)がついており、四人はそこに急いで乗りこんだ。床には寝袋がふたつ転がっていて、てっぺんに穴のあいた小さな椅子がひとつある。よく見るとトイレだとわかった。天井が低いので坐るか横になるしかないが、眠れない夜を過ごした四人にとっては気にならなかった。冷たい空気と音楽が、あけっ放しのトラックのリアウィンドウからキャンパーシェルに流れこんできて、それはいい気持ちだ。全員が横になれるようにふたつの寝袋を広げると、四人はあっというまに眠りこんだ。

ロサンジェルスがこんなに遠いとは思ってもいなかった。それから二日がたっていた。カーメラはキャンパーシェルで移動することに飽き飽きしていた。立ちあがることも歩きまわることもできない。ストレッチをして筋肉をほぐしてはいるが、ほんとうは歩きたかった。活動的な娘だったから、必要なこととはいえ、拘束されるのは我慢ならなかった。

四人は規則正しく食事をとり、水も与えられていた。しかし、体を洗うことはできないのでひどく臭った。ミッチェルはときどき砂漠地帯で車を停め、キャンパーシェルの後部扉を上げて空気を入れ替えたが、完全に換気できたためしはなく、どっちにしろすぐに臭くなった。

トラックのリアウィンドウから外を覗いていると、なにもない砂漠が平らな草原に変わっていった。それからしだいに森林地帯が現われ、二日めのその日、山が見えてきた。瑞々《みずみず》しい緑に覆われ、なだらかに起伏している。あちこちに牛がいる牧草地や、美しい渓谷、深緑の川がある。空気は濃厚で湿り気があり、種類の異なる樹木や花の匂いがした。それに車！一生かかってもこれだけたくさんの車にはお目にかからないだろうと思っていたのに。カーメラの目には大都会に見える街を行き交っている。だが、ミッチェルに、ここはロサンジェルスなのかと訊くと、違う、メンフィスだという答えが返ってきた。ロサンジェルスはまだ遠いらしい。

アメリカは信じられないくらい広い、とカーメラは思った。何日も旅をしているのに、ロサンジェルスはまだずっと先だなんて！

だが、その日の夜遅く、ようやくトラックが停まった。ミッチェルがキャンパーの後部をあけて四人を出してくれたが、あんまり長いこと狭い場所に閉じこめられていたので、四人は歩くのもやっとだった。トラックは、長いトレーラーハウスの前に停まっていた。カーメラは都会のしるしが目に入らないかとあたりを見まわしたが、それらしきものはなにもなかった。頭上には星が瞬《またた》き、夜の闇は虫や鳥の鳴き声に満ちていた。ミッチェルはトレーラーハウスの扉をあけて、四人をなかに入れた。娘たちはその豪華さにため息をついた。家具が備えつけられていて、なかでもすごいのがキッチンだった。どうやって使うのかさっぱりわからない道具がいろいろある。それにバスルームときたら、夢にも見たことのないようなものだった。ミッチェルは四人に入浴しろと指示し、頭からすっぽりかぶる、ゆったりした薄手のワンピースを差しだした。おまえたちにやる、と彼は言った。

娘たちはあまりの親切に驚き、新しいワンピースにわくわくしていた。カーメラは、すべすべした薄い布地をなでた。彼女のワンピースは白地に赤い花模様で、とてもきれいだと思った。

四人は壁から噴きでてくる水を浴び、香水のような匂いのする石鹸を使った。髪専用の特別な石鹸もあった。それは液体で、山のように泡が立った。それに、歯を磨くためのブラシ！　ほかの三人は体力が尽きていたから先に風呂を使わせた。ようやくカーメラの番がきて、バスルームを出たときには、生まれてはじめてというほど清潔になっていた。石鹸の質の良さはうっとりするほどだったから、二度風呂を浴び、二度髪を洗った。お湯は出なくなった――もう冷たい水でしかなかった――が、それでもかまわなかった。清潔な状態に戻れるのは、とても気分がよかった。

カーメラは裸足で、下着はひどく汚れていたから着けなかった。清潔な新しいワンピースを着て、濡れた髪をうなじでひねってまとめた。鏡を覗くと、きめの細かな褐色の肌に、きらきら輝く黒い瞳、ふっくらとした赤い唇のかわいらしい娘が映っていた。さっきまでこちらを見つめ返していた、薄汚れた生き物とは別人のようだった。

ほかの娘たちは、すでにベッドルームでシーツにくるまって眠っていた。寒かったので腕に鳥肌が立った。彼女はリビングルームに入り、ミッチェルにおやすみの挨拶と、自分たちにしてくれたことへの礼を言おうとした。テレビがついていて、ミッチェルはアメリカの野球を見ていた。顔を上げて彼女にほほえみかけ、そばのテーブルに置いてある、氷と濃い色の液体が入った二個のグラスを指さした。「飲み物を用意しといたぜ」彼は言った。少なくとも彼女はそう受け止めた。彼のスペイン語はあまり上手ではなかった。彼は自分のグラスを取りあげて口をつけた。「コカ・コーラ」

ああ、それなら知ってる！　ミッチェルが指さしたグラスを取り、冷たくて甘くてチクチク舌を刺すコーラを飲みほした。その飲み物の、喉を滑り落ちていく感覚が気に入った。坐れと身振りで示され、彼女はそうしたが、母親に教えられたとおりに、ソファの端っこを選んだ。とても疲れていたけれど、失礼にならないように少しのあいだ相手をすることにした。それにほんとうのところ、彼には感謝していた。いい人だし、やさしそうな、ちょっと悲しげな茶色の目をしている。

ミッチェルが塩をまぶしたナッツをくれた。口に入れたとたん、こういうものを食べたかったのだと思った。旅の前半で失った塩分を、さっと体が取り戻そうとしているのだ。そのうちもっとコーラがほしくなった。ミッチェルが立ちあがって、二杯めを注いでくれた。男の人になにかを持ってきてもらうのは面映《おもは》ゆいけれど、たぶんこれがアメリカ式のやり方なのだろう。男が女に仕えるのだ。そういうことなら、もっと早くくるんだった！

疲れが増してきた。あくびが出てしまったので謝ると、彼は笑って、だいじょうぶだと言った。目を開けていられない。頭を上げていられない。何度かがくんと頭が下がり、ぐいと上げようとしたが、首の筋肉は動こうとしなかった。顔を上げるかわりに、横ざまに崩れ落ちていくのがわかった。ミッチェルがそこにいて、彼女が横になるのに手を貸してくれた。

頭をクッションに載せて脚を伸ばしてくれた。まだ脚を触っている、とぼんやり思った。彼にやめてと言おうとしたが、言葉にならない。今度は脚のあいだを触っている。だれにも触らせたことがない部分を。

いや、と彼女は思った。

それから闇が押し寄せてきて、なにも考えられなくなった。

1

「デイジー！　朝食の支度ができてるわよ！」

母親の声が、ヨーデルのように階段をのぼってきた。さんざんなだめすかされたあげく、いやいやベッドを出た小学一年生のころから、まるっきり変わらない節まわしだ。

デイジー・アン・マイナーはベッドに横たわったまま、たえまなく屋根を打ち軒《のき》を流れ落ちる雨の音を聞いていた。三十四歳の誕生日の朝だった。起きたくなかった。雨と同じ灰色の気分に押しつぶされそうだ。三十四歳になったけれど、期待に胸躍らせるようなことはなにもなかった。

せめて雷雨だったら。派手なドラマと音を楽しめただろうに。ところが、ただの雨。惨めったらしくジトジト降るただの雨。彼女の気分そのままに陰気な日だった。ベッドルームの窓を流れ落ちる雨粒を眺めながらベッドに横たわっていると、今日が誕生日であるという動かしがたい現実が、湿ったキルトの上掛けのようにずっしりと重くのしかかってきた。生まれてからずっと真面目ないい娘でとおしてきたが、それでなにかいいことあった？　なにも。

現実と向かいあわなければ。愉快なことではないが。

三十四歳で未婚、婚約の経験なし。熱烈《ホット》な恋をしたこともない――なまぬるい恋さえも。大学時代には羽目をはずして遊んだこともある。だれもがやっていたことだし、変わり者だと思われたくなかったから。恋愛関係と呼べるような代物ではなかった。彼女は母親とおばと住んでいる。ふたりとも未亡人だ。最後のデートは一九九三年九月十三日、ジョエラおばの親友の甥っ子、ウォーリーが相手だった――彼が一九八八年以来デートをしていないというので。なんとまあ〝ホット〟なデートだったことか。もてない女とダサイ男のお情けデート。なにがほっとしたといって、彼はキスさえしようとしなかった。人生でいちばん退屈な晩だった。

退屈。その言葉が思いがけず心にグサリときた。彼女をひと言で説明するとしたら、きっとだれもがその言葉を選ぶ。気が滅入ってきた。彼女の服装は地味――つまり退屈。髪型も退屈なら顔つきも退屈。生き方そのものが退屈なのだ。三十四歳、ちっぽけな町の、めったにキスされることもない、オールドミスの図書館司書。日々の振舞いからしたら、八十四歳の老女と大差なかった。

デイジーは視線を窓から天井へと向けた。あまりにも憂鬱で、起きあがって下に降りていく気にもなれない。きっと母とジョエラおばが誕生日を祝おうと待ちかまえている。にっこり笑って嬉しがってるふりをしなければならない。起きて支度しなくちゃ。九時には職場にいなければならないのだから。でも、とにかく起きられない。あともうちょっと。

前夜、いつものように翌日に着る服を並べた。わざわざ見るまでもない。紺色のスカートの丈は膝下数インチ、ファッショナブルというには長すぎるし、女っぽく見せるには短すぎる。それに白い半袖のブラウス。どうがんばっても、ここまでおもしろみのない服装を選ぶのは至難の業《わざ》――別にがんばる必要はない。クローゼットは、そんな服でいっぱいだから。自分らしさがまるでないのだ。そう思ったら急に恥ずかしくなった。女だったら、誕生日にはいつもよりきりっとした格好をするものではないだろうか？　だったら買い物に行かなくては。ワードローブには〝きりっとした〟という言葉があてはまるものは一着もない。いつもより念入りに化粧することもできない。持っている化粧品といえば、〝ブラッシュ〟というめだたない色の口紅一本だけ。それでも困ることはなかった。困るはずがない。脚を剃《そ》る必要のない女が、なんで口紅を何本も必要とするの。どうしてこんな追いつめられた気分にならなきゃいけないの？

不機嫌な顔でベッドの上に起きあがり、狭い部屋の向こう端にある鏡をまっすぐにらんだ。板のようにまっすぐで、こしのないくすんだ茶色の髪が、顔の上にかぶさっている。それを払いのけると、鏡に映る負け犬の姿がはっきりと見えた。

自分の外見が気に入らなかった。ぶかぶかのシアサッカー地のパジャマを着て坐っているのは木偶《でく》の坊。パジャマは母からのクリスマス・プレゼントだった。ほかのものと取り換えたりしたら、母親の気持ちを傷つけることになる。でも、よく考えてみれば、デイジーのほうが傷ついていた。自分はつまり、シアサッカー地のパジャマをあげたくなる類《たぐい》の女なのだ。よりによって、シアサッカーだなんて！　ようするに〝シアサッカー・パジャマ的〟女。

〈ヴィクトリアズ・シークレット〉のセクシーなナイティなんてもったいなくてあげられない。シアサッカーでじゅうぶん。

なぜなのだろう？　髪型がさえない、顔もさえない、すべてがさえない。退屈な人間だということは、避けようのない事実だ。三十四歳、体内時計は時を刻んでいる。いや、ただ**刻んでいる**だけではない、秒読みに入っているのだ。スペースシャトルが打ち上げられるときのように。**十、九、八**……。

これは大変なことだ。

人生に必要なのは……生きがい。昔ながらの平凡な女の生きがい。夫と子ども、それに自分の家。**セックス**もしたい。激しく、汗まみれになって喘ぐ、〝まっ昼間から裸でのたうつ〟セックス。自分の胸を、ブラジャーのメーカーを支える以外にも役立てたい。自分でもみごとな胸だと思う。はりつめていてツンと上を向いた、かわいらしいCカップ。なのに、それを知っているのは自分だけ。惚れぼれと眺めてくれる人はひとりもいない。悲しいことだ。それよりも悲しいのは、そういう望みが今後も叶う見込みがないことだ。不器量でおもしろみがなくて、退屈なオールドミスの図書館司書には、惚れぼれと乳房を眺めてもらうことなどないのだ。ただ歳をとり、もっと不器量に、もっと退屈になっていくだけだ。胸は垂れてさがり、ついにはまっ昼間から裸の男にまたがることもなく、**死んで**しまうのだ――なにか強烈なことでも……奇跡でも起きないかぎり。

デイジーは枕にどさりと倒れこみ、また天井をにらんだ。奇跡？　雷が落ちることを願ったほうが見込みありそう。

期待してみたけれど、バーンという音も聞こえず、目のくらむような閃光《せんこう》も見えなかった。どうやら、天にましますお方は助けてくれないようだ。失望のあまり胃がむかついた。よし、こうなれば自力でやるしかない。つまるところ、天はみずから助くる者を助くのだ。**自分で**なにかをしなければならない。でも**なにを？**

やけになるとインスピレーションが閃《ひらめ》いた。それは、天啓のように降ってきた。

真面目ないい娘《グッドガール》でいるのをやめる。

胃が縮みあがり、心臓がどきどきしはじめた。呼吸も荒くなってきた。神さまが彼女に自力でなんとかさせるにしたって、**そんな**ことまではお考えにならないはず。あまりにも〝非神さま的〟な考えというだけでなく……そもそもやり方がわからない。生まれてからずっといい娘だった。規則と道徳律がＤＮＡに刻みこまれているのだから。いい娘でいることをやめる？　そんな無茶な。いい娘でいることをやめるってことは、つまり不良娘《バッドガール》になるってことだが、まったく向いていない。不良娘は煙草を吸うし、酒も飲むし、バーで踊ったり、だれかれかまわず寝たりする。ダンスはなんとかなる――けっこう好き――かもしれないが、煙草はやらないし、アルコールの味は好きではない。それにだれかれかまわず寝るなんて――絶対に無理。とんでもなく愚かなことだ。

でも――でも、不良娘は男にもてるじゃない！　彼女の潜在意識が、刻々と進む体内時計にせかされて、しつこく訴えてきた。

「全員がそうってわけじゃないわよ」デイジーは声に出して言った。結婚して子どもを持つことのできたいい娘をたくさん知っている。友だちはみんなそうだし、妹のベスもそうだった。できないことではない。だがあいにく、いい娘に惹かれるような男はもう残っていない。彼女たちがかっさらっていってしまったから。

それで、残ったのは？

不良娘に惹かれるような男、それだ。

胃袋の緊張感は、はっきりと吐き気に変わってきた。不良娘を好むような男でも**ほしい**か？

ほしい！　ホルモンが叫ぶ。良識が吹き飛ぶ。生き物としての必要に迫られているから、あとはどうだっていいのだ。

ところが、デイジーには理性があった。バーや安酒場に入り浸り、仕事もしなければ家に寄りつきもしないような男は絶対にいやだった。だれにでもついていく巷《ちまた》の尻軽女と寝るような男はお断りだ。

だが、経験を積んだ男というものは……そう、どこか違う。経験を積んだ男にはなにかがある。目つきとか、自信のある歩きぶりとか。そんな男を自分のものにすると考えただけで、鳥肌が立った。普通の生活を送っている普通の男なのに、なにやら妖《あや》しげな光を瞳に宿しているんじゃない？

もちろん、そうにきまっている。まさにそんな男がほしいのだ。どこにも自分のための男がいないなんて思いこむのは、もうやめよう。

デイジーはふたたび起きあがり、鏡のなかの女をじっと見つめた。望みを叶えるつもりなら、行動に移さなくてはならない。なにかしなくてはならない。時間はどんどん過ぎていく。

よし、不良娘は却下。

でも、**見た目**を不良娘《バッドガール》みたいにするのはどう？　せめてパーティーガールになるのは？　うん、こっちのほうがよさそうだ。パーティーガール。大声で笑ったりふざけたり、いちゃついたりダンスをしたり、短いスカートをはいたり――これならできそうだ。たぶん。

あくまでも、〝たぶん〟だけれど。

「デイジー！」母親がまたヨーデルのように叫び、声が階段に響き渡った。今度は、デイジーが知らないことを知っているとでもいうような、茶目っ気のある声音だった。デイジーなら自分の誕生日を忘れかねない、と思っているのだろうか。「遅れるわよ！」

デイジーはこれまで一度も仕事に遅れたことがなかった。ため息がでた。普通の生活を送っている普通の人間なら、少なくとも一年に一度くらいは遅刻するんでしょ？　図書館における一点の汚れもない記録が、無味乾燥な人間である証拠だ。

「起きてるわよ！」彼女は大声で返事をした。まるっきり嘘ではない。いちおうは**起きあがっている**。ベッドから出てはいないけれど。

鏡のなかのさえない塊が目に入り、彼女はそれをにらみつけた。「二度とシアサッカーなんか着るものか」彼女は誓った。まあ、二度とひもじい思いをするものか、というスカーレット・オハラの誓いほどドラマチックではないけれど、真剣さではひけをとらない。

バッドガールに、いや、パーティーガールに――この違いは大事だ――なるには、どうすればいいのだろう？　彼女は大嫌いなシアサッカー地のパジャマを脱いでまるめ、屑かごに放りこんだ。精いっぱい挑戦的な態度で。それでも、一瞬ためらった――今晩、なにを着て寝ようか？――が、心を鬼にしてパジャマを拾いあげなかった。ほかの寝間着を思い浮かべて――夏はシアサッカー、冬はフランネル――大胆にも裸で眠ろうと考えた。スリルがちょこっと体を駆け抜けた。いかにもパーティーガールのやりそうなことではないか。それに、裸で寝るのは悪いことではない。教会のブリッジズ師が、寝るときになにを着ろとか、なにを着るなとかおっしゃるのを聞いたことはないのだから。

シャワーを浴びる必要はなかった。デイジーは夜に入浴する。世間には二種類の人間がいるような気がする。夜にシャワーを浴びるタイプと、朝にシャワーを浴びるタイプ。後者はたぶん、爽《さわ》やかに磨きあげた姿で一日をはじめることを誇りにしている。だがデイジーは、一日のうちにたまったほこりやばい菌や、剝がれ落ちた角質で汚れたまま、シーツにもぐりこむのはいやだった。唯一の解決法は、毎日シーツを取り替えることだ。強迫観念に取り憑《つ》かれたように、そこまでする人がいることはわかっているが、自分はそのタイプではない。シーツは週に一度取り替えればじゅうぶんだし、寝る前に体をきれいにすればいいだけのことだ。それに夜にシャワーを浴びれば、朝の時間を節約できる。

体内時計だけでなく、外部の時間にも追い立てられているのだ。彼女は暗い気分で考えた。

バスルームの鏡を眺めると、ドレッサーの鏡のなかに見たものがよけいにはっきり映っていた。髪の毛は艶《つや》がなく、不格好でスタイルが決まっていない。健康だが柔らかすぎて、まったくこしがなかった。長い茶色のひと房を目の前に引っぱってきて、まじまじと眺めた。色はゴールドブラウンでもレッドブラウンでもなければ、リッチなチョコレートブラウンでもなかった。ただの茶色、泥みたいだ。たぶんなにかをつけて、もう少しふんわりと、もう少し色っぽくすることはできるだろう。たしかハイウェイ沿いのウォルマートの美容コーナーには、数えきれないほどのボトルやチューブやスプレーがある。でも一五マイルも離れているし、いつもそのへんの雑貨屋でシャンプーを買っていた。だいいち、無数のボトルやチューブの効能がわからない。

それなら勉強すればいいじゃない、でしょ？　これでもいちおう図書館司書なのだ。調べ物にかけてはチャンピオン級だ。この世の神秘は、どこをどう掘り返せばいいのか知っていればすぐに解明できる。ヘアケア製品がなんぼのもんよ。

よっしゃ。髪は変身リストの第一番めだ。デイジーはベッドルームに戻って、バッグからメモ用紙とペンを取り出した。ページの頭に①という番号を入れ、**髪**と書いた。その下に**化粧**、その下に**服**、とどんどん書き加えた。

これでよし。パーティーガールになるための青写真はできた。

ベッドルームに戻って手早く顔を洗ったデイジーは、これまでめったにしたことのない作業にとりかかった。ジョエラおばが去年の誕生日にくれたオーレイのオイルの蓋をあけ、顔に塗ったのだ。それほど効果はないようだけど気持ちはよかった。塗り終わると、顔はなめらかに、少し明るくなったみたいだ。もちろん、油を含んだものを塗ればなめらかに見えるし、こすれば肌は赤みを帯びる。でも、なにかをはじめることが大事。

次はどうする？

はい、これでおしまい。ほかになにもすることがなかった。ほかにクリームはないし、世間の女たちが目のきわにラインを入れたり、まぶたを隈取ったりする、神秘的でセクシーな色つきのちっちゃな四角いものとか、濃い色のペンシルもない。口紅はあるけれど、わざわざつけるまでもない。唇とほぼ同じ色合いなのだから。つけているかどうか、自分で唇を舐《な》めて味見しないかぎりわからない。口紅は、ほのかに風船《バブル》ガムの味がした。中学生のころと同じ――「うそ！」思わずうめいていた。中学生のときから口紅の色を変えていなかったなんて！

「あんたって救いようがないわね」鏡のなかの自分に話しかけた。むっとした声になっていた。化粧品を変えるだけではだめだ。

徹底的にやらなくては。

階段を降りると、キッチンの食卓の上に、華やかな包装紙に包まれたふたつの箱があった。母親はデイジーの好きな朝食、ペカンナッツのパンケーキを用意していた。皿の脇で、コーヒーがほんわかと湯気を上げている。ということは、階段を降りてくる足音を聞いてから、カップに注いでくれたのだろう。母とおばを見つめると、目の奥がツンとして涙が出てきた。ふたりはほんとうに世界でいちばんやさしい人たちだ。心から愛している。

「誕生日おめでとう！」ふたりで声を合わせて、にっこりとほほえんだ。

「ありがとう」デイジーはなんとか笑顔を作った。ふたりにせきたてられるようにして、いつもの席に腰を下ろし、さっそく箱をあけた。どうか神さま、シアサッカーではありませんように。心のなかで祈りながら、母親からの贈り物の、白い薄紙をめくった。見るのがこわい。自分の表情をコントロールできないかもしれないのがこわかった。もしもシアサッカー――それともフランネル――だったらどうしよう。フランネルも同じくらいいやだった。

それは……ああ、それはシアサッカーではなかった。安堵《あんど》が小さな喘ぎとなってもれた。箱から服を取り出し、高くかかげた。「ローブよ」彼女にはそれがなにかわからないと思ったのか、母親が言った。

「わたし……これ、すごくきれい」デイジーはつぶやき、また涙ぐんだ。たしかにすごくきれいだったから――そう、期待していたよりずっときれいだった。コットンだけど、すてきな色合いのピンクで、襟と袖に控えめなレースがついている。

「あなただってきれいなものがほしいだろうと思って」母親は両手を組んだ。

「ほら」ジョエラおばが、もうひとつの箱をデイジーのほうへ押しやった。「早くしないと、パンケーキが冷めちゃうよ」

「ありがとう、ママ」デイジーは素直にもうひとつの箱をあけて、中身を見つめた。こちらもシアサッカーではなかった。布地に触り、なめらかでひんやりした表面を指先でそっとなでた。

「本物のシルクだからね」足首まであるスリップを取り出したデイジーに、ジョエラおばが誇らしげに言う。「昔、映画でマリリン・モンローがこういうのを着てたよ」

そのスリップは一九四〇年代風で、上品でなおかつセクシーだった。最近では大胆な若い女性が、こういうのをパーティードレスとして着ている。このエレガントなスリップ以外はなにも身につけずに、ドレッサーに向かって髪を梳《と》かす自分を想像した。背の高い男がうしろから近づいてきて、裸の肩に手を置く。首をかしげて彼にほほえむ。すると彼はゆっくりと手を下げてシルクのなかに差し入れ、屈みこんでキスをしながら胸に触れ……。

「ねえ、どう、気に入った？」ジョエラおばの声に、デイジーはわれに返った。「ママもおばさんも、なんてやさしい――」

「すばらしいわ」まばたきしてこらえた涙が、あふれて頬を流れ落ちた。

「そんなにやさしくなんかないったら」ジョエラおばがさえぎり、涙に気づいて眉をひそめた。「なんで泣いてるの？」

「なにかまずかったかしら？」母親が手を伸ばして、デイジーの手に触れた。

デイジーは大きなため息をついた。「まずかったわけじゃないの。ただ――気づいてしまったのよ。自分の現状に」

だれよりも鋭いジョエラおばが、眉間に皺《しわ》を寄せて彼女を見つめた。「おやおや、そりゃつらいわ」

「ジョーったら」とがめるように目配せして、母親は娘の手を取った。「どういうことなのか話してちょうだい」

デイジーは深呼吸して勇気をふりしぼり、涙をこらえた。「結婚したいの」

「あら、すてきじゃない」母親が言った。「で、だれと？」

「それが問題なの」デイジーは答えた。「わたしなんかと結婚したがる人はいないもの」ここで深呼吸の効き目が切れて、彼女は両手に顔をうずめ、勝手に涙腺からあふれでる涙を隠した。

つかのま沈黙がつづいた。デイジーは、ふたりがまた顔を見合わせ、姉妹同士らしく無言でやりとりしているのに気づいていた。

母親が咳払いをした。「いまひとつわからないような気がするんだけど。だれか特定の人がいて、その人について話しているの？」

あらまあ、母は骨の髄まで英語の教師だ。デイジーが知るかぎり、このご時世に、〝その人について《フーム》〟なんて言葉を使うのは母親だけだ――もちろん、彼女自身をのぞいて。どんぐりは母なる樫《かし》の木からそう遠くに落ちないってこと。母はどんなにうろたえようと、正しい言葉遣いをする。

デイジーは首を振って涙をぬぐい、ふたりに顔を向けた。「いいえ、報われない愛に悩んでいるわけじゃないの。ただ、歳をとりすぎないうちに結婚して子どもを産みたいの。その願いが叶うかどうかは、わたしが大変身できるかどうかにかかってるのよ」

「大変身って、どんな?」ジョーおばが用心深く訊いた。

「わたしを見てよ!」デイジーは、自分の頭から爪先まで指し示した。「わたしは退屈で、まるっきり魅力がない。わたしを二度も見てくれる人がいる? 哀れなウォーリー・ハーンドンでさえ、わたしに興味を示さなかった。わたしはわたしを徹底的に変えなくちゃだめなの」

彼女は深く息を吸った。「おしゃれをしなくちゃ。男の視線を惹きつけるの。独身の男に出会えるような場所に出かけるの。ナイトクラブとかダンスとか」反対されるのを覚悟したが、沈黙が返ってきただけだった。もう一度、息を吸うと、思わずとんでもないことを口走っていた。「ひとりで暮らす場所も見つけなくっちゃ」そして答えを待った。

もう一度、姉妹は目配せを交わした。はりつめていた。はりつめたその一瞬、同じようにデイジーの神経もはりつめていた。ふたりに断固反対されたらどうしよう? 問題は、ふたりを愛していて、幸せでいてほしいことだ。心配させたくないし、親不孝で恩知らずな娘と思われるのはつらかった。

振り向いたふたりは、うりふたつの大きな笑みを浮かべていた。

「そうだね、ここらが潮時だわ」ジョーおばが言った。

「手伝うわよ」母親がにっこり笑った。

2

デイジーは、職場までオートパイロットで車を走らせた。さいわい途中に一時停止の標識はなく、信号もひとつだけだ。ちっぽけな町で暮らす利点のひとつ。自宅は図書館からたった五ブロックのところだから、天気のいい日は環境保護のためにたいてい歩くが、いまはどしゃぶりの雨が降っている。夏のあいだは猛暑を言い訳にできるから、車を使ってもあまり良心は痛まない。

頭のなかは計画でいっぱいだった。バッグを机のいちばん下の引きだしにしまう前に、取り組まなければならない項目を書き留めた紙を取り出し、じっと眺めた。はしゃぐ母とジョーおばの意見も取り入れ、三人で慎重に検討した結果、値段の張るものから片づけるべきだということになった。母親とジョーおばと三人で生活費を出しあっているおかげで、当座預金の口座には、かなりの残高がある。食費や光熱費はたいしたことがないし、古い家はとっくの昔にローンの支払いが終わっている。車は八年もののフォードで三年ローンだったから、ここ五年間、車関係の出費はなかった。ちっぽけな町の図書館司書では、館長といえどもたいした給料をもらっていない。館長とは立派な肩書きだが、中身はたいしたことないのだ。

人事権は町長にある。デイジーの権限は、けっして潤沢とはいえない予算のなかから購入する本を選ぶこと、それだけ。だが、たいした給料ではなくても、そこから少なくとも半分、たまにもう少し足して貯金していればかなりのものになる。それに株もはじめた。事前に自分の選んだ会社をインターネットで念入りに調べた。自分で言うのもなんだが、なかなかのものだ。有名な投資家のウォーレン・バフェットが泣いて悔しがるほどではないが、不時の備えとしてはじゅうぶんだと思う。

ようするに、自分で家を借りられるくらいの余裕はある。ところが、アラバマ州ヒルズボロには、空いている部屋がそんなにたくさんはなかった。もっと大きな町、たとえばスコッツボロとかフォートペインに移ることもできるが、あまり離れたくなかった。妹はすでにハンツヴィルに引っ越していた。車で一時間くらいだからそんなに遠いわけではないが、同じ町内で暮らすのとはわけが違う。しかも町長のテンプル・ノーランは、町の職員には町民を雇うことに異常なほどの執念を燃やしている。この方針はデイジーも認めていた。自分だけ例外扱いしてほしいとは、とても頼むことができない。というわけで、ここヒルズボロに住む場所を見つけなければならなかった。

ヒルズボロに地元紙はただひとつ、三流の週刊紙が金曜日に発行されるだけで、まだ先週号が彼女の机の上に載っていた。その広告ページ——わずか一ページ——を開き、すばやく記事に目を走らせた。だれかがヴァイン・ストリートで三毛猫を拾ったとか、ミセス・ウォッシュバーンが義父の世話をしてくれる人を探していて、その九十八歳の義父は、他人がそばにいると服を脱ぎだす癖があるとか、そんな記事ばかりだった。賃貸物件、賃貸物件、と……小さいコーナーを見つけ、あっというまに読んでしまった。八項目ある。思ったより多い。

ひとつなじみのある住所があったが、さっさと候補からはずした。それはビューラ・ウィルソンの家の二階で、町の人間ならだれだって、彼女が下宿人のプライバシーに土足で踏みこむことを知っていた。大量のコカインを嗅ぎまわる麻薬犬よろしく部屋を調べ、見つけたことを片っ端から友だちに吹聴する。おかげで、ミス・メイヴィス・ディクソンが昔の〈プレイガール〉誌を箱いっぱい持っていることが町じゅうに知れ渡った。もっとも、ミス・メイヴィスは小憎らしい嫌われ者だから、見開きのヌード写真でしかペニスを拝めないのだろうというのがみんなの一致した意見だった。

ビューラ・ウィルソンの家なんて、だれが住むものか。

これで候補は七つになった。

「ヴァイン・ストリート、か」次の項目を見て、デイジーはつぶやいた。たぶん、シモンズ家の独立したガレージの上にある、小さなアパートだろう。うん、悪くないかもしれない。家賃はすごく安い。その界隈は感じもいいし、プライバシーも守れる。イーディス・シモンズは未亡人で、膝の関節炎を患っているから、階段を上がってきて覗きまわれない。彼女は屈めないので、家の掃除をする人を雇っていることは周知の事実だ。

その広告を丸で囲み、ほかのものにもざっと目を通した。ハイウェイ沿いのフォレスト・

ヒルズに、空いているコンドミニアムが二軒あった。そこでもいいけれど、家賃は高いし、建物は醜い。ミセス・シモンズのガレージの上がすでに借りられていたら、考えに入れよう。ラシター・アベニューに一戸建てがあるが、なじみのない住所だった。椅子を回して、町の地図でラシター・アベニューの位置を確かめ、すみやかにこの広告を対象からはずした。町のなかでも物騒な地域だったからだ。どれぐらい物騒なのかはわからないが、ヒルズボロに犯罪の火種がないとはかぎらない。

残りの三つもピンとこなかった。二世帯住宅の片方が空いていたが、そこはつねに空いている。なぜなら、もう片方には下品なファリス一家が住んでいて、だれも彼らの悲鳴や悪態に耐えきれないからだ。もう一軒はフォートペイン寄りだから、遠すぎる。最後の物件は移動住宅《モービルハウス》で、やはり町内の危ない地区にあった。

さっそくミセス・シモンズに電話をかけてみた。新聞はもう四日も前に出たものだったから、そのアパートがまだ空いていることを祈った。

電話のベルは鳴りつづけた。ミセス・シモンズは動きまわるのに時間がかかるのだからと、デイジーは辛抱した。ミセス・シモンズの息子のヴァーニーが、母親にコードレスフォンを贈ったことがあった。電話に出るために歩かずにすむようにと。ところが母親は昔かたぎで電話を持ち歩くのをいやがった。そのためか、うっかり電話をトイレに落とし、それで一件落着。ミセス・シモンズはコードでつながった電話をまた使いはじめたが、ヴァーニーは賢明にもあらためてコードレスを買ったりしなかった。

「もしもし？」ミセス・シモンズの声は、膝と同じようにきしんでいた。

「こんにちは、ミセス・シモンズ。デイジー・マイナーです。お元気ですか？」

「元気よ。雨のせいで関節が痛むけれど、雨は必要ですもの、文句を言ってはいけないわね。おかあさまとジョエラおばさまはお元気？」

「元気です。庭で採れたトマトとオクラを瓶詰めにするのに忙しくしてますよ」

「わたしはもう、それほど瓶詰めは作っていないのよ」ミセス・シモンズがきしり声で言った。「去年はティミーが」――ティミーはヴァーニーの妻だ――「梨を持ってきてくれて、一緒にジャムを作ったんだけど、もう庭仕事をする気にはならないわ。老いぼれた膝のせいでね」

「膝の手術をお受けになったらいかがです？」デイジーは勧めてみた。ヴァーニーとティミーが何年も同じことを言いつづけ、無駄に終わっているのは承知だが、勧めるのが礼儀だと思った。

「でもねえ、マーティス・ベインブリッジが手術を受けたらしいけど、二度としようとは思わないって言ってたわ。つらい思いをしただけだって」

マーティス・ベインブリッジは勝手に病気だと思いこむタイプで、おまけに愚痴っぽい。車をもらえば、ガソリンに金がかかると文句を言いかねない。デイジーはそう忠告したかったが我慢した。マーティスはミセス・シモンズの親友だったから。

「人にもよりますからね」デイジーはそつなく答えた。「マーティスよりずっと気丈でらっしゃるから、結果もずっといいかもしれませんよ」ミセス・シモンズは、それほどの痛みに耐えているなんて、よほど気持ちがしっかりしているのね、と言われるのが好きだ。

「そうね、考えてみるわ」

口先だけだろうが、これで社交上の必要条件は満たした。かくして本題に移る。

「お電話を差しあげたのは、おたくのガレージのアパートはまだ空いているかと思って。もう契約はされました？」

「いいえ、まだよ。どなたかご興味をお持ちなの？」

「わたしなんです。お昼休みにお伺いして、お部屋を見せていただいてもよろしいですか？」

「ええ、いいですけどね。ちょっとおかあさまに伺ってみないと。すぐにかけなおすわ。あなた、お仕事中でしょう？」

デイジーは目をぱちくりさせた。はたしていまのは空耳だったのだろうか？「あの、すみません」礼儀正しく言った。「どうして母に訊かなければならないんですか？」

「あら、承知なさってるのか尋ねてみなければ、当然でしょう。おかあさまのお許しがなくては、あなたに部屋を貸すわけにはいかないわ」

その言葉が平手となって顔を叩いた。「許しですって？」息が詰まった。「わたしは三十四歳です。許しがなくても、好きなところに住めるはずです」

「おかあさまと口論したのね。でも、わたしはイヴリンの気持ちをそんなふうに傷つけたくないのよ」

「口論なんかしてません」デイジーは言いはった。喉が締めつけられるようで、話すのもやっとだった。ああ、そんなにも頼りない、母親の許しがなくてはなにもできない女だと、町じゅうの人間に思われていたのだろうか？　デートできないはずだ！　恥ずかしさに怒りが混じる。ミセス・シモンズは、デイジーを侮辱したことに気づいてもいない。「よく考えたんですけど、ミセス・シモンズ、おたくのアパートはわたしに向いてないようです。お手数かけてすみませんでした」失礼を承知で、さようならも言わずに電話を切った。ミセス・シモンズはきっと友だちに、デイジーが電話で邪険だったとか、彼女が母親とけんかしているとか触れまわるだろうがしかたない。アパートに勝手に入りこんでこなくとも、デイジーのあらゆる行動を監視して母親に報告するのが義務だと思いこむだろう。別に悪さをするつもりはないけれど、それにしたって……！

屈辱感が火となって燃えたぎる。自分でなにも決めることができない女。友だちや知り合いは、彼女をそう見ているのだろうか？　自分では知的で責任感があり、自立した女だと思っていたのに、彼女を赤ん坊のころから知っているミセス・シモンズは、まちがいなくそうは見ていなかった！

家を出るのが、あまりにも、あまりにも遅すぎた。十年前にやっておくべきだったのだ。そのころだったら、イメージを変えるのもずっと簡単だっただろう。いまとなっては、世間の見方を変えるには、議会で決めた法律がなければだめらしい——それに、母親の許可証が！

とにかく、ミセス・シモンズのアパートに住まないほうが、ことはうまく運びそうだ。母親の家からは出ても、〝監督下〟にあることに変わりはないのだから。イメージを変えたければ、完全に自由だという印象を与えなくてはならない。

醜いコンドミニアムが、だんだんましに思えてきた。

デイジーは広告に載っている番号に電話をかけた。電話のベルはいつまでも鳴りつづけた。コンドミニアムの管理人も、膝の関節炎を患っているのかしら？

「もしもし」眠そうな男の声だ。

「ごめんなさい、起こしちゃったかしら」デイジーは机の上の時計にちらりと目をやった。九時十分だ。こんな時間まで寝ているとは、どんな管理人だ。

「いや、だいじょうぶ」

「賃貸物件のことでお電話を――」

「あいにくだ。昨日で全部埋まっちまった」電話は切れた。

はあ、さようですか。

がっかりしながら、じっと新聞を見下ろした。残されているのは、ラシター・アベニューの一軒家と、ファリス一家の住んでいる二世帯住宅と、危険な地区にある移動住宅。二世帯住宅は問題外だ。

いまさらやめるわけにはいかなかった。やめてしまえば、二度と鏡のなかの自分を直視することはできないだろう。あきらめてはいけない。もしかすると、ラシター・アベニューの一軒家はそんなに悪くないかもしれない。近所が荒れ果てていることは気にならなかった。ドラッグの売人が角ごとに立っているとか、夜間に銃声が何度も鳴り響くといった危険さえなければ。

夜でも昼でもヒルズボロで銃声がすれば、かならず聞こえていたはずだ。

ドアの上の小さなベルが控えめに鳴り、だれかが入ってきた。デイジーは立ちあがり、スカートの皺を伸ばした。それで見栄えがよくなるわけではなかったが。正午まで、ほかに職員はいない。午前中の来館者はほとんどいないからだ。人が増えるのは午後で、学校が終わってからだ。もちろん、夏のあいだはこのパターンも変わるが、それでも利用者の大半が午後にやってくる。わりあい涼しい朝のうちは、ほかのことをするのに忙しいのだろう。ケンドラ・オウエンズが十二時に出勤してきて、九時の閉館まで勤める。それに加えて、シャノン・アイヴィーが五時から九時のパートタイムで働いているので、ケンドラは夜の時間にひとりきりになることはない。数時間でもたったひとりでいるのはデイジーだけだが、それだけ大きな責任を負っているのだからしかたがない。

「だれかいますか？」デイジーが小さなオフィスから貸出デスクに出る前に、深みのある声が響いた。

デイジーは急いで二歩進み、相手を目にした。ほかに利用者がいないからといって、図書館で大声を出されると少しばかり腹が立った。来訪者にすばやく視線を走らせ、そっけなく答えた。「ええ、もちろん。怒鳴らなくても聞こえます」

警察署長のジャック・ラッソが、傷んだ木製の貸出デスクの向こう側に、じれったそうに立っていた。デイジーは彼と顔見知りだったが、話をしたことはなく、いまもそうしたくなかった。はっきり言って、デイジーはノーラン町長の人選を買っていない。この新任の署長にはどこか落ち着かない気持ちにさせられたが、自分でもなぜなのかよくわからなかった。どうして町長は、地元の人間を、もとから警察にいる人間を選ばなかったんだろう。ラッソ署長はよそ者で、町民大会《タウン・ミーティング》で見かけたかぎりでは、権力をかさにきるのが嫌いではないようだ。威張り屋はすぐに嫌われるものだ。

「人の姿が見えれば、怒鳴ったりしない」彼はぶっきらぼうに言った。

「人がいなければ、ドアの鍵があいているわけがないでしょう」同じくらいぶっきらぼうに言い返した。

引き分け。

ラッソ署長は、肉体的には見栄えがいい。太い首に、幅が広くて傾斜した肩をしたマッチョ・タイプが好みであればだが。筋骨たくましい人間は頭が悪いと、はなから決めてかかるほど単純ではないが、その手のタイプは好みではなかった。たくましい体を維持するためトレーニングに励む男には、基本的にナルシスティックなところがありそうだ。年齢は知らなかった。目のまわりの笑い皺をのぞけば、顔に皺はなかったが、短い髪の毛は、まだ黒いてっぺんのあたりを残して白髪がまじっていた。少なくとも、何時間もせっせとウェイト・トレーニングをするほど若くはなさそうだ。自信たっぷりの傲慢《ごうまん》な目つきだけでなく、いつでもせせら笑いを浮かべかけているようなふっくらした口もとも気に入らなかった。自分のことを何様だと思っているのだろう、エルヴィス？　そのうえ、彼は北部人《ヤンキー》で——シカゴとニューヨークの両方で警官をしていたらしい——無愛想な態度も癇《かん》にさわる。郡保安官のように選挙で選ばれる役職だったなら、彼はぜったいに当選しない。

デイジーはため息をこらえた。署長に対する評価という点では、彼女は少数派に属していた。ノーラン町長は彼を気に入っているし、町議会も気に入っている。それに町の噂《うわさ》によれば、おおかたの独身女は彼を最高にいい男だと思っているらしい。ということは、彼を毛嫌いする自分のほうがおかしいのか。たぶん。偏見をもたないことが人づきあいのこつよ、と自分に言い聞かせたが、それでもふたりのあいだに貸出デスクがあってよかったと思った。

「なにかご用件でも？」とっておきの司書の声音で、きびきびと親切そうに尋ねた。公共の場で働くこと、とくに図書館で働くことは、一種の技術だ。もちろん人びとには本を読んでもらいたいから、その気にさせなければならないが、それと同時に、図書館にも利用者にも敬意を払っていることを示さなければならない。

「ああ、ヴァーチャル図書館に登録したいんだ」

この男が自分に向かって陽気な笑顔を向けて、なにか言ったなんて信じられなかった。自動的に彼の点数が数ポイント上がった。州のヴァーチャル図書館を、彼女はもちろん誇りに思っていた。アラバマ州はこの分野で国全体をリードしている。州民ならだれでも、どの図書館でも登録することができて、何千もの新聞や雑誌、論文や百科事典、学術資料や医学専門誌などに、家にいながらにしてオンラインでアクセスできる。カテゴリーのいくつかは、特定の年齢の子どもたちを対象にしていて、教室での勉強や宿題だけでなく、広く興味をかきたてることにも役立っている。ほかの州にもヴァーチャル図書館はあるが、アラバマのものが抜きんでて充実していた。

「きっとお気に召します」デイジーは熱心に言い、安全地帯でもある貸出デスクの内側から出るために、蝶番《ちょうつがい》式の天板を上げた。「こちらへどうぞ」

デイジーは彼を閲覧室に連れていった。オンライン・コンピュータがブーンと小さく音をたて、いつでも使えるようになっている。コンピュータの前に椅子を動かし、彼に別の椅子を持ってくるように合図した。彼は椅子をつかむと彼女のすぐそばに置き、大きな体を据えつけた。すぐさま背もたれに寄りかかり、長い脚を上げて右膝の上に左の踵《かかと》を交差させる。優位な立場にいる男が無意識に取る姿勢、つまり自分のまわりのスペースを肉体で支配することに慣れた男の体勢だ。

デイジーは眉をひそめ、心のなかでたったいま彼に与えた点数を差し引いた。人を押しのけちゃいけないって知らないの？　椅子を数インチずらし、頭のなかの彼の評価表のマイナス欄に〝行儀が悪い〟と記入した。

彼から必要なことを聞きだし、システムに入力してパスワードを教えた。そのあいだじゅう、彼があいかわらずぴったりとくっついてくることが気になり、自分の脚と並んだ筋肉のはりつめた太腿《ふともも》に何度も目をやった。あと少しでも椅子をずらせば、キーボードに届かなくなってしまう。個人のスペースを侵していることに気づくべきだ――都会の警官なら、それくらい知ってて当然でしょ？――といらいらしながら、むっとした視線を投げかけて、あやうく跳びあがりそうになった。彼がこっちをじっと見ていたからだ。しかも、隠そうともしない。

頬がかっとほてるのを感じた。いつもならさっさと切りあげて、あたふたと安全なオフィスに逃げこむところだ。だが、今日は新たなるはじまりの日であり、人生の大切な節目なのだから、絶対に怖じ気づいたりするものか。すでにミセス・シモンズには失礼な振舞いをしたのだ。警察署長にもそうしてなにが悪い？

「じろじろ見るのね」ぶしつけに言ってやった。「顔になにかついてるかしら、それとも危ない犯罪者みたいに見えます？」

「いいや」彼は答えた。「警官ってのは人をじろじろ見るもんなんだ。それも仕事の一部だから」

へえ。そうかもしれない。むっとした気持ちを、数段階引き下げた――あくまでもほんの数段階。「とにかくやめてください。失礼だし、あなたのせいで落ち着かないの」

「すまない」それでも彼は、デイジーから目を離さなかった。言われたことに従うつもりはないらしい。彼の瞳は風変わりなグレーグリーン、グレーよりはグリーンに近い色だ。オリーブ色の肌には少しばかり不似合い。だがデイジーは、他人の瞳についてあれこれ言える立場ではなかった。彼女の瞳は右と左で色が違う。「困らせるつもりはなかったんだ、ミス……デイジー、だったっけ？」ふっくらした唇が歪んだ。「ドライブでも行くかい？」

彼女の顔は赤みが差すどころか、トマトのようにまっ赤になった。『ドライビング・ミス・デイジー』という映画が公開されてからというもの、いまみたいに何度からかわれたことか。彼女はぜったいに笑わなかった。彼のマイナス欄に二点つけたし。人の名前をからかうのは失礼だから、余分な減点に価する。

「いいえ、けっこうです」冷ややかに言って、少しもおもしろいと思っていないことを明らかにした。立ちあがって、パスワードの書かれたプラスティックのカードを彼に渡した。それからひとこともしゃべらずに、貸出デスクの内側に戻り、天板を下ろして彼を締めだした。こうしてバリケードを築き、広い木のデスクをはさんで彼と向きあった。

「すまん」彼は二分間で二度も謝った。問題は、どちらも謝罪の気持ちがこもっているとは思えないことだ。彼は貸出デスクに身を乗りだし、長い指でプラスティックのカードをぱちんとはじいた。「いままでに何度も言われたんだろ？」

「何度も」このうえなく冷淡な口調で繰り返した。

彼はシャツの具合をなおそうとするように、肩をすくめた。だが、デイジーは雑誌の記事でボディ・ランゲージについて読んだことがあったから、彼が自分の肉体を誇示しているのだと思った。もしそうなら失敗に終わっている。

デイジーが長いあいだ頑固に黙りこくって、謝罪を認めもせず、受け入れもしないでいると、彼はもう一度肩をすくめまっすぐに立った。そして、机の上でプラスティックのカードをコツコツ叩き——いったい、なんの合図？　コツコツ叩くことがなにを意味するボディ・ランゲージなのか思い出そうとした——「どうもありがとう」と言った。

ええい、そうきたか。無視するわけにはいかない。「どういたしまして」彼が立ち去るのを見送りながらつぶやいた。彼のくすくす笑いが、たしかに聞こえたような気がした。

くそったれヤンキー！　それにしても、彼はなぜこんなところまできたのだろう？　大都会の辣腕《らつわん》刑事だったのなら、大都会にいればいいではないか。こんなアラバマ州北部の山のなかに引っこんで、人口九千人ちょっとのヒルズボロでなにをしているのだろう？　もしかすると、汚職でもして捕まったのかもしれない。それとも、ひどい判断ミスを犯して、丸腰の無実の人間を撃ってしまったのだろうか。なんにしても、クビになるようなことをやりかねない男なのだろう、きっと。

さあ、もうこれ以上あの男のことでいらついて時間を無駄にするのはやめよう。壮大な計画を前にして、失礼な利用者になどかかずらっていられない。心のなかで苛立ちを抑えた。自分には使命があり、今日は住む場所を見つけるまで家には帰らない。

少ない選択肢を思い出すと、ため息が出た。あの誓いを守るとすれば、今夜は車のなかで眠るしかないだろう。

3

ノーラン町長は、彼の小さな町を愛していた。ヒルズボロはこぢんまりとしていたが、それは土地が豊富で安く、町が野放図に広がりがちな南部では珍しいことだった。ヒルズボロは広がりすぎることがなく、大部分はアパラチア山麓の丘陵地に囲まれた、小さな谷のなかにおさまっていた。ノーランは、町に入る道筋さえも気に入っていた。ヒマラヤ杉の並木に縁どられた幹線道路をうねうねとのぼり、カーブを曲がると目の前に町が開ける。その眺めは、陽光あふれる南部より、ニューイングランド地方にこそふさわしかった。

白い教会の尖塔が空をつらぬき、オークやヒッコリーの巨木が豊かな緑の天蓋《てんがい》を作り、芝地には色鮮やかな花々が咲き乱れている。そのうえ町民の憩いの広場まであった。ヒルズボロは郡都ではないため、裁判所こそなかったが広場はある。広さはたった一エーカーでも、きれいな公園になっている。手入れの行き届いた花壇や、ちょっと休憩するためのベンチが置かれ、広場につきものの南北戦争当時のキャノン砲まであり、その土台には錆《さ》びついた砲弾の山が築かれている。多くの町民がここを憩いの場にしているから、金をかけただけのことはあると町長は自負していた。

町役場は二階建ての黄色い煉瓦造りの建物で、広場の一辺に建っている。その両脇には警察署と、白い円柱のある図書館があった——前者はジャック・ラッソ署長が率いていた。無愛想な凄腕のヤンキーで、町の治安を完璧に守っている。後者を管理しているのはミス・デイジー・マイナーで、これほどお堅いオールドミスも珍しい。歳はそれほどいっていないが、ガチガチの堅物だ。変わり者だらけのこの町でも、彼女は町長お気に入りの変わり者だった。じつにステレオタイプだったからだ。

広場の残りの三辺にはさまざまな店があった。ドライ・クリーニング店や金物屋、洋品店、アンティーク・ショップが数軒、飼料店、安い雑貨を売る店、趣味の店。ヒルズボロでは高級品は買えないが、生活に必要なものや、生活を楽しむためのものは、なんでもここで手に入る。ご多分にもれずファーストフード店もあるが、広場でなくフォートペインに向かう道路沿いに集まっていた。広場にあるレストランはただひとつ、〈コーヒー・カップ〉という店で、朝食とランチの時間は繁盛しているが、ディナーは客足が遠のくので六時には店じまいする。

平和な町だった。九千人あまりの人が集まっているにしては平和なほうだ。ヒルズボロにはバーもナイトクラブもなかった。郡が酒の販売を禁止しているからだ。アルコール類を——合法的に——飲みたければ、郡のほかの町と違って投票で酒類の販売が認められたスコッツボロか、マディソン郡まで出かけなければならない。まあ、酒を持ち帰ろうとする者がいるのはいつものことだが、かならず家に持って帰るのであれば、警察は見て見ぬふりをした。しかし、酔っぱらい運転は厳しく罰し、仲間のためにこっそりビールを持ちこもうとするティーンエイジャーにも目を光らせた。マリファナを吸ったり、クスリをやりたがる連中もあとを絶たないが、テンプル・ノーランはヒルズボロからドラッグを一掃しようと努めていた。

ジャック・ラッソを署長に選んだのは、そのためでもあった。ラッソはシカゴとニューヨークで働いたことがある。つまり現場で経験を積んでいて、ドラッグが持ちこまれたら、どこをどう捜査すればいいか心得ている。彼のやり方は、この地域では少々荒っぽいととられるのだが……まあ、良いことがあれば悪いこともある。ラッソのいちばんの取り柄はよそ者だということだ。仕事はできるが、昔からのネットワークに取りこまれていない。そういったネットワークのなかでは、びっくりするほどの情報が飛び交い、便宜を図りあっている。便宜を図ってもらえば借りができ、いつのまにかしてはならないことをしたり、黙っているべき情報をもらしたりする。よそ者を雇うことで、ノーランは悪の芽を蕾《つぼみ》のうちに摘みとったのだ。ヒルズボロは、ノーランの望みどおりに平和でクリーンでありつづけるはずだ。署長は孤立しているから、知らなくてもよいことに気づくことはない。いまのところうまくいっていた。

ノーランが町長になってから九年になる。前年に三期めの選挙に勝ったばかりだった。まだ四十五歳で、すらりとしてハンサムな男だ。瞳は青く、黒い髪はきちんとなでつけられている。ヒルズボロで育ち、スポーツはなんでも――フットボールにバスケットボールに野球

――こなす人気者だったが、スター選手ではなかった。そのことで彼の人気や将来設計が損なわれたことはない。なにもスポーツのメジャーリーグで有名になりたいと夢見ていたわけではなかった。それに、花形のクオーターバックが、かならずしもチアリーダーのキャプテンを射止めるわけではない。その栄誉を勝ち取ったのはノーランだった。しなやかな体を持つブロンドのジェニファー・ホワイトヘッドは、ノーランが経営学の学位を取った直後の六月に、ミセス・テンプル・ノーランになった。翌年にはジェイソンが誕生し、その三年後にブロンドのかわいいペイジが生まれた。家族写真は理想的で、まるで家族計画のパンフレットのようだ。

子どもたちはすくすくと育った。ジェイソンはなかなか優れた投手になり、そのおかげでカレッジに進むことができた。だが、ノーランと同じように、メジャーリーグの人生を夢見てはいなかったので、いまはノースカロライナ州のメディカル・スクールに通っている。二十歳のペイジも大学生で、数学と自然科学の二科目を専攻し、宇宙開発計画の仕事を希望している。ふたりともすばらしい子どもたちだ。ありがたいことに、どちらも母親に似なかった。

そう、ジェニファーだけが悩みの種だった。いとしのジェニファー。高校でもカレッジでもふしだらだった女は、結婚したぐらいでは変わらないことに気づくべきだった。ジェニファーはだれとでも寝る。ふたりの子どもがこれほど自分に似ていなかったら、DNA鑑定をしてもらっていただろう。もっともジェニファーだって、新婚のころは夫だけで我慢しようと努めていたようだ。浮気に精を出しはじめたことに気づいたのは、ペイジが二歳になるころだった。

ノーランの政治的キャリアをもってすれば、離婚の痛手にも耐えられるだろう。だが、離婚するつもりはなかった。ひとつには、母親を愛している子どもたちを動揺させたくなかったからだ。そしてもうひとつ、ジェニファーはそれなりに役立つ。ジェニファーのおかげで同情票が集まるし――「ノーランも大変だな、家族が崩壊しないように懸命にがんばって」といった具合に――だれかと取引をまとめたり、便宜を図ってもらった礼をする必要があるとき、ジェニファーはいつでも進んで下着を下ろして横になった。

ということはむろん、別の場所で気晴らしをしなければならない。どこの馬の骨ともわからぬ奴に乗っかられた女に、自分のいちもつを突っこむ気はさらさらない。町には何人かお手軽な女がいて――しかも、彼女たちはそんなふうに見えない――誘えばいつでも応じるだろうが、賢い人間は自分の巣を汚しはしないものだ。そう、性欲は町の外で処理するにかぎる。必要なときに女を調達するのに手間取るわけでもないのだから。

私用の電話が、公用の回線とは異なる呼び出し音で鳴りはじめた。まずドアが閉まっていることを確かめてから、ノーランは電話に出た。「もしもし」万一に備えぜったいに名前を名乗らない――とくに携帯電話ではそうだが、普通の電話に出るときでも習慣になっていた。

「荷物のことでちょっとしたトラブルがありまして」聞き慣れた声が言った。

「発送に手間取っているのか？」

「はい。ご自分で確認されたほうがよろしいかと」

ノーランは心のなかで毒づいた。いまいましい雨さえ上がれば、ゴルフを一ラウンド回る予定だった。これでは、ハンツヴィル郊外まで車で行かなくてはならない。だが、グレン・サイクスは有能な奴だ。重大事態でなければ、出向いて確かめろとは言わないはずだ。「長いランチになりそうだ」ノーランはそっけなく言った。

「では、納屋にきてください」サイクスが言った。「そこでお待ちしています」

ふたりは電話を切り、ノーランはゆっくりと受話器を戻した。逃亡でもされないかぎり問題はないはずだ。その場合は、サイクスがすぐに知らせてよこすだろう。だが、別の問題が持ちあがることがあるし、そういう場合には、手遅れになる前に迅速に処理しなければならない。

三時間後、崩れかけた納屋のなかで、彼は〝厄介の種〟を見下ろしながら、損失を考え無言で毒づいた。「なにがあった?」

「クスリです」グレン・サイクスは簡潔に答えた。

なにが起きたか、じっくり考える必要はなかった。ノーランはむっつりと言った。「GHBか?」

「はい」

「ミッチェルだな」サイクスは否定せず、ノーランはため息をついた。「ミスター・ミッチェルはお荷物になってきたな」ミッチェルが娘たちのひとりにGHBを盛ったのは、これがはじめてではなかった。あの変態野郎は、女とやるときに意識を失わせるのが好きなのだ。そうすればうまくごまかせる気になるのだろう。もしくは、争わなければレイプではないと考えているのか。どんなわけがあるにせよ、ミッチェルがGHBで殺した娘はこれでふたりめだ。商品に手を出したこともだが、利益を減らすようなことをしでかすのは断じて許せない。

サイクスがぶつぶつと言った。「ミッチェルはずっとお荷物でしたよ。あの大馬鹿野郎は、役に立つというより足手まといです」

「たしかに」

「処理しましょうか?」

「残念だがそうすべきだろうな。ミッチェルのお楽しみは高くついて困る」

サイクスはほっとした。彼はドジと仕事をするのが嫌いで、ミッチェルはA級のドジだった。反対に、テンプル・ノーランのような男と組むのは楽しかった。自分で汗をかくことはしないが、なにごとも感情を交えずに冷静に対処するからだ。サイクスは地面の上の包みを指さした。「死体はどうします? 埋めますか、それとも捨てましょうか?」

テンプルは考えこんだ。「どのくらいたっているのか?」

「わたしが見つけてから、四時間ほどになります」

「念のためにあと二、三時間待って、それから捨てろ」GHBの化学組成は六時間で分解する。その時間内に死体が見つかって検査が行われなければ、使用されたことはわからない。

たとえ専門家がＧＨＢの疑いを持ったとしても、証拠はなにも残っていない。

「ご希望の場所でも？」

「こちらとつながりがなければどこでもいい」

サイクスは顎をなでた。「マーシャル郡まで運びましょう。あそこなら、この子を見つけても、渡り労働者で片づけるでしょう。わざわざ身元を調べようなんて奇特な奴はいませんよ」サイクスは、絶えまない雨に叩かれているブリキの天井を見上げた。「この天気が助けになります。なんの痕跡も残りません。マーシャル郡のイモ警官がよしんばがんばっても無駄です」

「いい考えだ」ノーランはため息まじりに言い、小さな包みを見下ろした。死は体から動きを奪うだけではない。ただの肉塊にしてしまう。生命力が行き渡っているからこそ筋肉は緊張し、人間の尊厳は保たれるのだ。どうすれば死人を眠っていると思えるのか、ノーランにはわからなかった。死体のようすはそれほど違っていた。生きていればこの娘も美しく、無《む》垢《く》な光をまきちらして大金をもたらしてくれたはずだった。死んでしまえばただの物体だ。

「フィリップスに電話して、事態を知らせよう。ミッチェルをどうするかについてもな」ノーランは電話をかけたくなかった。ミスを犯したことを認めるのは大嫌いだったし、ミッチェルを雇うことにしたのは自分だったからだ。

まあいい、この程度のミスならすぐに修正できる。ミッチェルが娘にＧＨＢを盛るのもこれで終わりだ。

4

デイジーは雨のなかに立ち、最後の頼みの綱となったラシター・アベニューのみすぼらしい家を眺めた。白いペンキは剝げかけ、まばらに植えられた伸び放題の灌木はすぐにでも手入れする必要があった。雑草のはびこる庭は、夏のあいだ一度も刈られていないようすだったし、玄関ポーチの屋根はたわんでいる。ドアの網は破れて枠の片側から垂れさがり、窓が一枚、みごとにひび割れている。プラスの面は、狭い裏庭がフェンスで囲まれていることだ。ほかに望ましい点がないかと探したが、無駄骨に終わった。それでも、とにかくここは空いている。

「さてと、鍵はどこに入れたのかしらね」大家のミセス・フィップスが、大きなショルダーバッグを探りながら言った。ミセス・フィップスの身長は五フィートにも満たなかったが、胴まわりは身長とほぼ同じで、髪をたなびく雲のように盛大に膨らませていた――いや、たぶん勝手に膨らんだのだろう。喘ぎながら崩れかけた歩道を進み、舗装がすっかり剝がれている部分は迂回した。

「なんの変哲もない家よ」ミセス・フィップスが念を押すように言う。言われなくても見ればわかるのに、とデイジーは思った。「リビングとキッチン、ふたつのベッドルーム、それとバスルームだけ。それでもあたしとE・Bは、ここで不自由なくふたりの子どもを育てたのよ。E・Bが亡くなってから、子どもたちがトレーラーハウスを買ってくれて、長男の家の裏手に置いたの。病気になっても心細くないようにね。だけど、この古い家は手放せなかった。長いあいだ、ここがわが家だったんだもの。それに家賃が入ると助かるし」

ポーチのたわんだ木の床が、ミセス・フィップスの重さでさらに沈んだように見えた。ミセス・フィップスが床を突き破った場合、すぐ助けを呼びに行けるよう、デイジーは離れて見守った。だが、ミセス・フィップスはなにごともなくドアにたどりつき、なかなかあかない鍵と格闘した。やっとのことで鍵があき、彼女は満足げに息を吐いた。「さあどうぞ。前に住んでた人たちが出たあとに掃除しといたから、ごみやなんかの心配はないわよ」

家はたしかにきれいだった。デイジーはなかに入ってほっとした。もちろん、カビ臭いけれど、それは不潔な感じではなくて、空っぽの家の匂いだった。

部屋は狭く、キッチンは小さなテーブルと二脚の椅子がなんとかおさまる程度だった。家族四人がここでひしめきあっていた様《さま》は想像もつかなかった。床はひびだらけのリノリウム張りだったが、そこここにラグを敷けば隠せるだろう。バスルームも狭かった。バスタブだけ途中で新しいのにしたのだろう。シャワー付きの青いファイバーグラス製のタブが、白い便器やシンクとはおよそ不釣合いだ。壁からは、狭い場所専用のヒーターが突きでていた。

彼女は黙ったまま、もう一度部屋を見てまわり、ランプやカーテンや、こざっぱりした家具を入れたところを思い浮かべてみた。この家を借りるとすれば、窓に取りつけるエアコンや、床に敷くラグ、キッチン用品、それにリビングに置く家具も買わなければならない。ベッドルームの家具はいま使っているのがあるからいいとしても、できるだけ安いものを探して買わないと、ここを住めるようにするために六千ドルはかかるだろう。ありがたいことに、生活費の高い地域に住んでいるわけではない。もしそうだったら、この二倍の出費を見込むことになっていたところだ。お金はある――そのことは問題ではない――けれど、いままでこれほどの大金を使ったことはなかった。考えるだけで胃袋が縮みあがった。

それだけの金額をかけなくては、母親の家に後戻りし、歳をとって死ぬまでそこで暮らすことになる。ひとりぼっちで。

「ここ、お借りします」デイジーは声に出して言った。まるでほかのだれかがしゃべっているような、妙に遠くから聞こえた気がした。

ミセス・フィップスのピンク色のぷっくらした顔が明るくなった。「まあ、借りるの？ まさかあなたがね――だって、あなた、そんなふうには見えなかったから……この界隈も、昔はちゃんとしていたんだけど、最近は柄が悪くなってね、だから……」ミセス・フィップスは息切れしてしまい、驚きをちゃんと表わせなかった。

デイジーにもその気持ちはわかった。ほんの一週間前までは――いいえ、昨日まで！――こんな場所に住むなんて考えもしなかった。

ぜひ借りたいとは思ったが、デイジーは感情に流されるたちではなかった。腕を組み、とっておきの司書の顔を作った。「玄関ポーチはかなり修理が必要ですね。そちらさえよろしければ、わたしが手配します。費用はそちら持ちで、わたしが立て替えておきますから、毎月の家賃で相殺するということで」

ミセス・フィップスも腕を組んだ。「どうしてこっちがそんなことを？」

「当座は家賃収入がないわけだけれど、長い目で見れば不動産の価値は上がりますし、そうすれば次はもっと高い家賃で貸すことができますよ」デイジーは、ミセス・フィップスが家賃だけにこだわらず、将来の利益を考えるタイプの人間であることを祈った。修理にどれくらいかかるのかわからないが、家賃はたったの月百二十ドルだから、ミセス・フィップスは数カ月間、家賃収入がないことにばかり気が向くかもしれない。

「家賃を割り増しでもしなけりゃ、そんなに長いことやっていけそうにないんだけどねえ」

ミセス・フィップスは迷っているようだった。

デイジーはすばやく考えた。「では、一カ月おきではいかが？　それならなんとかなりませんか？　修理代はいますぐお支払いします。そのお金が相殺されるまで、一カ月おきに家賃を免除してください。さもなければ、そちらで修理代を負担して、家賃を少し上げるか」

ミセス・フィップスは体重を移動させた。「あたしにはそういうことに回せるお金がないの。わかりました、あなたの言うとおりにしましょう。でも、一筆書いておいてね。それと、最初の一カ月分は払っていただくわ、それから一カ月おきにしましょう。光熱費は家賃に入っていませんからね」

月百二十ドルですむとは、デイジーも思っていなかった。彼女はにっこり笑って、手を差しだした。「商談成立ですね」ふたりは握手を交わした。

「ちょっと狭いね」その日の夜早く、デイジーの母親と新しい住まいを点検しながら、ジョーおばが言った。

「ちょうどいいわよ」イヴリンがきっぱりと返した。「ペンキを塗って、すてきなカーテンをかければ、見違えるようになるわ。どっちにしろ、あの子がここにずっと住むことはなさそうね。すぐにいい人を見つけるでしょうよ。デイジー、屋根裏にほしいものがあったら、なんでも持っていきなさいね」イヴリンは小さな家のなかを、もう一度見渡した。「どんなインテリアにするつもり？」おぼつかなげに尋ねる。この家をいくらかでもましに見せる方法を、なにも思いつかないと言いたげに。

「こぢんまりと居心地よく」デイジーは答えた。「狭すぎて、それ以上は無理でしょ。たとえば、ふかふかの椅子にアフガン編みの毛布をかけるとかね」

「ふむ」ジョーおばが言った。「あたしが知ってるアフガンときたら、伏せをさせるのに縛りつけなきゃならなかった。世界一の馬鹿犬だったね」

三人はくすくす笑いはじめた。ジョーおばのユーモアのセンスはまったく突拍子もなくて、デイジーもイヴリンも、その発想の飛躍ぶりをおおいに楽しんだ。

「でも、犬は必要になるわね」イヴリンがまわりを見まわし、唐突に言った。「さもなきゃ、泥棒よけの柵と警報装置を窓につけるのね」

泥棒よけの柵と警報装置までつけたら、膨れあがる経費に数千ドル上乗せしなければならない。デイジーは言った。「それじゃ、犬を探すことにする」それに、犬は友だちになってくれる。これまでひとり暮らしをしたことがなかったから、犬がいれば生活の変化にもなじみやすいだろう。ペットと暮らせるなんてすてきだ。最後に一家のペットが老衰で死んでから、八年が――まあ、そんなになるの！――たっていた。

「いつごろ引っ越すつもり？」ジョーおばが尋ねた。

「さあね」デイジーはためらいがちにまわりを見た。「ガスや水道をまた供給してもらわなきゃ。たいした手間じゃないだろうけど。キッチン用品を買って配達してもらったり、家具や敷物を買ったり、カーテンをかけたりしなくちゃ。それにペンキ塗りも。絶対に塗りなおしがいるもの」

イヴリンは鼻を鳴らした。「ちゃんとした大家なら、前の住人が出たあとに塗りなおしとくものだけどねえ」

「家賃が月百二十ドルだもの。塗りなおしは契約に入ってないの」

「バック・レイサムが、小遣い稼ぎに週末はペンキ塗りを請け負ってるらしいよ」ジョーおばが言った。「今晩でも電話して、いつこられるか訊いといてあげよう」

デイジーには、銀行口座から金が流れるチーンという音がまた聞こえた。「ペンキは自分で塗るわ」

「忙しくなるよ」

「それは無理だよ」ジョーおばは譲らなかった。「忙しくなるよ」


「ええ、でもそれくらいの時間は——」

「いいえ、ないよ。忙しくなるんだから」

「ジョーが言いたいのはね、ふたりで考えてたんだけど、あなたはファッションと美容のコンサルタントに会うべきだってことなの」


デイジーは口をぽかんとあけてふたりを見つめ、噴きだしそうになった。「そんな人、どこに行けば見つかるのよ?」ウォルマートの店員に、ファッションと美容のコンサルタントがいるとは思えなかった。「それに、自分がどんなふうになりたいのか、どうして他人に教えてもらわなくちゃならないの?　とっくに自分で考えているわ。ウィルマに髪を切ってもらって、ハイライトも入れるかもしれない。それと化粧品を買って——」


イヴリンもジョエラも、ゆっくりと頭を振った。「それじゃだめだ」ジョーおばが言った。

「だめって?」


イヴリンが引き継いだ。「いいこと、どうせやるならちゃんとやらなくちゃ。もちろん、ヘアスタイルを変えてお化粧するのはいいわ、でもあなたに必要なのは**スタイル**なの。存在感が必要なのよ、みんなを振り返らせて見とれさせるような。そのためには、なによりも見せ方が大事なの。でもそれは、ドラッグストアの美容と健康のコーナーに行っても見つかりはしないわ」

「だけど、これからどんどんお金がかかるし——」

「そういうのを、〝一文惜しみの百失い〟って言うの。ノルマンディーの決戦で、もしアイゼンハワー司令官が『待て、金の使いすぎだぞ。船の数を半分に減らして送れ』って言っていたら、上陸拠点をつくることができたかしら？　あなたはこれまでずっと貯金してきたけれど、使ってこそお金は生きるのよ。なにも貯金を全部使うわけじゃなし」

デイジーにもふたりの言い分はわかったが、押しきられるわけにはいかなかった。しばらく考えてからこう言った。「まず、自分のやり方でやってみたいの。それで満足できなかったら、コンサルタントを探すことにする」

生まれたときからデイジーを知っている母親とおばは、彼女がこうと決めたらどうなるか承知していた。「わかった。でも、ウィルマに髪をいじらせるのだけはやめときなさい」ジョーおばが注意した。「とりかえしのつかないことになるからね」

「おばさんだってウィルマにやってもらってるじゃない！」デイジーはいきりたった。

「うん、でもウィルマが薬品を持っているときは、そばに寄らせないよ。あの美容院であたしが目撃したことを聞けば、血も凍るから」

緑色の縮れ毛がいきなり頭に浮かんできて、デイジーはウィルマに予約を入れるのは待とうと決めた。月に一度、手入れのために通い、余分にお金がかかることになっても、もっと大きな町に行くべきなのかもしれない。腕はよくなかろうが、ウィルマなら安あがりなのに。

言いかえれば、ウィルマは安いけれど、腕はよくないってことだ。

「ノルマンディーを忘れるな」デイジーはつぶやいた。

「そのとおり」母親が満足げに言った。

頑固なデイジーは、家に帰る途中でドラッグストアに立ち寄り、こまごました化粧品のためにあきれるほどの出費をした。袋のなかのマスカラやアイブロウ、ほお紅にリップライナーに口紅といった品々は、かろうじて重さが感じられる程度なのに、ふところは二十五ドル分も軽くなった。しかも、高級品を買ったわけではないのだ。この計画は、まさにお金を吸いこむ穴になってきた。

それから時間をかけて美容雑誌をくらべ、いちばん詳しい化粧品の使い方が載っているものを選んだ。字が読めればやり方を覚えることができるはず。満足して、すてきなものの入った袋と教科書をたずさえて家に帰った。

「なにを買ったの？」デイジーは家に入るやいなや、ジョーおばに問いただされた。

「基本的なもの」デイジーは袋の中身をひとつひとつ挙げていった。「まずこれをマスターしてから、アイライナーとかそういう込みいったのに移るわ。夕食のあとで試すから、成果を見てね」

その日は誕生日だったから、夕食は彼女の好物ばかりだった。ミートローフにマッシュポテト、インゲン豆。それなのに、興奮しすぎてたくさんは食べられなかった。一日のうちにいろいろあったから、神経がなかなか鎮まらないのだ。キッチンの片づけを終え、母親とジョーおばは〈ホイール・オブ・フォーチュン〉を見ようとテレビの前に陣取り、デイジーは買ったばかりの化粧品でオルダス・ハックスリーの『素晴らしい新世界《ブレーヴ・ニューワールド》』ならぬ『素晴らし《ブレーヴ・》い新顔《ニュー・フェイス》』を作りだそうと二階に上がった。

　まず、美容雑誌を丹念に読み、アイシャドウの正しい使い方を研究した。眉の下にいちばん明るい色を、まぶた全体に中間の色を、目の縁にいちばん濃い色。けっこう簡単そうだ。例として、オードリー・ヘップバーンのような、ぱっちりとした目を使った図解が載っていた。デイジーは小さな容器をあけ、色合いの異なる四色のブラウンのシャドウをじっと見た。地味な茶色。ブルーかグリーン、それともパープルなんかを選べばよかったかもしれない。でも、ブルーを選べば緑色の瞳に合わないし、グリーンを選べば青い瞳に合わない。パープルにいたっては想像もつかなかった。というわけで、ブラウンに落ち着いた。

　ようするに彼女の人生は、無難な茶色に落ち着くようにできているのだ。

　デイジーはささやかなコレクションをバスルームに運び、洗面台にずらりと並べた。アイシャドウを塗る道具は、先端にふわふわしたものが付いた小さな棒だった。彼女はそれを溝から取り出し、いちばん明るい色のシャドウにこすりつけ、指示どおりに眉の下を塗った。鏡に映しておもむろに検討する。あら、なにもつけていないみたい。ほっとした気持ちが、がっかりした気持ちと争っている。

　まあいいでしょ。次のステップは中間の色だ。二種類の中間色があるが、どちらを選ぶかはそんなに重要ではないような気がした。中間色のうちの一色を片方のまぶたに、もう一色をもう片方に塗りつけ、二色をくらべてみた。厳しい目で吟味してみたけれど、大きな違いはわからないと思った。それでも、目がぐんとドラマチックになった。なんとなく深みが増したような。ささやかな興奮を覚え、目の縁にいちばん濃い色をつけたが、必要なシャドウの量を間違えていた。その結果できた濃い色の筋は、まるでどこかの部族の出陣化粧。**ぼかす**。そう、雑誌にはぼかせと書いてあった。デイジーは濃い部分をまわりの色になじませようと、懸命にぼかした。

よし、オードリー・ヘップバーンというよりは、クレオパトラのようになってきた。全体としては、けっこう簡単だった。次回はこの濃い色にもっと慣れるはずだ。

次はマスカラだ。雑誌によると、マスカラはインパクトを与えるらしい。デイジーは念入りに筒のなかで棒をひねくりまわし、まつげになすりつけた。

終わってみると、まるで毛虫がまつげの上に這《は》いあがってきて、そのまま息絶えたみたいだった。

「やだ!」デイジーはうめき、鏡を見つめた。どこが間違っていたのだろう? 雑誌のモデルとは、まったく別物じゃないの! まつげはこんもりした太い麦の穂のように突きでていて、まばたきするたびに上と下のまつげがくっつこうとする。二度めになんとかまつげ同士を引き離したあと、できるだけまばたきをしないようにした。

ここでやめては女がすたる。最後までやりぬくのだ。ほお紅はマスカラほど手を焼かないだろう。デイジーは、小さなブラシを長方形の顔料にぐいとこすり、慎重に頬に塗った。

「しまった」デイジーは小声で言って、小さな容器に入っている顔料を見つめた。容器に入っているときより、顔につけるとずっと濃く見えるのはどうしてだろう? 頬は日焼けしたように見えたが、日焼けではこんなにどぎついピンクそのものにはならない。

しかめつらで残りのアイテム、リップライナーと口紅をつけたが、それで状況は良くなったのか、悪くなったのかはわからなかった。ぞっとするものができあがったことだけはたしかだ。ピエロとホラー映画の怪物を足して二で割ったみたい。

これはどうしても助けが必要だ。

むっつりして一階に降りると、まだ〈ホイール・オブ・フォーチュン〉はつづいていた。イヴリンとジョーは彼女を見るなり、目をまんまるくして口をあんぐりとあけ、黙りこくった。

「ひどいもんだわ」ジョーおばがつい口を滑らせた。

デイジーの頬がほお紅の下でかっと熱くなり、ますます鮮やかな色になった。「コツがあるはずだわ」

「気にしちゃだめ」母親は言い、立ちあがってデイジーに腕を回してなぐさめた。「たいていの女の子は、十代のうちにいろいろ試しては失敗を繰り返し、そうやって学んでいくの。悩むことはないのよ」

「わたしには、失敗から学んでる暇はないの。いますぐ、ちゃんとできるようになりたいのよ」

「だから美容コンサルタントを勧めたのよ。考えてみてちょうだい。いちばん手っ取り早い方法だもの」

「ベスならやり方を教えてくれるかも」デイジーは急に思いついた。妹は化粧品にお金をかけているわけではないが、最大限に自分をよく見せる方法は知っている。しかも、ベスはお金を取ったりしないはずだ。

「それはどうかしらねえ」イヴリンはやんわりと言った。

デイジーは目をぱちくりさせた。大失敗。苦労してまつげ同士を引き離した。「どうして?」

イヴリンはためらい、ため息をついた。「あなたはずっと賢かったでしょう。だから、ベスはきれいでいることで自分の領分を守っていたの。あなたが賢いだけじゃなく、きれいになりたいから手を貸してくれって言っても、あの子には無理な相談だわ。あら、あなたがきれいじゃないってわけではないの」デイジーの気持ちを傷つけないように、イヴリンは急いでつけ加えた。「もちろんあなたはきれいですよ。ただ、どうやったらもっとよく見せられるかを知らないだけ」

ほんのちょっとでも姉に嫉妬するなんて、あまりにもベスらしくないので、デイジーには理解できなかった。「でも、ベスだって学校の成績はいつもよかったじゃない。ベスは馬鹿じゃないわ。賢いしきれいよ。それなのに助けてくれないの?」

「ベスは自分のことを、あなたほど頭がいいとは思ってないのよ。あの子は高校しか出てないけれど、あなたは修士の学位を持ってるわ」

「あの子がカレッジに行かなかったのは、十八で初恋の人と結婚して、すてきな家族を作ることにしたからでしょう」デイジーは切り返した。事実、ベスはずっとほしがっていたものを手に入れたのだ。「進学しなかったのは、あの子が自分で選んだことよ」

「だけど、選ばなかったことはいつまでも気になるだろ」ジョーおばが、デイジーの痛いところを突いてきた。「イヴリンはただ、ベスにそんなことをやらせるべきじゃないって言ってるんだよ。おまえの頼みを断われば気分が悪かろうし、手を貸せば夏にウールを着るようなものだろうし。つまり、不快でいらいらするってこと」

このアイデアはボツだ。さいわい、もうひとつ考えがあった。「チャタヌーガか、ハンツヴィルのデパートに行ってみたらどうかしら。そこでお化粧してもらうの」

「じつはね」ジョーおばが言った。「ヒルズボロにこれぞって人がいるんだよ」

「ここに？」デイジーはわけがわからず、ヒルズボロの住民で、少しでも美容コンサルタントといえそうな人物を思い浮かべようとした。「だれ？　だれかこの町に引っ越してきたの？」

「ええと、そうじゃないんだよ」ジョーおばは咳払いをした。「トッド・ローレンスなら適任じゃないかと思うんだ」

「トッド・ローレンス？」デイジーはぽかんとした。「ジョーおばさんたら、ゲイだからといって、美容コンサルタントになれるとはかぎらないわよ。それに、トッドは〝公表《アウト》〟してるのかどうか。もししていなければ、訊いたりして彼を困らせたりしたくないし」トッド・ローレンスはデイジーよりいくつか年上、四十の大台は越しているはずの、やけにもったいぶったよそよそしい感じの男だった。二十代のはじめにヒルズボロを離れ、親馬鹿な未亡人の母親によればブロードウェイで大活躍したらしい。でも、トッドの名前が載った新聞記事や切り抜きを、母親から見せられた人はいないので、親の欲目で勝手に信じこんでいるのだろうとみんな思っていた。トッドは年老いた母親の面倒をみるため、十五年ほどしてヒルズボロに戻ってきて、母親が亡くなってからは、町はずれの古いヴィクトリア調の家で、ひっそりと暮らしていた。

「あら、彼は〝公表〟してるわよ」イヴリンが答えた。「だって、ハンツヴィルでアンティークとインテリアのお店をやっているのよ。それに、モーヴがどんな色かストレートの男が知ってると思う？　トッドはイースターの日に、わたしにはモーヴが似合うって言ったの。憶えてるでしょう、今年よく着たワンピースの色よ。しかも、トッドは何人も人がいるところでそう言ったんだから。彼は〝公表〟してます」

「さあ、どうかしらねえ」ジョーおばは疑わしげだ。「モーヴはあまりいい判断材料じゃないよ。奥さんに化粧品でも見せられていたら？　それならモーヴがどんな色か知ってても不思議じゃないだろ。いまじゃ、ピュースで試すのがいちばん。トッドにピュースってなにか訊いてごらん」

「ピュースがなにかなんて、訊くつもりないわよ！」

「だったら、公表してますかって、ずばり訊く以外に手はないんじゃないかね」

デイジーは額をこすった。「話が脱線してるわよ。もしトッドがゲイだとしても――」

「ゲイよ」姉妹が自信たっぷりに声を揃えた。

「わかった、ゲイよ。だからといって、トッドが化粧のことを知りつくしているとはいえないでしょ！」

「ブロードウェイにいたのよ、化粧のことを知っててあたりまえじゃない。ゲイでもゲイでなくても、ショーに出る人はみんなお化粧するでしょ。それに、もう彼に電話しちゃったの」イヴリンが言った。

デイジーはうめいた。

「ねえ、大袈裟《おおげさ》にとらないで」イヴリンはなだめた。「トッドは、精いっぱい感じよく応対してくれたわよ。お力になりましょうって。覚悟ができたら、電話しなさい」

「無理よ」デイジーは頭を振った。

「もう一度、鏡を見てごらん」ジョーおばが言いだした。

デイジーはしぶしぶ振り返り、ガス式の暖炉の上にかかっている鏡を覗いた。目にしたものにひるみ、降参した。やましさはもう感じなかった。「明日の朝、電話する」

「いまなさいよ」イヴリンがせきたてた。

5

デイジーの内心の焦りは、ひどくなるばかりだった。母親の言ったとおり、トッド・ローレンスは感じよく応対してくれたが、約束を取りつけるには神経を使った。彼が気を悪くするのではないかと不安だっただけではなく――気を悪くしたとしても、彼はじつにうまく隠していた――ちょっと化粧をする程度の簡単なことに人の手を借りたのでは、面目まる潰れだからだ。これまでの人生のどこでどう間違えたのだろう？　自分は馬鹿ではないと思うけれど、もともとこういったことには向いていなくて、最初からつまずく運命だったのかも。彼女をネタにみんなで笑っているのが聞こえるようだ。デイジー・マイナーが結婚するだって？　ははは、マスカラもつけられないのに。

ありのままの彼女の良さをわかろうとしないような男で、ほんとうにいいのだろうか？　飾りたてた女でなければ、洟《はな》もひっかけないような男で？

いいのだ。これまで〝ありのままのわたし〟的やり方を通してきたが、まったくなにも手に入らなかった。ゼロだ。ほしいもの――ようするに家族――を得るために飾らなければならないのなら、派手に飾りたててやる。

朝の着替えをする段になって、自分の野暮ったさにあらためて気づかされ、身動きがとれなくなった。その日にかぎって前の晩に服を用意しておかなかったので、クローゼットの前に突っ立ち、さえないスカートとブラウスとワンピースばかりの山をただ見つめていた。もう二度とこんな服を着るのは耐えられない。あれこれ迷っているうちに、生まれてはじめてあやうく遅刻しそうになった。ようやく黒いパンツをひっつかんではいた。職場にパンツスタイルで行ったことはなかったけれど、それは町議会で決められた規則ではなく、自分が古くさい考え方をしていたからだった。これでまたひとつ、古い生き方と決別したわけだ。不安と興奮がない交ぜになり、心臓がどきどきした。むろん流行のトップスなど持っていないから、いつものさえない白いブラウスを着て、裾《すそ》をパンツのなかにたくしこんだ。それからベルトを締め、黒いローファーに足を入れた。

できあがりを鏡に映して見る勇気はなかったので、バッグをつかむと急いで階段を降りた。ジョーおばはデイジーを目にして眉を上げたが、なにも言わなかった。

「どう?」デイジーは尋ねた。黙って見つめられると不安が募る。

イヴリンがキッチンから出てきて、娘を眺めた。「すてき」ようやく言ってうなずいた。

「いつもと違うわね。パンツをはくと、お尻の形がよくわかるし」

どうしよう。今日一日、だれにもうしろ姿を見せられない。おろおろしながら、すばやく腕時計に目をやった。着替えている時間はない。「どうしてそんなこと言うのよ?」文句が出た。

イヴリンはにっこりした。「だいじょうぶ。わたしの記憶が正しければ、男はお尻が大好きよ。歩くときは、気取ることを忘れずに」

「気取る」デイジーは呆然と繰り返したが、母親が――自分の母親が！――娘にお尻を見せびらかせと勧めるなんて、理解に苦しむ。

「わかるかしら……右、左」イヴリンは実際に部屋のなかを歩いてみせた。お尻に注目を集めるように、腰がゆったりとしたリズムで揺れている。その動きは驚くほどセクシーで、デイジーはショックを受けた。自分の母親が？　あの知的で飾り気のない母親が？

「でも、やりすぎてはだめ」ジョーおばが忠告した。「二匹の豚が袋から出ようともがいているみたいに見えるからね」

これ以上は耐えられない。仕事に遅れるからと口ごもりながら言い訳して、デイジーは逃げだした。

デイジーが通用口の鍵を取り出そうとしていると、背後に停まった白い車からラッソ署長が出てきた。この男は、〝今日顔を合わせたくない人物リスト〟のトップではないけれど、かぎりなくそれに近いことはたしか、といらいらしながら思った。別に見られたわけではないが、脇によけてお尻を隠した。彼は顔をしかめて大股でやってきた。「遅いぞ」

デイジーは腕時計を見た。あと二十秒で九時だった。「時間ぴったりです」

「いつも三十分は早くくるじゃないか。今日は違った。だから、遅いと言ったんだ」

「どうしてわたしが出勤する時間をご存知なんですか？」頬が熱くなり、責められているような気がした。たった一度遅刻しそうになっただけなのに、それがたまたま自分の到着を待っている人がいる日に重なるとは。しかも彼はすぐそばに立ち、大きな体で威嚇《いかく》でもするように、またあの迷惑なやり方で詰め寄ってくる。頬が熱くなって、責められているような気分になったのだから、その効き目はあったかもしれない。少しでもあいだをおこうと、ドアのほうにじりっと下がった。

「車で前を通るときに、いつも図書館の明かりがついているからな」

つまり、自分はいつも——いや、ほとんどいつも——彼より先に出勤しているというわけだ。かろうじてにやりとしそうになるのを抑え、努めて司書らしい表情と声音を装った。

「なにかご用でしょうか、署長？」

「ああ」ヤンキーらしくぶっきらぼうな態度だった。「昨日の夜、オンライン図書館にアクセスしようとしたのに、開かなかったんだ。あんたがパスワードを書き間違えたんじゃないのか」

どうしていつも女のせいにするのかしら？　デイジーはあきれて、心のなかで天を仰いだ。

「ページが表示されないのなら、ブラウザをアップグレードする必要がありますね」

外国語をしゃべっているのかというように、彼はデイジーを見つめた。

「ブラウザよ」彼女は繰り返した。「システムは何年くらいたってます？」

彼は肩をすくめた。「二、三年ってとこだ」

「買ってから一度でもアップグレードしましたか？」尋ねる前から答えはわかっていた。自力で解決させようかとも思ったが、これまでずっと礼儀正しく人を助けてきたせいで、良心がちくりと痛む。図書館司書なのだから、ヴァーチャル図書館のことで彼を助けるのは自分の義務だ。「ラップトップですか、それともデスクトップ?」きっとラップトップだろう。彼は自分に都合のいい場所にコンピュータを移動させたがるような、せっかちなタイプだ。

「ラップトップだ」

二ポイント獲得。「ここに持ってきていただければ、アップグレードのやり方をお教えします。もちろん、じゅうぶんなメモリがあればですけど」彼の記憶力《メモリ》のことを言ったのか、それともコンピュータについてなのかは、彼の判断にまかせた。

眉をひそめたところをみれば、前者と受け取ったらしいが、そのことには触れず、彼は言った。「車のなかにある」つかつかと公用のクラウン・ヴィクトリアに向かい、助手席からラップトップ・パソコンを取り出し、片手で楽々と持ってきた。

デイジーは通用口の鍵をあけ、パソコンを受け取ろうと振り返った。「昼休みにでも取りにきてください」

彼はパソコンから手を離さなかった。「すぐにやってくれないのか」

「やりますけど、時間がかかりますから」

「かかるってどれくらい?」

待つつもりだと気づいて、憂鬱になった。「仕事に行かなくていいんですか?」

彼はベルトに留めたポケットベルを指し、「おれはいつでも勤務中だ。どれくらいかかる？」と繰り返した。

現代の電子機器ときたら、ほんとにいまいましい。デイジーは恨めしく思った。彼に**うろうろされる**のはまっぴらだ。「場合によりけりです」どのくらいだったら長すぎないか考えた。「四十五分から一時間くらい」

「待たせてもらおう」

またもやいまいましい。たったひとつの慰めは、ブラウザのアップデートにはそれほど時間がかからないことだ。終われば彼はいなくなる。

「わかりました。じゃあ正面玄関でお待ちください」なかに入ってドアを閉めたら、彼がすぐあとについてきたものだから、危うく彼の鼻にぶつけそうになった。彼は空いた手を突きだし、閉まりかけたドアを押さえた。

「おれもここから入る」デイジーをにらみつけている。

彼女は肩をいからせた。「だめです」

「なぜ？」

わかりきったことではないか、とデイジーは思った。ドアの上、彼の鼻先数インチのところにある標示を指した。「ここは職員の通用口です。あなたは職員じゃありません」

「おれは町の職員だぜ」

「あなたは図書館の職員じゃありません。そういうことです」

「おいおい、どんな差し障りがあるんだ？」彼はいらいらと言った。

短所のポイントを追加。彼のマイナスポイントは、NBAのスコアといい勝負だ。「とにかくだめです。正面玄関に回ってください」

強情な表情がやっと通じたにちがいない。彼女を押しのけて入ろうと思案しているのか、デイジーをしばし睨《ね》めつけてから、ぶつぶつと悪態をついて背中を向け、足音も荒く建物の正面へ向かった。

残されたデイジーは、目をまんまるにして立ちつくしていた。彼はFのつく言葉を口にした。いま聞いたものは、たしかにそれだった。もちろん、聞いたことはある。このごろでは、たいていの映画で連発されている。カレッジにも通っていたし、そこでは若者たちが、知っているかぎりの汚い言葉を使うことで、クールで世慣れた自分を見せつけようとがんばっていた。デイジーですら使った。でも、ヒルズボロは南部のちっぽけな町だから、いまだに男性が女性の前でそんな言葉遣いをするのは失礼だとされている。内輪で夫や恋人の汚い言葉を聞いても動じない女性でも、公衆の面前だったらヴィクトリア女王のようにしかつめらしく眉を吊りあげる。よく知りもしない女性に向かってああいう言葉を吐くのは、ぜったいに許されないことで、礼儀知らずの不心得者――

玄関ドアを叩く雷のような音がした。おちおち憤慨してもいられない。ケダモノがもう玄関にきている。ぶつぶつ文句を言いながら、急いで暗い館内を抜けて正面玄関の鍵をあけた。

「なんだってそんなに時間がかかったんだ?」なかに入ってきた彼は、鋭い口調で言った。

「あなたの言葉遣いにびっくりして動けなかったんです」デイジーは冷ややかに切り返し、

パソコンを取りあげると、途中で明かりをつけながら、図書館のオンライン・コンピュータまで運んだ。

彼はまたなにか小声で言ったが、ありがたいことに、今度は聞き取れなかった。だが、運悪く次の言葉は聞こえた。「この町のばあさん連中みたいにがちがちに凝り固まるには、あんたはちょいと若すぎるんじゃないのか」

自分の名誉のためにも、彼女はひるまなかった。「礼儀は年齢と関係ないし、すべては躾《しつけ》の問題です」ラップトップ・パソコンを置き、手早く電源と電話回線につなげた。

一分間が過ぎた。「つまり、おれのおふくろを侮辱してるのか？」彼はようやく低い声で言った。

「さあどうでしょう。侮辱したことになります？　それとも、あなたがおかあさまの教えを無視しているだけかしら？」

「なんだと！」彼はいきりたったが、大きく息を吐きだした。「わかった。悪かったよ。ときどき、自分がメイベリー（テレビのホームコメディの舞台である田舎町）に住んでるってことを忘れちまうんだ」

そんなにここがつまらなくて窮屈なら、もといた場所に帰ればいいじゃない。デイジーはむっとしたが、ほんもののけんかに発展しないよう、怒りは胸ひとつにおさめた。「謝罪は受け入れました」無理やり言葉を絞りだした。その気になってがんばれば、もう少しやさしい声が出せたかもしれないけれど。腰を下ろしてネットワークに接続し、ブラウザのサイトアドレスを入力して、サイトが見つかってページが表示されるのを待った。それからアップデート用のボタンをクリックし、残りはコンピュータにまかせた。

「それだけ？」彼は小さなタイマーを見つめながら尋ねた。

「それだけ。これを定期的にやるんです。少なくとも半年ごとに」

「こういうのが得意なんだな」

「ヴァーチャル図書館ができてから、やらざるをえなくなったもので」しかめつらで答えた。

彼は隣りに坐った。当然のようにごく間近に。デイジーは少し椅子をずらした。「あなただって、コンピュータのことはわかるんじゃありませんか」

「そうでもない。使い方は知ってる、覚えなくちゃならなかったし。ウェブの勝手はわかってるし、システムにつなぐことも、プログラムをロードすることもできる。でもおれはコンピュータおたくじゃない」

「町役場はオンライン化されてませんからね。水道代と給料の支払いはコンピュータ化されたけど、それだけ」

彼は前屈みになって膝に肘をつくと、進行を速められるとでも思っているのか、スクリーンをじっと見つめた。

「でも、警察はオンライン化されてますよね？　警察のネットワークにつながってないんですか？」

彼はぶつぶつと答えた。「ああ、つながってる。一本の回線に一台のコンピュータでね」

うんざりしているようだった。

「ヒルズボロは小さい町ですもの」デイジーは指摘した。「予算だって限られてます。そのかわり、犯罪率は低い」急に自信がなくなり、言葉を切った。「そうですよね？」

「まあね。おれが着任してから、町の境界内で殺人事件が起きたことはない。よくある強盗とか暴行、飲酒運転、家庭内暴力くらいだ」

だれが家庭内暴力にあっているのか訊きたい気持ちにかられたが、ぐっとこらえた。彼なら教えてくれそうだが、そうなると母親とジョーおばに話してしまい、自分の口の軽さに気がとがめることになる。

彼、さっきより近寄ってきてるんじゃない？　彼が動くのを見たわけではないけれど、体が発する熱と匂いがつたわってくる。なにが原因で、男は女と違う匂いがするのだろう？　男性ホルモンのせい？　それとも体毛が多いから？　不快な匂いではなかった。じつのところ、じらされているような感じだった。それでも違う匂いであることに変わりない。まるで異星人みたい。彼は明らかに近寄ってきている。

もう我慢ならなかった。「近づきすぎじゃありませんか」とても愛想よく言ってやった。ぴくりともせずに、彼はちらりと見下ろした。ふたりの椅子のあいだは、少なくとも一インチほど開いていた。「触っちゃいないよ」同じように愛想がいい。

「触っているとは言ってません。近すぎるって言ったんです」

彼はぐるりと目を回して息を吐いたが、一インチだけ椅子を離した。「これも珍妙な南部のきまりなのか？」

「あなたは警察官でしょ。ボディ・ランゲージを心得てるはずです。容疑者を脅かすときに、こんなふうに個人のスペースを侵すんですか？」

「いや、脅すときには九ミリ拳銃を使うことにしてる。そっちの合図なら、見落とされることもないから」

まったく、なんてマッチョな奴だろう。武器のサイズを自慢する典型的な男。デイジーは目をぐるりと回したくなるのをこらえた。たったいま彼がそうしたばかりだし、真似してると思われたくなかった。

典型的な男か……。前の晩に母親とジョーおばと交わした会話が心によみがえり、ふと思いついて笑いだしそうになった。思いつきを脇に押しやる。だめ、彼とあんな話をしたいわけじゃない。ブラウザのアップグレードを終わらせて、彼に帰ってもらわなくちゃ――

「モーヴってどんな色か知ってますか？」言ってしまった。押しとどめる前に、言葉が舌から転がりでてきた。

電気ショック並みの効果があった。彼はぎくりとしてデイジーをまじまじと見つめた。まるで彼女に突然牙と角が生えてきたように。「なんでそんなことを訊くんだ？」彼は警戒しながら尋ねた。

「ちょっと知りたかっただけです」いったん言葉を切る。「それで、ご存じ？」

「なんでおれが知ってると思うんだ？」

「思ってません。訊いてるだけです」

「それって、男がゲイかどうか確かめるために、女がよく使う手だろ。興味があるなら、ずばっと訊けばいいじゃないか」

「そんなんじゃありません」彼に興味があると思われたことに唖然《あぜん》とした。「ただ、別の人が——いいえ、忘れてください」顔がまっ赤になった。自分でもそれがわかった。顔が熱くなったから。コンピュータのスクリーンを穴があくほどにらみ、速く進めと念じた。

彼はごつごつとした手で、短い髪をなでた。「ピンクだ」もごもごと言った。

「は？」

「ピンクだ。モーヴってのは、ピンクの気取った言い方だろ？　前の女房がアパートに飾る物やらなんやら選ぶときに、何度も聞いた。おれにはピンクに見えたけどな」

へえ、モーヴについては、ジョーおばが正しかったのか。もう決め手にはならないのだ。おもしろい。早くふたりに教えてあげたい。

「ピュースは」と言って、デイジーはあやうく頭を叩きそうになった。なぜ余計なことをせずにはいられないのだろう？

「なんだって？」そんな言葉は聞いたことがないと言わんばかりだった。

「ピュース。ピュースとは何色でしょう？」

「綴りは？」

「P・U・C・E」

今度は、彼も手で顔をごしごしとこすった。「これは引っかけ問題だ、そうだろ？」

「なぜそんなことを言うんです？」

「『ピュース』とはね。どこのどいつが『ピュース』なんて名前をつけたんだ？　〝反吐《ピューク》〟と間違いそうじゃないか。反吐《へど》みたいな色、だれがほしがる」

「ピュースはとってもきれいな色です」

彼は信じられないと言いたげな目つきをした。「へえそうかい」

「何色か知ってるんですか、どうなんです？」

「いいや、ピュースが何色かなんて知らない」彼は怒鳴った。「本物の色なら知ってる。青に緑に赤、そういうやつならな。ピュースがなんだ、そんな色あるわけない」

デイジーは得意げにほほえんだ。「いいえ、あります。辞書で探してみてください」閲覧室を指した。「あそこに何冊かありますから」

彼は鼻を鳴らして椅子の上で反り返ったが、それでも閲覧室のほうへドスドスと歩いていった。辞書をめくって数ページに指を走らせ、しばらく読んでいた。「赤みがかった茶色か」彼は頭を振りながら、馬鹿にするように言った。「赤みがかった茶色のものなんか見たことないね。たとえ見たとしても、それを指さして『あれってピュースだよね』なんてだれが言うもんか！」

「じゃあ、なんて言うのかしら？」デイジーはひやかすように言った。「そういう想像力を必要とするような色合いのこと、『赤みがかった茶色』？　ただ、わたしのなかでは、ピュースは赤みがかった茶色というより、紫がかった茶色だけれど」

「赤みがかろうが紫がかろうが、おれがそういえば、少なくともなんの話をしてるかくらいは通じるはずだ。だいいち、どうしてそんな色が必要なんだ？　まともな奴が店に入って、店員にピュースのシャツを見せてくれって言うか？　ピュースの車を買うか？　紫の車を買う奴だってそうとういかれてるが、**ピュース**だって？　冗談はよしてくれ。ピュースなんて、ゲイのテストぐらいにしか使えないぜ」

そのとおりだろうが、デイジーは認めたくなかった。「これで**あなた**も、ピュースが何色かわかりましたよね」指摘せずにはいられない。「これから少しでも赤か紫がかった茶色を見たら、『ああ、ピュースだ』って思うでしょうよ」

「まいったな」彼は鼻梁《びりょう》を揉《も》んだ。「あんたのせいで頭痛がしてきた」ぶつぶつとこぼすと、顔を上げ、眉間に皺を寄せて険悪な目つきになった。「このことをだれかにばらしても、おれは知らぬ存ぜぬでとおすからな。それに、あんたが横断歩道以外で道路を横切っただけでもしょっぴいてやる」

「そんなことしません」デイジーは勝ち誇ったように言った。「わたしは責任ある市民の代表にもなれるくらい、法を守る人間です。あなたを通用口から入れなかったくらいですもの」

「あんたみたいな人は、カウンセリングが必要だ」彼はコンピュータのスクリーンをちらりと見やり、ほっと息を吐いた。「終わったぞ」腕時計を見た。「四十五分もかからなかったじゃないか。十五分かそこらだ。なにか間違ったんじゃないのか、ミス・デイジー」

「ミス・デイジー」と聞いて、奥歯がぎゅっと合わさるのを感じた。また名前のことでからかおうものなら、ひっぱたいてやる。「それがなにか?」すばやくコンピュータの接続をはずしながら尋ねた。できるだけさっさと帰ってほしかった。

彼はラップトップ・パソコンを受け取った。「この嘘つきめ」彼女は言葉に詰まった。うまい反撃を思いつく前に、彼は大股で立ち去った。

6

ジャック・ラッソは上機嫌で図書館を出た。ミス・デイジーとやりあうのはまったく楽しかった。しゃちほこばったり赤くなったりはするが、一インチもあとに引こうとしない。ここヒルズボロで何度も夏を一緒に過ごした、大おばのベッシーを彷彿《ほうふつ》とさせる。ベッシーおばはこのうえなく堅苦しくて真面目だったが、毎年少なくとも二カ月間、わんぱくな男の子と過ごしたのだから、驚くべき忍耐力を備えていた。

はじめのうちはこのど田舎に――そのころ、ヒルズボロのことをそう思っていた――閉じこめられてしょげかえっていたジャックも、だんだんここで過ごす時間と、大おばを愛するようになった。彼の両親は、シカゴから離れて違った世界を見つけることが、彼にとっていいことだと考えたのだが、それは正しかった。

最初は泣けてくるほど退屈だった。そのときジャックは十歳で、両親や友だちや、なじんできたあらゆるものから引き離された。ベッシーおばの家のテレビは、全部でチャンネルが四つ――四つ！――しかなく、おばは毎日、昼下がりにテレビの前に坐って〝お話〟を観ながら、かぎ針編みをした。日曜日には二度教会に行き、月曜日にはシーツを洗い、火曜日にはモップをかけ、クーポン割引が二倍になる木曜日に食料品店で買い物をした。時間を知るために時計を見る必要はなかった。ベッシーおばがなにをしているのか、確かめさえすればよかった。

それに暑かった。とにかく暑かった。なのに、ベッシーおばの家にはエアコンがなかった。そんなばかげたものを信用していなかったからだ。各ベッドルームの窓には換気扇がついていたし、必要なら扇風機を持ってきて脇へ置いて使った。おばにはそれでじゅうぶんだった。窓は網戸になっていて、家のなかを風が吹き抜けていた。

しかし、ジャックも涙と膨れっ面の数日を経たあとは、黄昏《たそがれ》どきに甘い匂いのする草の上に横たわり、蛍——ベッシーおばに言わせれば、光る虫——を眺める楽しさが、しだいにわかるようになった。夏ごとに、ささやかな菜園の世話をするおばを手伝い、新鮮な野菜の味や、それらを食卓にあげるための仕事に感謝することを覚えた。近所の少年たちとも仲良くなり、野球やフットボールをして、たくさんの暑く長い午後を過ごした。新しくできた友だちの父親から教わって、魚釣りや狩りのやり方も覚えた。十歳のときにはじまり、十五のときまで続いた六回の夏は、人生で最高の日々だった。

だからといって、ヒルズボロの土地に根を生やしたわけではなかった。夏のあいだだけやってきて、近所の少年たち以外の子どもとは会わなかったからだ。ヒルズボロに戻ってきてから、ジャックを憶えているという男にはひとりしか会っていない。ベッシーおばを訪ねるのをやめて二十年以上がたっていた。何度か休暇であわただしく立ち寄ったことはあったが、そのときはみんなが自分たちの家族と過ごすのに忙しく、彼自身も旧友を訪ねる暇がなかった。

ベッシーおばは九十一歳まで生きた。三年前に亡くなったとき、古い家が自分に遺されたのを知ったジャックは、驚くと同時に心を動かされた。ほとんど時を移さず、ニューヨークからヒルズボロに引っ越すことを決心した。離婚したばかりだったし、市警でも着実に昇進していたとはいえ、ストレスの溜まる厳しい仕事に疲れを感じていたからだ。SWATチーム(特殊火器戦術部隊)の仕事は楽しかったが、危険がつきまとうことが離婚の原因のひとつでもあった。主な原因ではないが原因は原因で、その件に関していえば、半分は元の妻が正しいと彼も考えていた。警官の妻をやるのも楽じゃない。状況がもっとも危険なときに出動する人間と暮らすには、鋼《はがね》の神経が必要だ。それに彼自身、三十六歳になっていた。二十一のときにシカゴでこの世界に入り、ニューヨークに移った。そろそろ足を洗って、それほど神経を磨り減らさない仕事を見つけてもいいころだった。

ジャックは何度かヒルズボロにきて、古いヴィクトリア調の家を点検してどんな修理が必要か調べ、同時にいくつか仕事の打診をした。警察署長職の面接を受け、すぐに採用が決まった。辞表を出し——田舎警察の署長になるのかとさんざんからかわれた——荷物を詰め、南部に移ってきた。部下は三十人で、辞めたばかりの部隊の規模とくらべればお話にならない数だが、ジャックは居場所を見つけたと思った。

そう、事件はあまり起きないけれど、第二の故郷とも言えるこの町を守る仕事が気に入っていた。タウン・ミーティングに出ることすら楽しかった。前回のミーティングはとりわけ愉快だった。議会が広場に信号機を設置することを可決したことに、町民の半分が大反対したのだ。九千人が住む町に信号機がたったひとつしかないのはばかげているが、反対する人たちの話を聞くと、権利章典の第一条から第十条まですべてに違反していると言う。自分の思いどおりにできるなら、ジャックはダウンタウンじゅうと、すべての学校の前に信号機を設けるだろう。ヒルズボロは時代に取り残されているが――冗談のつもりでメイベリーと呼んだわけではない――このかわいらしい町に移ってくる人びとが増えるにつれて、道路は混雑するようになってきた。学童が車に轢《ひ》き殺されてからでは遅いのだ。それでようやく町民が目覚め、信号機を増やすことにしても後の祭だ。

ジャックがオフィスに入ったとき、秘書のエヴァ・フェイ・ストーリーは電話中だったが、人差し指を挙げて彼を引き留め、コーヒーのカップと伝言メモの束を渡した。「ありがとう」彼は自分のオフィスに向かいながら、コーヒーを飲んだ。どうやっているのかは知らないが、彼が何時に出勤しようと、エヴァ・フェイは淹《い》れたての熱いコーヒーで迎えてくれる。ひょっとすると、彼の駐車スペースに電子装置が仕掛けてあって、車を入れたら彼女の机の下でブザーが鳴りだすのかもしれない。ジャックはそのうち道路に駐車して、エヴァを出し抜くことができるか確かめてみるつもりだった。彼女は先代の署長のころからいて、おたがい現状に満足している。

電話のうちのひとつは、ジャックがヒルズボロにきてから親しくしている、マーシャル郡の刑事からだった。ジャックはほかの伝言をあとまわしにして、さっそくメモに書いてある番号にかけた。

「ペータースンだ」

「どうした?」名乗る必要はないと承知していた。ペータースンが発信者番号通知サービスに入っていなくても、アクセントでジャックだとわかる。

「やあ、ジャック。聞いてくれ、身元不明の死体が見つかった。若い女で、たぶんメキシコ人だ。昨日の夜、子どもが発見した」

ジャックは椅子の上で反り返った。その特徴に合った行方不明者は、ヒルズボロにはいない。そもそもヒスパニック系の人口はそんなに多くはなく、過去数カ月間、行方不明者の届け出は一件もなかった。「それで?」

「じつは皆目手掛かりがつかめん。雨が痕跡をすっかり洗い流しちまったし、死因もはっきりしない。傷もなければ、首を絞められた痕もないし、頭に瘤《こぶ》があるわけでもない。なにもなしだ」

「ヤクのやりすぎじゃないか」

「ああ。おれもそう考えていたところだ。でも気になるのは、あのGHBが使われてる事件なんだ。ハンツヴィルやバーミンガムや、そこらじゅうで毎日のように起きてるだろ」

「その子はレイプされていると思うか?」

「モンゴメリーから検死結果があがってくるまではなんともいえないが、おれはそう思うね。

ワンピースを着ていたが、下着はつけていなかった。とにかく、二カ月ほど前にハンツヴィルで起きた事件を思い出して――」

「ああ、おれも憶えている。まったく同じだな」

ふたりとも黙りこくった。セックスが目的で、女に気づかれないようにGHBを盛るような輩《やから》は、同じ手口を何度も繰り返すものだ。ためらうわけがない。問題は、GHBがありふれていて、手に入れやすい代物だということだ。なにしろ、洗濯用溶剤なのだ。男たちも服用する。恍惚《こうこつ》感が得られるからだ。ボディビルダーも使う。だれかひとりでも容疑者があがる可能性は低かった。体には性行為の証拠が残されているのに、やられた女はどこでだれと一夜を過ごしたのかまったく憶えていない。警察に届け出る女がほとんどいないことも、下《げ》司《す》野郎を捜し出すのをますます難しくしていた。

「おれで役に立つことがあるか？」ジャックはようやく尋ねた。ペーターースンはわけがあって電話してきたのであって、ただ事件について話したいだけではないはずだ。報告書を読めば事件についてはわかる。

「考えていたんだが、ヒルズボロではGHBを使った事件が起きているか？」

「おれは聞いていない。ここは酒が禁じられているからな」GHBに酒場はつきものだ。アルコールで塩辛さがうまくごまかされるからだ。ヒルズボロには酒場がないから、ロヒプノールやGHBを使ったデートレイプが起きていないとしても不思議ではない――いまのところは。そのうち地元の若い奴がそれで死ぬかもしれないし、ボディビルダーが捕まるかもしれないが、これまでのところ、この小さな町では被害はなかった。だからといって、ヒルズボロに常用者がいないということではない。幸運にも死人が出ていないだけだ。

「で、おたくはこの件をどうするつもりなんだ？」

「あんたはそのあたりの酒場に出入りしてるのか？　もちろん、非番のときにだが」

「まさか、忙しくてそんな暇はないし、歳もとりすぎてる」

「ああいうことに歳は関係ないぜ。近いうちに行って、白髪頭がいないか確かめてみろよ。それはそうと、おれはこう考えてたんだ。あんたはそこにきてまだ日が浅い。しかも、お楽しみを求めてスコッツボロやマディソン郡をうろうろしたりもしていない。つまり、あんたはヒルズボロ以外では顔が知られていない、だろ？　だから、クラブやバーを回って、噂《うわさ》に耳を傾けたり、例の代物を女の飲み物に入れる奴がいないか見張ったりしてほしい。つまり覆面捜査だ」

「だが完全に勤務時間外だし、おれひとりでってわけだ」ジャックはあてこすった。

「なあ、そっちのほうがいいんだ。職務じゃないほうが。あんたはひとり身だし、人づきあいもいい。いちばん自然じゃないか？　それに、夜のお遊びの途中でなにかに気づいたり、たまたま耳にしたりすることがあれば、きっと犯人の手掛かりもつかめる。どうだ？」

「気の長い話だ」

「まあね。だが、うちの郡で女の死体が捨てられるのには我慢がならない。こっちでも、いつものタレコミ屋を使って、このへんの麻薬不法所持者をしょっぴくことはできる。だが、それでは酒場をうろついているくそったれを止められない。使える武器がほしい。あんたならおれたちのために、切れ味のいいナイフになってくれる」

「麻薬取締局《DEA》ともめたくない。むこうの捜査を妨害することになるかもしれない」

「知ったことか」ピータースンは楽しげに言った。

ジャックもつられて笑った。よくできた計画だ。もしだれかさんを怒らせることになっても、単なる偶然だ。なに、クラブで暇つぶしするのも悪くはないだろう。麻薬取締ではなく、SWATで経験を積んだのだが、探り方のコツぐらいは知っている。「ほかにこのことを知ってるのは？」

「なんのことだ？」ピータースンが尋ねた。〝にわか記憶喪失〟に陥っている。

「このあたりでよさそうなクラブはあるかな。あんたに訊いてもわからないとは思うが」

「いいか、おれの個人的な意見じゃないぞ。スコッツボロの〈ホット・ウィング〉が賑わってるらしい。それと、マディソン郡の〈バッファロー・クラブ〉に、ハンツヴィルの〈ソーダスト・パラス〉だ。興味があれば、もっと教えてやる」

「リストをくれ」ジャックは電話を切った。

椅子の背にもたれかかり、眉間に皺を寄せ、心のなかでもう一度計画をなぞった。自分ひとりの仕事だからルールはない。いや、じつのところ計画などはなく、なりゆきまかせの任務だ。もしなにかに出くわしたら、臨機応変にやるしかない。流動的な状況のもとで主導権をとる方法は、訓練で学んでいた。

昔のようにアドレナリンが血管を駆けめぐるのを感じ、期待に身が引き締まった。ほんとうは危険な仕事が恋しいのかもしれない。犯人が人質をとっているとか、武器を持って立てこもっているといった状況とは違うが、この任務だって同じくらい重大だ。女性がレイプされ、そのうち何人かはGHBで殺された。もしどこかの畜生がそれを女の飲み物に入れるところを見つけたら、喜んでそいつの金玉を壁に釘付けにしてやる。

その夜、デイジーはためらいがちに、トッド・ローレンスの家の、手のこんだ鉛ガラスの玄関ドアをノックした。ドア自体が芸術品で、鎧戸《よろいど》とマッチした青系の地に、深緑の細かいピンストライプがほどこされていて、まるで森のようだ。広いポーチに数えきれないほどの鉢植えが置かれているので、この譬《たと》えは的はずれではない。鉛ガラスは酢で磨きあげたばかりのように輝いている。アンティークの青銅のランプがふたつ、ドアの脇で柔らかい光を投げかけ、訪れる者をやさしく誘う。

ガラスを通して、ぼんやりとした姿が近づいてくるのが見えた。それからドアが開き、トッド・ローレンス自身が、ほほえみながら彼女を見下ろした。「ようこそ、デイジー。ご機嫌いかが？　お入りなさいな」彼は一歩さがって手招きした。「最後に会ってから、もう何年もたったみたいな気がするね。ぼくがあまり図書館に行かないものだから。ハンツヴィルでお店をはじめてから、休みもすっかり仕事にとられちゃって」

トッドは相手に彼の親友だと思わせるような、独特な雰囲気を備えていた。これまで親しく行き来してきたわけではないが、彼の気さくな態度のおかげで、デイジーもいくらか気持ちが楽になった。トッドはスリムでござっぱりとしていて、袖をまくったシャンブレーのシャツに黄褐色のチノパンツを身に着けていた。身長は五フィート一一インチくらい、髪と目は茶色、思わずほほえみ返したくなるような気さくな笑みを浮かべている。

「ご商売がうまくいっていれば、そういうものですよね」デイジーは彼のあとから客間に入り、勧められるまま、ふかふかの花柄のカウチに腰を下ろした。

「そうなの」彼は悲しげにほほえんだ。「暇さえあれば、オークションに行ってるんだもの。出てくるのはがらくたか模造品ばかりだけど、たまに本物の宝が出るの。このあいだの晩は、手描きの東洋の屏風《びょうぶ》を百ドルも出さずに買っててね、次の日に三千ドルで売れた。ずっとそういうのを探していたお客さんがいて」

「本物のアンティークと模造品を見きわめるには、よほど目が肥えてなければ。それに、何年も勉強しなくてはいけないのでしょう?」

トッドは肩をすくめた。「あちこちで少しずつね。古い家具が好きだから、自然と関心をもつようになって」腰に手をあて、首をかしげながらデイジーを眺める。いつもだったら、そんなふうにじろじろ見られると落ち着かないが、トッドの瞳には〝ねえ、楽しいじゃない?〟と語りかけるようなきらめきがあった。「で、変身したいのよね?」

「上から下まで、そっくり変えたいんです」デイジーは正直に打ち明けた。「わたしってどうしようもなくて、ちゃんとしたやり方を知らないんですもの。化粧品を買って試してみたんだけど、ひどいことになっちゃって。なにかコツがあるはずですよね」

トッドは笑った。「たしかに、いくつかコツがある」

「わかってます」むっとしたようにつぶやいた。企業にとって、**ほんとうに**正しい製品の使い方を印刷することがそんなに大変なのだろうか？

「でもね、大事なのは練習すること。それに、使いすぎないようにすること」トッドは手で追い払うようなしぐさをした。「お化粧は簡単よ。一時間もあれば覚えられる。ほかにどうしたい？」

自分の欠点を並べてみせるのかと思ったら、顔が熱くなった。頼むから、言わなくてもわかってくれない？「ええと、髪型を。わたしが考えていたのは、ウィルマにハイライトを――」

「えっ、だめだめ！」トッドがぞっとしたように叫んだ。

デイジーはため息をついた。「母とおばもまったく同じ反応をしてました」

「ふたりの言うとおりよ」彼は忠告した。「ふたりとも、ちゃんとわかってらっしゃる。ウィルマは流行にも、どんどん新しくなる薬品にもまるで無関心。四十年前に美容師免許をとってから、きっと一度もヘアショーに行ってないね。ハンツヴィルかチャタヌーガまで行けば、頭皮が焼けて髪が抜け落ちるなんてことにはならない、ちゃんとしたスタイリストがいるもの」

デイジーは、禿《はげ》になった自分を思い浮かべて身震いした。トッドは彼女の髪をひと房、指で摘んだ。「髪の状態は悪くない。これといったスタイルはないけど、健康ね」

「ぜんぜんこしがないの」はじめたからには、ほんの些細な欠点もおろそかにしないことに決めた。

「だいじょうぶ。このくらいカットするとよくなるから。それにいまは、髪にこしを与えてまとまりやすくするためのいい製品があるんだ。色を明るくしてもこしが出るし」もう一度彼女をじっくりと見た。「ハイライトはやめ。あなたにはブロンドが似合う」

「ブ、ブロンド？」デイジーは悲鳴をあげた。ブロンドになった自分なんて、想像もできなかった。髪に幾筋かのハイライトを入れた自分だって、なかなか思い浮かばないというのに。

「大騒ぎしなさんな。スタイリストに何色か混ぜてもらえば、自然な感じになるから」

カラーリンスさえもしたことがない女にとって、髪をさまざまな色合いのブロンドにブリーチするなんて、人間を月に着陸させるくらい大変そうに思えた。「ど、どのくらいかかるのかしら？」

「そうね、四、五時間かな。二度にわけて処置しなくちゃならないから」

「どういうことですか？」

「もともとの髪の色素を抜いて、ブロンドの色素をかわりに入れるの」

ああ、そういうことか。そこまで思いきったことをやる勇気があるかどうかわからないが、一考の価値はある。「考えてみます」心もとなげに言った。

「よーく考えてみて。ほかには？」

デイジーはふーっと息を吐いた。「服。まるでセンスがないんです」

トッドは彼女の着ているブラウスとスカートを眺めた。デイジーは、家に帰ってすぐにパンツをスカートにはき替えた。だれかにお尻を見られていないか気にするのは、もうこりごりだったからだ。「センスがないわけじゃない」トッドは物憂げに言った。「あいにくだけど、ひどい」

デイジーの顔が赤くなり、トッドは笑った。「心配しないで」彼はやさしく言い、手を差し伸べて彼女を立ちあがらせた。「あなたは自分を最大限によく見せる方法を知らないだけ。見込みはおおいにあるよ」

「そうかしら？」

「そうよ」トッドは指で円を描いた。「回ってみて。ゆっくりと」

デイジーは恥じらいながら回った。

「いいプロポーションしてるじゃない。そんなおばあさんみたいな服で隠さないで、見せびらかさなきゃ。肌もきれいだし、歯並びもいいし、その変わった瞳もすてき。あなた、瞳のことで、ずっと悩んできたんでしょ？」

デイジーは身悶えしそうになった。子どものころ、色の違う両目がいやでたまらず、人に気づかれないようにいつもうしろに引っこんでいた。「ぜったいに強調すべき」トッドは言った。

「変わってるし、独特だもの。片方が茶色で片方が青かったらそりゃすごくおかしいけどね。

まあ、遺伝的にありうることなのか知らないけど。あなたはうっとりするような美人じゃないよね。でも、すっごく魅力的になれる。断言してもいい」

「それでじゅうぶんです」デイジーは言った。「うっとりするような美人なんて、柄じゃないし」

「美人すぎるのもそれはそれで大変らしいから」トッドは彼女にほほえみかけた。「バスルームの明かりがいちばんいいの。覚悟ができたら、ぼくのベッドルーム《ブードワール》に行って変身作戦に取りかかりましょ」

デイジーはバッグから小さな袋を取り出した。「自分の化粧品を持ってきました」

「見せて」トッドは袋を取りあげて開いた。舌打ちはしなかったけれど、デイジーには彼がやっとこらえているのがわかった。「最初はこんなものね」彼は鷹揚《おうよう》に言う。

ベッドルームを通ってトッドのバスルームに案内された。彼がどちらの性に属するのか、多少の疑問は残っていたのだが、ベッドルームを見て納得した。精巧なチッペンデールの家具に、上品なレースの花飾りが柱に巻かれた天蓋《てんがい》付きの大きなベッドに、芸術的に配置された青々と茂った巨大な鉢植え。自分のベッドルームがこの半分でもすてきだったら、とデイジーは思わずにいられなかった。

なんと、バスルームまで装飾がほどこされていた。緑と白でまとめられ、ピーチとくすんだ青が差し色として加えられている。考えてみれば、男のバスルームに入るのははじめてだった。もちろん、トッドのバスルームの壁に男用の便器がなければならないというわけではないが、ただの便器を目にして少しがっかりした。そんなものがあったら装飾と合わないだろうけれど。

「悪いけど、化粧用の椅子はないの」トッドはまたにっこり笑った。「男は坐ってひげを剃《そ》らないものね」

そんなことを考えたことはなかったが、彼の言うとおりだ。ひげ剃りは、男が坐ってやるものではない。

「まず髪を顔からどけましょ。ヘアバンドかなにか持ってる?」

デイジーは頭を振った。

「それじゃ髪を耳にかけて、額からうしろに梳かしあげて」

彼の言うとおりにした。ひどい恥ずかしさが戻ってきた。指が思うように動かず、髪を耳にかけるという簡単な動作もうまくできない。いま歩けと言われたら、自分で自分の足を踏んづけそうだ。

トッドは作りつけの化粧台の引きだしをあけ、幅一〇インチ高さ五インチほどの箱を取り出した。留め金をはずして蓋《ふた》をあけ、トレイ——何種類ものブラシや口紅が詰まっているトレイに、小さな容器に入ったアイシャドウやほお紅がずらりと並んだトレイ——を広げた。

「まあ」デイジーは思わず声をあげた。「ウォルマートよりたくさんの化粧品を持ってるんですね」

彼は笑った。「まさか。でも、この箱を見ると思い出すの。ぼくはしばらくブロードウェイにいたんだけどね、あそこじゃ、ライトが当たっても幽霊に見えないように、厚塗りしなくちゃならないの」

「楽しそう。ニューヨークには行ったことがないんです。わたしって、ないないづくし」

「そう、楽しかった」

「どうして戻ってらしたの？」

「ふるさとじゃなかったから」トッドは簡潔に答えた。「それに、母の世話をする人が必要だった。そういうものでしょ、子どものころは親に面倒をみてもらって、親が年老いたらこっちが面倒をみる」

「家族ですものね」自分の家族はすぐ身近にいる。そう思ったらほほえみが浮かんだ。

「そのとおり。さあ」きびきびとした口調に変わった。「はじめよう」

小一時間ほどして、デイジーはうっとりと鏡を見つめた。驚きで口がぽかんとあいていた。すごい美人ではないけれど、でも、ああ、鏡に映った女は、魅力的で自信に満ち、いきいきとしている。壁の花になっていない。それになによりも、男の視線を惹きつける！

途中、痛いこともあった。まず、トッドは眉毛を抜けと言いはった。「ジョーン・クロフォードの眉毛はいやでしょ。彼女には一本だけ三インチまで伸びる眉毛があってね、オスカーとかなんとかいう名前をつけてたんだって」ありがたいことに、ベティ・デイヴィスの目もとにしろとも言われなかったので、デイジーは数本の伸びた毛を抜くだけにとどめた。

それからトッドは、全体的な化粧のやり方を説明した。ほっとしたことに、それほどややこしくはなかった。ようするに、塗りすぎないようにして、失敗を修正したり塗りすぎを拭き取ったりするために、いつもティッシュと綿棒を手もとに準備しておけばよいのだ。マスカラだって簡単だった。まつげにつける前に、ティッシュで余分なべとつきを取ればいい。

「ひどいわ」デイジーは鏡に映る、きれいな濃いまつげをしげしげと見てつぶやいた。毛虫には見えない。

「なんか言った？」

「マスカラメーカー。ひどいわ。つける前にマスカラをお拭き取りくださいって書いといてくれればいいのに」

「目に突き刺すなとか、食べるなとか、そんな警告に気を遣うだけで精いっぱいなんでしょ。本気でマスカラをつけたければ、自力でやり方を身につけるはずって思ってるの」

なるほど、彼女もつけたくて、やり方を覚えたわけだし。

「できたわ」デイジーは鏡に映る自分を見つめながら、だれにともなく言った。輝くなめらかな肌、ほんのりと赤みの差した頬、神秘的でぱっちりとした目もと、ふっくらと潤った唇。ちっとも難しくなかった。

「そう、もちろん、できるにきまってる。たいしたことじゃないもの。練習して、いろんな色をごちゃごちゃつけないようにするだけ。さて、次はスタイル。どんなふうになりたい？ふだん着の女の子《ナチュラル・ガール》、素封家の娘《オールド・マネー》、それとも男好きの子猫《セックス・キトゥン》ちゃん？」

トッドは玄関口に立って、デイジーに機嫌よくさよならと手を振った。ほほえまずにいられなかった。彼女のことは知っていたけれど、一緒に過ごしたのはこれがはじめてで、とても気に入った。あの歳にしてはいじらしいほどうぶだが、明るくはつらつとしていて正直だし、すれたところがまったくない。自分をきれいに見せることにまったく疎《うと》いが、さいわいにも彼のほうは精通していた。化粧を終えると、彼女はとびきりの美人になった。

トッドは大股で電話に近づき、ある番号にかけた。相手が出ると彼は言った。「候補者が見つかった。デイジー・マイナー」

7

グレン・サイクスはプロだ。慎重で、細部にまで気を配り、感情に流されない。留置場暮らしは一日だってしたことがない。だいいち、自分の名前でスピード違反の切符を切られたことすらなかった。違反切符を切られたことがないわけではなく、十五年ほど前に抜け目なく別人の身元で作っておいた別名義の運転免許証を見せたのだ。

ここまでうまくやってきた理由のひとつは、彼が人目を引かなかったことだ。人前で声を荒げず、めったに酒も飲まず――飲むのはひとりきりのときだけで、仕事上のつきあいではけっして酒を口にしない――いつも清潔できちんとした身なりをしていた。汚れていることイコール胡散《うさん》臭いと思うのが定石なのだろう。〝善良なる市民〟は不潔でだらしない人間を警戒したがるものだ。彼はだれの目から見ても、分譲住宅地のややくたびれた3LDKの家に妻子とともに住む平均的な市民だ。ピアスもネックレスも、刺青《いれずみ》もしていなかった。そういうものは、いくら小さくても人目を引くからだ。砂色の髪は短めにカットして、別に金に余裕がないわけではないが、ありふれた三十ドルの腕時計をつけ、発言に気をつけた。ことさら人目を気にすることなく、どこにでも行くことができたし、現にそうしていた。

だからこそサイクスにとって、ミッチェルは許しがたい存在だった。死んだ娘がとくに大事な人間だったわけではないが、死体が見つかれば注目される。手掛かりを残さないよう細心の注意を払っているから、たとえ警察が動いたとしても大事には至らないはずだ。とはいえ、上手の手から水が漏れることもあるし、警察にだってたまにはツキが回るものだ。ミッチェルのせいで、組織全体が危険にさらされていた。奴が娘たちの死に関連して逮捕されれば、地区検事と取引しようとして知り合いの名前を残らずしゃべってしまうだろう。ミッチェルの愚かな行動のせいで、全員が実刑判決を受けるかもしれないのだ。

意識のある女とはナニができないだと。ふざけるな。なにもGHBを使わなくても、ほかに方法はいくらでもある。GHBはとんでもないクスリだ。最初は一時の記憶を失うだけだが、二度めには脳の機能が止まることもありうる。意識を失わせるのが目的なら、使えるクスリはいろいろある。そう、酒を飲ませたっていい。ところがミッチェルはGHBを盛った。うまくやりおおせる、たとえ娘が目覚めなくても、だれも気づくものかと高を括《くく》っていたのだろう。

そう、ミッチェルは死ぬべきだ。ノーラン町長に言われるまでもない。ミッチェルがこれ以上面倒を起こさないうちに手を打たなければなるまいと、サイクスは肚《はら》を決めていた。それにしても町長の奴ときたら、見た目はいかにも南部紳士然としているくせに、サイクスの知っているどんな手合いにも負けないほど冷酷だ。殺人で手を汚すことなど屁《へ》とも思っていない――もっとも、サイクスはミッチェルをやることを〝殺人〟とは思っていなかった。ゴキブリを踏み潰すのと同じこと、つまり害虫駆除だ。

だが、それにはまず、あのくそったれを見つけなければならない。ゴキブリの防衛本能でどこぞに潜りこんだまま、いつもの溜まり場にも姿を見せない。

どうやら身の危険を感じているようだから、控えめにやるしかない。もっとも、ねぐらのトレーラーに出向き、あの馬鹿がドアをあけた瞬間、バンと一発、眉間に穴をあけてやればすっきりするだろうに。余計な注目を集めることになるから、そうもいかない。だいいち、ミッチェルには隣人がいる。サイクスの経験では、隣人という生き物は、見てはならないときにかぎって窓から外を見ているものだ。できるかぎり地味な方法で、ミッチェルを駆除しなければならない。うまくいけば事故に見せかけることもできるだろう。

車を知られているので、サイクスは知り合いから車を借りて、ミッチェルのトレーラーのある界隈を流した。がらくたに囲まれ、いまにも倒れそうなトレーラーが二台と、荒れ果てた木造家屋一軒を界隈と呼べるならば、だが。こういうところには、しみだらけのぴちぴちのタンクトップから汚れたブラのストラップをはみださせた縮れ毛の女や、伸び放題の長髪に黄ばんだ歯をして、自分を不当に貶《おとし》めた人生に貸しがあると信じきっている男が住むものと相場がきまっている。サイクスはそこを車で流しながら、こっそり目の端でミッチェルの青いピックアップを探したが見つからなかった。暗くなってからもう一度通り、明かりがついていないか確かめてみたが、ゴキブリがそうすぐに見つかるとは、じつのところ期待していなかった。

ミッチェルの暮らしぶりを見るたびに、サイクスは、自分も一歩間違えばこうなっていただろうと思わずにはいられなかった。もしここまで頭が切れず、正しい決断をしていなければ、彼自身がミッチェルだった可能性はじゅうぶんにあった。いまさらそんなことは考えたくもなかった。彼も同じく掃き溜めで育ったから、ミッチェルがなにを考えているか、どうするつもりなのか、手に取るようにわかった。そういう生い立ちは彼の仕事にはプラスだが、あんな生活に戻るのは絶対にお断わりだ。彼はもっと上を狙っている。おそらくミッチェルだってもっと上を狙っているのだろうが、頓馬《とんま》な決断を繰り返しているかぎり、いまより上に行けるわけがない。

将来を見据え、サイクスはせっせと金を貯めこんできた。生活はつましいが、身ぎれいにしていた。金のかかる道楽や悪い遊びには縁がなかった。株も少しやっていて、派手に値上がりはしないがそれでも利益の出るような、堅い銘柄に投資した。いつか、じゅうぶんな金が貯まったら――いったい幾らあればじゅうぶんなのか自分でもよくわからないが――きっぱり足を洗い、だれも知らない土地に移ってささやかな商売をはじめ、社会の立派な一員として落ち着くつもりだった。そう、結婚してガキの二、三人つくってもいい。自分のそんな姿は想像もできないが、ありえないことではない。

ミッチェルはサイクスの近い将来だけでなく、将来設計そのものを危険にさらしていた。将来設計があったから、生まれ育ったごみ溜めのような家を出られたのだし、人生に目標を持つことができた。浪費の海にプカプカ浮いているほうがずっと楽だったろうに。なにもしないほうが楽に決まっている。家の掃除や芝刈りにあくせくせず、ビールをもう半ダース飲んでマリファナを一服しようじゃないか。ガキに食わせるものがなくたって気に病むこたあない。月給をもらったらまず酒とクスリを買う。素寒貧《すかんぴん》になる前に。気楽にいこうぜ。食い物や電気代に費やすより、無駄遣いするほうが簡単に決まっている。彼のようにしぶとく抜け目のない人間だけが、困難な道こそが掃き溜めから抜け出す道だと気づくのだ。

なにがあっても、後戻りするつもりはなかった。

トッド・ローレンスは、〝デイジー変身計画〟に加わったとたん突っ走りだした。引っ越しできるように家を整えるのと、トッドに呼び出されるのとで、デイジーは休日も大忙し、まるで大竜巻に呑みこまれたままどこかへ運ばれていくみたいだった。それでも音をあげなかったのは、自分自身が目に見えて変わったせいだ。

〝セックス・キトゥン〟になる勇気はないし、〝オールド・マネー〟とはどんなものか見当もつかないから、〝ナチュラル・ガール〟を選んだ。それならなんとかなりそうだから。ところが、トッドの意見は違った。

「オールド・マネーでいきましょ」彼はけだるく言った。土曜日、ショッピングと美容院めぐりにハンツヴィルへ出かけるため、彼の家を訪れたときのことだ。彼は腰に手をあて、彼女の頭のてっぺんから爪先まで眺めまわした。「そういうヘアスタイルにしたほうが、あなたの顔は映えるから」

「オールド・マネーには決まったヘアスタイルがあるんですか?」彼女はおそるおそる尋ねた。

「当然よ。シンプルで、きちんとしていて、とっても上等なカット。長すぎちゃだめ、ちょうど肩にとどくくらい。きっと気に入る。あ、そうそう、今日は耳たぶにピアスの穴もあけるから」

デイジーはかばうように耳たぶをつまんだ。「なんでまた? 変身には血を流すことまで含まれないはずでしょ?」

「だって、挟むタイプのイヤリングってつけ心地が悪いったらないでしょ、ダーリン。だいじょうぶ、痛くないから」

彼の耳たぶに穴があいていませんようにと願いながら、そっと覗いてみた。あいていなければ、知らないくせにと拒むことができるのに。だが、そうは問屋が卸《おろ》さなかった。どちらの耳たぶにも、これみよがしに小さなくぼみがあった。トッドはほほえんで、彼女の手を軽く叩いた。「勇気を持たなきゃ」陽気に言う。「美にはそれなりの代償がつきもの」

勇気を持てと言われたって、発進させたこの列車を停めるだけの勇気もないのに。トッドの車に押しこめられ、ハンツヴィルへと出発する段になっても、体のどこにも穴をあけずにすむためのもっともらしい理屈をひねりだそうとしていた。

最初に立ち寄ったのはビューティー・サロンだった。いままでウィルマのビューティー・ショップしか知らなかったが、〝サロン〟と〝ショップ〟ではまったく違うことがわかった。

まず、なにを飲むかと尋ねられた。ウィルマが尋ねるのは、急いでいるかどうかだけだ。デイジーがコーヒーを頼もうとすると、トッドは目を光らせて言った。「ワインを。彼女、リラックスしなくちゃね」

プラチナ色のショートヘアに感じのよい笑みを浮かべた艶《つや》やかな受付の女性が、笑いながらワインを持ってきた。手渡されたのは、予想していたようなプラスティックの使い捨てグラスではなく、本物のワイングラスだった。よく考えれば、プラスティックのグラスやスタイロフォームのカップでワインを出すような気の利かない店を、トッドが贔屓《ひいき》にするはずがなかった。

受付嬢は手帳を確かめた。「エイミーが担当いたします。うちのトップ・スタイリストですから、どうぞリラックスなさって、彼女にお任せくださいね。見違えるほどすてきになりますよ」

「行く前に、エイミーと話してくるね」トッドはドアの向こうに消えた。

デイジーはワインを喉に詰まらせた。行く？　トッドはわたしをここに置き去りにするつもり？　胃袋がずんと重くなった。ああ、耐えられない。

耐えるのよ。

三時間後、デイジーは三杯めのワインを飲みながら、拷問にかけられている気分だった。強い刺激臭の薬品が髪に塗りたくられた。まず明るいレモン・ホワイトに脱色するためだそうだが、まるでテレビ宣教師に説教されて面食らうパンク・ロッカーみたいになった。その薬品が洗い流されると、別の薬品が刷毛《はけ》のようなものでひと房ずつ塗りつけられた。それぞれの房は、ほかの房に触れないようにラップで包まれた。パンク・ロッカーから、衛星電波の受信装置につながれた宇宙人になった。

そのあいだに、眉毛をワックスで固めて抜かれ——痛いっ——マニキュアとペディキュアをほどこされた。手の爪はすべて同じ長さに切り揃えたところにネイルチップを貼られ、透明なローズ色に塗られた。ところが足の爪は、これみよがしな赤。これまで一度でも足の爪を塗ったことがあったかしら。思い出そうとしても思い出せないし、たとえ塗ったとしても、めだたない淡いピンクを選んだはずだ。〝ねえ、あたしを見て〟的な赤など、死んでも選ばない。だが、色の効果は抜群だった——しかもすごくセクシー。足を高く上げ、赤い爪先に見入った。とても自分の足とは思えない。あいにく、爪先がめだつようなサンダルは持っていなかった。つっかけのようなものはあるけれど、仕事には履いていけない。

ようやく拷問が終わった。ラップが取り去られ、薬品が洗い流されると、デイジーはスタイリストが待つ鏡の前の椅子に坐らされた。三杯のワインのおかげで、エイミーが鋏《はさみ》をちょきちょきいわせながら仕事に取りかかっても、怯《ひる》むことはなかった。長い髪が束になって床に滑り落ちていく。デイジーは三杯めを飲み干すと、お代わりをもらおうとグラスを差しだした。

「ねえ、景気づけはそれぐらいにしたら」トッドのけだるい声がした。おもしろがっている。

「何杯飲んだ？」

「まだたった三杯」デイジーは偉そうに言った。

「朝食はすませてきたんでしょうね」

「もちろん。それにエイミーがクロワッサンをくれました。三時間で三杯ならたいした量じゃないでしょ?」偉そうな口調が一転して不安な口調になる。「わたし、酔ってませんよね?」

「ほんのちょっとね。ありがと」彼はエイミーに小声で言った。

背が高く痩せぎすで、クルーカットの黒髪のエイミーが、彼にほほえみかけた。「楽しかったですよ。ここまで大変身を拝見できるなんて、クロワッサン二個分の価値があります」

ブルーのシルクシャツにチノパンツでいつもながら小粋なトッドは、あたりをうろうろしながら、エイミーがロールブラシを使ってデイジーの髪をブローするのを眺めた。デイジーもじっくり鏡ごしに観察しながら、これから自分でこうしなければならないのかとおののいていた。難しそうには見えないけれど、マスカラだってそうは見えなかった。

先ほど薬品を洗い流したときは、髪が濃い色に見えたので、デイジーは安堵のため息をもらした。もっとも、三時間もの拷問の結果がこの程度かと、多少は腹も立った。まったく、あのレモン・ホワイトくらいは、**少しでも**役立ったところを見せてもらいたい。ところが、エイミーのドライヤーが威力を発揮した、髪は乾くにつれ、どんどん明るくなっていった。レモン・ホワイトではなく、まぎれもないブロンドになった。光を受けると、ここは金色、あそこは淡いベージュと、微妙な変化を見せる。

エイミーがケープをさっとはずす。デイジーはあんぐりと口をあけて鏡を見つめていた。さえない茶色の髪は、はるか昔の思い出。いまの髪は艶やかでこしがある。首を振ると、髪は揺れてからもとの形におさまった。まるでおさまり場所をちゃんと心得ているように。トッドが請け合ったとおり、形はシンプルだ。長さはやっと肩にとどくくらい、内側は軽い内巻きで、外側は短めのサイドから優雅にうしろに流してある。

エイミーはとても満足しているようだった。トッドは彼女を抱きしめ、頰にキスした。

「すてき。とってもクラシック」

「髪質がよかったんです」トッドのほめ言葉を受けて、エイミーも彼の頰にお返しのキスをした。「こしはそんなにないけど、キューティクルはなめらかで、健康ないい髪です。正しいスタイリング剤を使いさえすれば、かならず今日のような仕上がりになりますよ」

デイジーは夢心地でなにを言われても耳に入らなかったから、トッドがそばにいてくれて助かった。エイミーが勧めるスタイリング剤を、デイジーが持っているかどうか確かめ、受けたサービスに見合うチップを上乗せして小切手を切れと耳打ちし——デイジーはぼうっとしたまま、なにも考えずに店を出るところだった——そのうえ、車の運転までしてくれる。ワインのせいだろうか、それともただのショックのせいか、デイジーは地面に足が着いているかどうかもわからなかった。

それがかえってよかった。次に立ち寄ったショッピング・モールで、耳にピアスの穴をあけてもらうあいだも、夢心地はつづいていたのだから。かかったのはほんの一瞬で——チクりと痛みを感じただけ——気がついたときには、めだたない金の環《わ》を耳につけて歩いていた。

それからの四時間、トッドはデイジーをへとへとになるまで引っぱりまわした。うんざりするほど試着するうちに、トッドの言う〝オールド・マネー〟の意味が、デイジーにもわかりはじめた。袖なしの白いブラウスにあっさりしたベージュのスカートといった、シンプルなスタイルだ。スリムにフィットするが、スカートは膝丈で、ウェストを強調するために細いベルトを締める。「オールド・マネーは、絶対にごてごて飾っちゃだめ」トッドが言った。「きちんとしていてクラシックで控えめ」それから、セクシーな赤い爪を見せるための上品なサンダルと、二インチヒールのクラシックなパンプスを二足買った。色は黒と灰褐色。「白はだめ」トッドがきっぱりと言った。「白はカジュアルな靴ならいいけど、パンプス向きじゃない」

「でも——」

「〝でも〟はいらない。ぼくを信じなさい」

たしかにトッドの趣味はすばらしく、信頼できる。だいいち彼女はなにもわかっていないのだから、口出しすべきではない。ただ、服選びには彼女の趣味もいくらか反映されていたようだ。彼女が選ぶものはすべて彼のオーケイを得られたのだから。いままでは、自分をどう見せるかなんてことに気を遣う勇気も理由もなかっただけのこと。慣れ親しんだもの、安心できるもの、楽なものに安住していた。よく見せるには大変な努力がいるし、自分をきれいだとも、今風だとも思ったことはなかった。デイジーが賢くて勉強好きという役割に甘んじていた一方で、ベスはいつもきれいな子だった。ベスのように楽々ときれいになれたわけではないが、デイジーもまちがいなく美人だ。まったく、いまごろようやく気づくなんて。デイジーは使った金額を控えておこうともしなかった。正当な理由で使ったのだ。つまり、自分のため。かかった費用の大部分を服が占めたが、シックなハンドバッグや好みのイヤリングも買った。トッドはいたずらっぽい目つきでこう言って、彼女にアンクレットも買わせた。「これ以上セクシーなものはないのよ、ダーリン」

ようやくふたりは帰途についた。あまりに盛りだくさんの一日だったので、デイジーは車のなかでおしゃべりする気力もなくぼんやりしていた。〝外見修繕合戦〟なるものがあるとすれば、今日、彼女は戦った。これからは人生が変わるだろう。もちろんまわりの見る目も変わるだろうが、彼女自身が自分をどう見るかも変わっていくはずだ。これまでずっと学歴に満足していたのは、それしか取り柄がないと思っていたからだ。いまは違う。男探しの成果があるあがらないは別にして、自分のプライドのためだけにも、自分をよく見せる努力をしようと思った。

「こんなこと訊いて気を悪くしないでね」ふたりとも無言で一〇マイルほどが過ぎ、デイジーが今日一日のできごとを反芻《はんすう》していると、トッドが口を開いた。「この大変身の裏になにかあったの?」

デイジーはため息をつき、頭をシートにもたせかけて目を閉じた。「三十四歳の誕生日」

「ほんと? 二十代後半だと思ってた」

疲れていたけれど、その言葉で笑みが浮かんだ。「ほんとに？」

「誓ってほんとう。その肌のせいね。あまりお日さまの下に出てないでしょ？」

「そんなには。日焼けしてもすぐ赤くなるたちだし」それに加えて、いつも家のなかで本に鼻を突っこんでいた。

「それがよかったのね。それに清純な雰囲気があるから、若く見える」

目をあけたデイジーは、頰が熱くなるのを感じた。「わたし、あまり出歩かないんです」

デイジーは打ち明けた。「それも変わりたかった理由のひとつ。結婚したいと思っても、いままでのわたしじゃだれも目を留めてくれないもの」

「これからは違う」トッドはにっこりした。「ぼくが保証する」少し間をおいて言う。「現実に興味のある男がいるの？」

頭を振ると、髪がすてきに揺れた。ああ、なんていい気分！「いいえ、いまから探すんです。ナイトクラブには行ったことがないけど、手始めにはいい場所かなと思って。いいお店をご存じありません？」ゲイの男が知っているクラブでは、彼女が普通の男と知り合えるチャンスはなさそうだと気づいたときには遅かった。

「バッファロー・クラブがいいらしいよ」トッドはこともなげに言った。「ダンスはするの？」

「踊り方は知ってます。習いにいったから。でもそれからめったに踊ってないんです。ダンスは緊張をほぐすのにうってつけなんでしょ？」

「そうね」まじめな口調になった。「今夜、さっそく出かけようとは思わない?」

「さあ、どうかしら」ナイトクラブにひとりで行くのは勇気がいるし、今日一日の出来事で勇気を使い果たしてしまったような気がしていた。

トッドはちらりと彼女を横目で見てから道路に注意を戻した。「なにかをはじめたら、やりつづけるほうが簡単ってこともあるでしょ。いったんやめてまたはじめるよりね」

せっかく一日がかりの大奮戦でイメージチェンジをしたのだから、今晩行くべきだと言いたいのだ。

「考えてみます」ふと思いついて尋ねてみた。「〞オールド・マネー〞っぽくふるまうには、どうすればいいのかしら。なにか特別の――」

「いや」トッドがさえぎる。「〞オールド・マネー〞はただのスタイルだからね。外見と中身を混同しないこと。ありのままのあなたでいいの、心配はいらない」

「ありのままのわたしでいて、気づいてもらえたためしがないんですよ」デイジーは悔しそうに言った。

トッドは笑った。「これからよ、ハニー、これから」

8

「ミッチェルは見つかったか？」テンプル・ノーランは尋ねた。

「いえ」サイクスは、そんなことを訊く町長に苛立った。奴を見つけていれば、とうにそう言ってるはずだろ、え？　「一週間かそこらは隠れていると思います。そのころになれば、娘の死は問題になっていないと考えるか、むらむらしてきて、いつも出入りしている場所でなければ、相手を探してもよかろうと思うようになるでしょう。もう手は回してあります。奴が現われたら、五分以内に知らせが入ることになってます」

「ミスター・フィリップスはご機嫌ななめだ。大事な客があの娘を待っていたからな。その客は別の供給源を見つけてしまったから、うちは大損だ。ミスター・フィリップスは、ミッチェルに死んでほしいらしい」

「死にますよ。もう少しお待ちを。藪《やぶ》を叩きはじめれば、聞きつけて兎《うさぎ》みたいに跳びでてきますよ」

「ミスター・フィリップスは待てるような気分ではない。大金が絡んでるんだ」

サイクスは肩をすくめた。ヴァージンにはいつだって高値がつくものだが、ときにはヴァージンならいくらでも出すという客もいる。ただヴァージンとやるためだけにそこまで払う奴がいるとは思えないから、ほかにも理由があるのだろう。いまでも生贄《いけにえ》を捧げる儀式が行われているとは思えないが、彼もだてに長く生きてきたわけではない。世のなかには想像を絶することをやらかす人間がいるものだ。いずれにしろ、配達されたあとに娘たちになにが起ころうが、知ったことではない。彼女たちは商品であってそれ以上ではないのだ。

「さっきも言いましたが、奴はそのうち現われます。そうなればこっちの思うつぼです」サイクスは声に苛立ちを出さないように努力した。何度言えばいいんだ？　ミッチェルは手の内にあるも同然なのに。それにいまのところ取引に支障をきたしてはいない。「今度の火曜日に、また一便、五人の娘が着くことになってます。すでにミッチェルがやばい方面にしゃべってるかもしれないので、いつもの場所には送りこまないほうがいいでしょう。それもあって、無理して奴を探したくないんです。あいつを怯《おび》えさせると、地区検事のところに駆けこんで、こっちの名前と引き替えに保護するよう、取引するかもしれません。万一に備えて、〝収容所〟向きの場所がほかにありませんか？」

ノーランは、顔をしかめてうなじをこすった。問題は、人目につかないほど人里離れていて、なおかつめったに車が通らぬほどのど田舎ではない場所を見つける必要があるということだ。田舎者は根っからの詮索好きだ。車が通るはずのないところでヘッドライトを見ようものなら、嗅ぎまわりはじめる――しかもたいていの場合、二二口径のライフルぐらいかついでいる。隣人同士でかばいあうわけだ。自分が隣人のひとりならありがたいが、気づかれたくないときは厄介きわまりない。いつも使っている〝収容所〟は、砂利道から奥にはずれた場所に駐めた古いハウストレーラーだった。乾燥した天気がつづいているうちは、道路自体が警報装置になり、車が近づいてくると、視界に入る前にもうもうと舞いあがる土ぼこりがよく見える。

「探しておこう」ノーランは言った。「見つからなかったら、どこかで大きなトラックを借りる」

以前にも、非常事態でその手を使ったことがあった。レンタルのトラックは、意外なほど人目を引かない。ハウストレーラーと違って、娘たちは風呂に入ることができないが──彼女たちはかならず風呂に入りたがる──たとえ客に〝香りの劣る〟商品を渡さなくてはならないとしても、かまうことはない、うちはデートサービス業ではないのだ。ただし、レンタカーを使うのもまた厄介だ。なぜなら、どこかに駐めると遅かれ早かれ保安官代理が調べにくる。つまり客が娘を引き取りにくる時刻まで適当にトラックを走らせ、その後どこかで客と会い、さっさと交換しなければならない。レンタカーはやはり最善の策とはいえなかった。

ノーランのポケットベルが鳴った。彼はブザーを切って番号を確かめた。「わたしはもう行くが、代わりの場所についてはあとで連絡する。なんとしてもミッチェルを見つけるんだ！」

デイジーは、バッファロー・クラブの扉の前で立ちすくんでいた。じっくり考えたすえ、新しい自分のお披露目と男探しの第一歩を踏みだすのに、今夜この場所がいちばんだと決心したのだ。ショッピングと美容院での拷問という長い一日のおかげでくたくただったが、浮かれ気分はつづいていた。買い物ツアーから帰還すると、デイジーはいつものように「ただいま」と声をかけず、母親とジョーおばが冬に備えて桃の砂糖煮を作っているキッチンに入っていった。母親がちらりと目を向け、はっと振り向きざまに鋭い声をあげた。「あなた、だれ?」

デイジーはくすくす笑いだした。母親とおばは、嬉しそうな悲鳴をあげて彼女に抱きつき、ブロンドの髪とシックなカットをほめちぎった。桃の砂糖煮を放っておくわけにはいかないので、ふたりが瓶詰めをしているあいだに、デイジーは車から買い物袋を全部取ってきて戦利品を並べた。ほんとうにびっくりするような量だった。

荷物をすっかり二階に持って上がり、クローゼットに洋服をしまいはじめたら、どうしてももう一度全部を着てみたくなった。疲れていたけれど、買ったばかりの細身のスカートに、クラシックな白い袖なしシャツ、灰褐色のパンプスを身につけるとゾクゾクした。この垢《あか》ぬけた美人がほんとうにわたしなのだ。ゴージャスではないし、これからもそうはなれないだろうけれど、きちんとしたヘアスタイルのおかげで、やや平凡な顔立ちが最大限に生かされ、おどおどした感じがなくなって……そう、落ち着いて見えるみたい。それに、トッドは正しかった。右足首で輝いているアンクレットは、すごくセクシー。

このルックスを無駄にするなんてもったいないことだ。もう二度と、自分でこのヘアスタイルをそっくり再現できないかもしれない。しかも、化粧はしたまま……。

そう思ったとたん、デイジーは大きく息を吸って心を決めた。

いまじゃなきゃだめ。

かくしてデイジーは、マディソン郡との境界線を越えたところにある、カントリー・ミュージック専門の大型ナイトクラブ、バッファロー・クラブにやってきた。生演奏のバンドがいて、広いダンスフロアがある、けっこう評判のクラブだった。ときどき殴りあいや刃傷沙汰があることは知られていたが、いまのところ女が遊びにくるのをためらうほどひどくはなかった。もうひとつ、カバーチャージがたったの二ドルというのもありがたい。その日使った金額を考えれば、倹約第一。

自分に考える余地を与えると怖じ気づくのはわかっていたから、勢いにまかせて前に進んだ。細いストラップで肩から掛ける薄いバッグから二ドル取り出した。いつも使っているバッグは、一カ月分の食糧が入りそうなくらい大きかったが、もっと上品なものを持つべきだと、トッドに強く勧められた。「出かけるときは、あれこれ持つもんじゃないの。当座のお金と、ティッシュに口紅でじゅうぶん。クレジットカードはブラにはさんどいて」バッグとは名ばかりの薄っぺらい代物には、どっちみちそれぐらいしか入らない。

入り口で、黒いTシャツにブルージーンズ、ブーツというなりの大柄な男に二ドル渡すと、なかに入ることが許された。踏みこんだのは、色つきライトとやかましい音楽と、それよりもっとやかましい話し声の渦のなか。たがいの声が聞こえるように、バンドと張りあっている。店内は混みあっていた。デイジーはうしろから押されて、赤毛を盛大に膨らませたのっぽの女にぶつかり、むっとした視線を向けられた。

ぼそぼそと謝りかけたが、ぼそぼそした言い方はやめたことを思い出した。それに、ここではぼそぼそ言っても聞こえないだろう。「ごめんなさい」きっぱり言うと、ツンとすましてその場を離れた。自分の髪型のほうがこの赤毛女よりすてき。ちょっとゾクゾクした。ほかのだれかより自分のほうがいいと思ったことなどなかった。

周囲をじっくり観察できそうな比較的空いた場所へと、人込みをかきわけて進んだ。ずらりとスツールの並んだ大きな正方形のバーがあり、周囲に三重の人垣ができている。バンドのリードシンガーがせつなげにラブソングを歌い、ダンスフロアのカップルたちは明滅する色つきライトを浴びて揺れている。バンドがいるのは、金網で守られた小さなステージだ。

その金網を見て、デイジーは不安になった。話に聞いていたよりも物騒なのかもしれない。ダンスフロアを囲むようにして、いくつものテーブルがそこここに置かれているが、どれも埋まっていた。床にはおが屑とピーナツの殻が散らばっていて、ジーンズ姿のウェイトレスが器用にトレイのバランスをとりながら、人の群れを縫うようにひょいひょいと進んでいく。

おしゃれしすぎたみたい、とデイジーは思った。どうやらここの〝服装規定《ドレスコード》〟は男も女もジーンズらしい。ミニスカートにホルターネックとカウボーイブーツの組み合わせもあちこちにいるけれど。トッドだったら、そんな組み合わせは「野暮ったい」と鼻先で笑うだろう。

デイジーは、袖なしの白いシャツを第二ボタンまであけ、カーキ色のスカートにパンプス。金色のアンクレットが、ほっそりした素足を強調している。ここではめったに見かけない、クールでクラシックな女。

「やあ！」がっちりした男の腕が腰に巻きついて、彼女をくるりと回す。デイジーは目をぱちくりさせて男を見上げた。黒っぽい髪で、片手にビール瓶を持ち、にっこりしている。

「どうも」声を届かせるために怒鳴らなければならない。

「連れはいるの？」男は屈んで、彼女の耳に口を近づけて尋ねた。

あら、この人、わたしを誘ってるんだ。そう思ったら、全身に生気が漲《みなぎ》った。これがナンパ！　ほんとうに男がわたしをナンパしている！

「友だちとね」デイジーは嘘をついたほうが賢明だと考えた。彼は知らない人なのだから。

「きみがおれとダンスしたら、友だちはいやがるかな？」

親しげな目でほほえみかけられて、デイジーは「ぜんぜん平気」と答えていた。男はにっこり笑ってビールを置くと、彼女の手をとってダンスフロアに導いた。

けっこう簡単じゃない！　デイジーは男の腕のなかへ滑りこみながら、うきうきしていた。ぴったりと引き寄せられたが、こちらが戸惑うほど体を密着させてはこなかった。ほんの一瞬、踊り方を忘れていたらどうしようと思った――だいいち、それほど熱心に練習しなかったのだから――が、相手の動きが軽やかなので、頭で考えないようにすれば、足のほうが勝手に動いてくれるみたい。

「おれはジェフだ」男はもう一度耳もとに口を近づけて言った。

「デイジーよ」

「前にもきたことがあるのかい？　見かけた憶えがないんだ。きみみたいな人、一度見たら忘れるわけがない」

デイジーは頭を振った。髪が揺れてからもとどおりになるのが嬉しくて。

「はじめてよ」

「もうこないなんて言わないでくれよ――」言いかけたところで肩を叩かれ、彼は振り向いて叩いた男を迷惑そうに睨《ね》めつけた。

「替われよ」

「だめだ」ジェフは荒っぽく答えた。「ここをどこだと思ってるんだ？　卒業パーティー？　失せろ。おれが先に彼女を見つけたんだ」

〝お約束《デ・リガール》〟のTシャツにジーンズの痩せたブロンド男がにやりとする。「おいおい、ジェフ、わがまま言うなよ」デイジーの手をさっさと奪い取り、彼女をくるりと回してジェフから離した。

デイジーはなにが起きたのかわからずに目をみはり、肩越しにジェフを振り返った。ジェフはにっこり笑って肩をすくめ、自分のテーブルに戻っていった。

「あなたたち、友だちなの？」彼女はブロンド男に訊いた。

「ああ。一緒に働いている。それより、おれはデニー」

「デイジーよ」これで二度め。

ラブソングが終わり、バンドは間をおかずにストンプ（初期のジャズに多い、リズムビートの強い曲）を演奏しはじめた。列が作られ、デニーはデイジーを位置につけた。

「待って！」デイジーは大慌てで抗議した。「踊り方を知らないの！」

「簡単だよ」デニーが大声で返した。「おれのリードについてくるんだ」

そのラインダンスには、足を踏み鳴らしたり、くるりと回ったりするところがあり、デイジーもなんとかみんなに遅れずに、足を踏み鳴らしてくるりと回ることができた。間違ってデニーとぶつかり、そんな自分がおかしくて笑いだした。ジーンズとチューブトップに混じると、〝オールド・マネー〟のクラシックな服装はかなり**浮いて**いるけれど、とても楽しかった。ここにきて十分とたたないうちに、すでにふたりの男が言い寄ってきた。こんなにもてたの……うわ、三十四年間ではじめて。

ラインダンスが終わり、バンドは〝息継ぎ〟のためのスローな曲に移った。デニーがデイジーの腰に腕を回したとたん別の男が割りこんできたので、彼はあきらめて彼女を引き渡した。今度の男はもっと年上、たぶん五十代で、白髪混じりの茶色の髪に短く刈りこんだ顎ひげをたくわえ、背はデイジーとどっこいどっこいだ。でも、ダンスはうまい。男はにっこり笑い、「おれはハワード」と言うと、慣れた手つきでデイジーをくるくると回した。ふたりの手が絡みあい、くるりと彼の腕のなかに引き戻されたとき、デイジーは喜びと興奮にはしゃいだ笑い声をあげた。

ハワードが惜しみなく技を披露するので、デイジーも錆びついた腕を精いっぱい磨きなおした。われながらたいしたものだと思った。彼の足もとにも及ばないけれど、少なくとも転ばなかったし、彼の足を踏むこともなかった。

ハワードの次はスティーヴン、スティーヴンの次は、大きな茶色の目に内気そうなほほえみを浮かべたミッチェルという男だった。さすがにデイジーも息が切れ、体がほてっていた。

「ちょっと休憩したいの」彼女はきれぎれに言って、手で扇いだ。

ミッチェルは彼女の腕をとった。「飲み物を取ってくる。ビール、それともワイン？」

「いまは水がいいわ」デイジーはダンスフロアから離れ、坐る場所を探した。五曲前と同じようにテーブルは混みあったままだ。

「なあ、ワインにしろよ」ミッチェルが誘った。

「あとでね。いまはとっても喉が渇いてるから、水がいちばんなの」それに、家まで車を運転しなくちゃならないし。

「じゃあ、コーラでも」

大きな茶色の目が飲み物くらい奢《おご》らせてくれと訴えている。水がいいと言いはれば、彼の好意を突っぱねることになる。ここは折れることにしよう。「わかったわ。コーラを」

内気そうな笑みがぱあっと広がった。「ここで待ってて」彼は人込みのなかに突っこんでいった。

言うは易く行なうは難し。かたまりになって移動する人込みのなかで、デイジーは絶えまなくあっちへこっちへ押され、五分もしないうちにミッチェルと別れた場所から遠ざかってしまった。彼を見つけようとバーのほうを眺めたが、人込みのなかで見分けられるほど彼をよく知らなかったし、こう混んでいては、飲み物を買うのにも時間がかかりそうだ。新しい靴はぴったりフィットしているけれど、新しいうえに五曲も踊ったのでやはり足が痛くなった。坐りたい。爪先立ちになって、空いている席を探した。

「坐る場所を探してるのか?」がっしりした男が大声で言うと、有無を言わさず太い腕を腰に回し、彼女を膝に抱きあげた。

デイジーは怖くなって、すぐに立ちあがろうとした。男はげらげら笑い、腕を締めつけて彼女を引き戻す。デイジーは反射的に体を支えようとして手を突いた。運悪く突いた先が男の股間だった。それも全体重をかけて。

男が叫ぶ。音楽も話し声もかき消すほどの甲高い叫びだった。だしぬけに自分の手のある場所と触っているものに気づき、デイジーは悲鳴をあげてもう一度立ちあがろうとした。が、腕を突っぱると、男からもっと甲高い声があがった。それはもう絶叫に近く、みんなが振り向いた。

デイジーは顔をまっ赤にして真剣にもがいたが、バランスがとれず足がかりもなく、手を突くたびになにかしでかした。触りたくないので拳を握り、突いたとたんにやわらかなものが潰れるのがわかった。男の顔が紫色になった。

ああ、その後のエスカレートぶりといったら。男のあげる汽笛のような絶叫に気を取られた別の男が、うっかり女にぶつかって飲み物を服にこぼした。女が悲鳴をあげ、その恋人がそいつを殴った。椅子がひっくり返り、テーブルが押しのけられ、ガラスの割れる音が響いた。群衆が散らばる。いや、何人かが散らばっただけで、残りはけんかに加わるかまえだ。乱闘が津波のように押し寄せてきたが、デイジーは逃げたくても立ちあがるにあがれない。突然、腰に鉄の帯が巻きつき、哀れな男の膝から引っぱりあげられた。件《くだん》の男は床に崩れ落ち、ひいひい言いながら両手で急所を押さえた。デイジーは悲鳴をあげてその〝締め具〟をつかみ、それが人の腕だと気づいてびっくりした。いくら身をよじっても逃れられない。足が床につかないまま、拳が飛び交い人が投げ飛ばされる混乱の渦から運びだされた。人込みをかきわけてやってきたナイトクラブの用心棒が、手当たりしだいに客の頭を殴って、荒っぽく秩序を取り戻そうとしている。デイジーも別の用心棒に運ばれているのだろう。そいつが空いたほうの手で人込みを水のようにかきわけてずんずん進むので、デイジーはなにがどうなったのか見届けることはできなかった。いつのまにか店の外に出ていて、足からどさりと地面に下ろされた。

なんという屈辱。はじめてナイトクラブにきたというのに、放りだされてしまった。

顔がかっと熱くなり、謝ろうと振り返って見上げると、ラッソ署長だった。謝罪の言葉が舌の上で凍りついた。

クラブのなかでは、ガラスの割れる音がひどくなり、逃げられるうちに逃げたほうが賢明だと思ったのだろう、いきなり人がどっとあふれ出てきた。署長がデイジーの手首を握って脇に引き寄せた。クラブの名前の綴《つづ》りをかたどった黄色のネオンが光を投げかけるので、デイジーは闇に紛れることもできない。署長はわたしだとわからないかも。気が動転しながらも、デイジーは思った。母親ですらわからなかったんだから――

「おーや、これはこれはミス・デイジー」南部人のアクセントをやけに上手にまねた、のろくさいしゃべり方だった。気づかれたくないという彼女の望みは撃沈した。「ここにはよくくるのか？」

「いいえ、今日がはじめてです。これにはわけがあって」つい口が滑った。顔が赤くなる。彼は眉間に皺を寄せて、彼女をじっと見下ろした。「聞かなくてもわかってる。ものの三十秒であんたは男を去勢して乱闘を引き起こした。はじめてにしては立派なもんだ。今度いつくるか教えといてくれ、家にいることにするから」

なんですって。この大騒動をわたしのせいにされてたまるものですか。デイジーはいきりたった。「わたしのせいじゃありません。あの人がわたしを捕まえたのよ、それで体を支えるために手を突いたら、わたし……」なるべく上品な言いまわしを探しているうちに、言い訳は尻切れとんぼに終わった。

「奴のタマをつかみ、椅子に押しつけてぺちゃんこに潰したんだろ」彼があとを引き受けてくれた。「割って入ろうと思ったんだが、あいつが馬鹿高い声でわめきだしたから、あんたのほうが優勢だってわかった」

「そんなつもりじゃなかったのよ！　あれは事故です」

彼はだしぬけににやりとした。「まあいいさ。あいつもこれからは、知らない女に抱きつく前に、よく考えるだろう。さあ、車まで送るから」

車まで送ってくれなくてけっこう。車に戻るなんて絶対にいやだ。名残《なご》り惜しげにドアを見た。「わたし、まだ――」

「いいや、今夜のダンスはおしまいだ。軽やかなステップは次のときまでとっとけばいい。保安官代理がこないうちにここから出るんだ」

デイジーはため息をついた。とっても楽しかったけれど――もちろん、うっかりあの男を去勢してしまうまでは、だけど――ラッソ署長の言うとおりだ。保安官代理はとりあえずその場にいる全員を逮捕して、あとで選り分けるのだろう。もし彼女が逮捕されたら、みんながなんというか目に浮かぶようだ。ラッソは彼女の腕を取り、無理やり駐車場へ連れていった。「車はどこだ?」

デイジーはもう一度ため息をついた。「あっちよ」ざくざくと砂利を踏んで車に向かった。ラッソは彼女の脇にぴたりとつき、肘をつかむ手をけっしてゆるめなかった。まるで逃亡のおそれのある囚人を護送するみたい。手錠をかけられなかっただけでもありがたい。

たくさんの車が駐車場からあっちの道へ、こっちの道へと出て行く。ふたりは交錯する車の流れを縫うように進んだ。車にたどりつくと、署長はデイジーの腕を放した。バッグから鍵を取り出し、ロックを解除した。ドアをあけてもらって運転席に滑りこむ。「なにか飲んだか?」だしぬけに訊かれた。

「いいえ、コーラ一杯すら飲んでません」戻ってくるのが遅かった茶色の瞳の男を、みじめな気分で思い出した。喉がカラカラだった。騒ぎを引き起こすのは、ダンスするのと同じぐらい疲れる。

ラッソは片手を開いたドアに、もう片方の手を屋根に置いて屈みこみ、ルームランプに照らされたデイジーをじろじろ見た。「いままで猫をかぶってたんだ」ようやく言い、また眉根を寄せた。開いた襟もとを見つめているようだ。「ばあさんが着るようなさえない服に隠れて」

警察署長でさえ、わたしの格好がいかに野暮ったいか気づいていたのね、とデイジーは思った。なんて恥ずかしい。「わたし、心機一転するんです」

彼はなにかつぶやき、体をまっすぐに伸ばして、ドアを閉められるようにあとずさった。デイジーはエンジンをかけ、ちょっとためらってから窓を下げた。「あそこから連れだしてくれてありがとう」

「そうするのが賢明だと思っただけさ。あんたにあのままやらしてたら、哀れなあいつからナニまでもぎ取ってただろうから」頭を上げ、なにかに耳を傾けた。「サイレンが聞こえたようだ。保安官代理がくる前に帰ったほうがいい」

デイジーはまだためらっていた。「あなたはどうするんですか?」

「あと片づけを手伝う」

そうだった、彼は逮捕される心配をしなくていいのだ。デイジーは、ここにきたことを黙ってておいてくれと頼みかけてやめた。彼女にだって、彼と同じくナイトクラブに出入りする権利はあるのだから。それにバッファロー・クラブにきたことを、みんなに知られたほうがいいかも。そうすれば、まわりの見る目が変わるはずだ。声をかけやすい、誘いやすいと思われたいし、そのためには、外見をよくするだけではだめだ。

「わたしも事情聴取を受けなくちゃなりませんか？」

彼はむっとしてぴしゃりと言った。「いつまでもうろうろしてればな。帰れるうちに、とっとと帰れ」

なによ！ ひと言も言い返さずにアクセルを踏みこむと、タイヤが悲鳴をあげて砂利を跳ね飛ばし、車は左右に尻を振りながら駐車場を出た。デイジーはパニック状態でハンドルと格闘したあと、アクセルから足を離せばいいことをやっと思い出した。タイヤが道路を捉えて悲鳴はやみ、デイジーは落ち着きを取り戻して運転をつづけた。それまで一度だってタイヤをきしませたことなどなかった。ああ、どうしよう、もしあの砂利が署長に当たっていたら？ 謝ろうと戻りかけたが、ちらちら光るライトがバックミラーに映ったので、心が決まった。彼に言われたとおり、〝とっとと帰る〟に越したことはない。

9

夜の酒場に出かけてぶっ倒れそうになるまで踊り、大騒動を引き起こしておいて九時には家に帰っているなんて、だれにでもできる芸当ではない。翌朝、デイジーはしみじみとそう思った。前夜は完全な成功とはいえないが、前半はすごくうまくいっていた。おまけに楽しかったから、もう一度試してみる価値はある。もちろん、乱闘の部分はのぞいて——もう二度とあんなことはありませんように——ダンスと男の目を惹く部分にかぎるということで。

同じ教会の信徒全員の好奇心剝きだしの視線——人をじろじろ見るよりほかにやることがあるでしょうに——を耐え忍んで教会から戻るとさっさと昼食をとり、おろしたてのジーンズに着替えた。車でラシター・アベニューまでひとっ走りして、バック・レイサムが家のペンキ塗りをどこまで終えたか見てこようと思ったからだ。新しい人生の第一歩をしっかりと踏みだしたのだから、一刻も早くひとり暮らしをはじめたかった。ところが、バッグと車の鍵を持ってポーチに出ると、白いクラウン・ヴィクトリアが家の前に停まった。

ラッソ署長の巨体が運転席から現われると、デイジーの心は沈んだ。男の睾丸《こうがん》を潰したなんてとても言えやしないから、母親には適当に話をはしょってつたえた。署長はもしかして、母やおばにゆうべのことをばらし、彼女にお灸を据えるつもりできたのだろうか。なにか話がありそうだけれど、バッファロー・クラブには公務で行ったわけがないから、口止めにきたのかもしれない。彼女と同じで、相手を求めて出かけたのかも。でも、少なくとも彼女のほうには正当な理由がある。

彼もジーンズ姿で、黒いTシャツが広いなで肩にぴったりくっついている。ますます重量挙げの選手みたいだ。デイジーは心のなかで鼻を鳴らした。前夜、片腕で軽々と抱えられてクラブから連れだされたことを思い出し、その表現は的を射ていると思った。

「出かけるところなのか?」ラッソは花に縁どられたマイナー家の短い歩道に立ち、ポーチの日陰にいるデイジーを見上げた。

「ええ」彼女はそっけなく答えた。礼儀に従えば、ええ、あの、ちょっとスーパーマーケットに行くつもりだったんですけど、あとまわしにします。どうぞお入りください、コーヒーでもいかが、とかなんとか言うべきだ。でも、そのひと言しか返さなかった。この人の前に出ると、つい礼儀作法を忘れてしまう。

「お入りくださいって言わないつもりか?」口調とはうらはらに内心ではおもしろがっているのが、きらきら輝く目を見ればわかる。

「ええ」

ラッソは車のほうへ頭をかしげた。「じゃあ、おれとドライブだ。近所じゅうに聞かれるようなところで、あれこれ話したくないだろ」

心臓がドキンとした。「あの、もしかして、わたしを警察《ダウンタウン》に連れていくつもり？」恐ろしい考えが浮かんできて、階段を駆け下りた。「昨日の男の人――死んでませんよね？　あれは事故だったんだもの！　あの人が亡くなっても、正当防衛になるでしょう？」

彼が手で顔をなでおろすのを、デイジーは疑いの目でにらんだ。なんだかにやにや笑いを隠しているみたい。なによ、笑いごとじゃないでしょ！

「おれの知るかぎり、あんたのボーイフレンドは無事だ。たぶんあそこが痛くて、歩き方が多少ぎこちないだろうが、命に別状はない」

デイジーは大きく息を吐いた。「ああ、よかった。だったらなぜわたしをダウンタウンに連れていくんですか？」

また〝顔なでおろし〟をはじめた。今度はまちがいない、彼女のことを笑っている。なによ！

ラッソは手を伸ばして彼女の腕をとった。その手はあたたかだが、すごい力だ。一緒にくるのをしぶる悪党の扱いには慣れているといわんばかりの握り方だ。「そうツンツンしなさんなって、ミス・デイジー」忍び笑いをこらえてもちゃんと聞こえた。「いや、ただ……同じ〝ダウンタウン〟って言っても、ヒルズボロとニューヨークとではえらい違いだと思って」

まあたしかに、彼女の家は警察署や商業地域からほんの数ブロックだから、ここもダウンタウンにはちがいない。それにしたって、もう少しやさしく扱ってもらいたいものだ。

彼が助手席のドアをあけ、デイジーを押しこんだとたん、玄関のドアが開いて、イヴリンが出てきた。「ラッソ署長！　デイジーをどこに連れていくおつもり？」

「ちょっとドライブするんですよ。一時間以内に戻るってお約束します」

イヴリンは一瞬間をおいて、にっこりした。「楽しんでらっしゃい」

「ええ、どうも」彼はまじめくさって言った。

「もう、ひどい」デイジーは乗りこんできた彼に文句を言った。「母はわたしたちが**つきあってる**って思ったわ」

「戻ってから、ほんとうはなにがあったのか、ありのままを話せばいい」彼はデイジーの答えを待とうともせずに車を出した。まったく腹立たしい。もちろん、そんなことはするつもりないし、彼だって言いだす前からそれはわかっていたはずだ。なんて厭味《いやみ》な奴だろう。

「あなたと同じように、わたしにだってあのクラブに行く権利はあるんですからね」腕を組んで、鼻をツンと上に向けた。

「そのとおりだ」

デイジーは鼻を下げて、目をみはった。「だったら、どうしてわたしを尋問するんです？　なにも悪いことはしてないのに。あの騒ぎだってわたしのせいじゃないし、ほんとうにあの人の睾丸を潰すつもりはなかったもの」

「わかってる」彼はまたにやにや笑った。もう。いったいなにがそんなにおかしいの？

「それじゃ、なにが問題なんですか？」

「なんにも。それにあんたを〝尋問〟しちゃいない。おれはドライブに行こうって頼んだんだ。取調室にぶちこんで、何時間も締めあげるのとはまるっきり違う」

デイジーは安心してふうっと息を吐き、シートにもたれたが、またすぐに起きあがった。

「頼んでなんていないわ、**命令**したんです。ほかに考えようがないじゃありませんか。〝ちょっとドライブに行こう〟はテレビに出てくる警官の決まり文句だもの。そう言われたら、警察《ダウンタウン》に連行されるにきまってます」

「脚本家は、もっと新しい言いまわしを勉強しなくちゃな」

ぞっとするような考えが浮かんだ。どうしよう、まさか署長はわたしを**口説いて**るんじゃないでしょうね。これまで会えばついけんか腰になっていたけれど、変身したおかげで男の態度ががらっと変わったことは、前夜の経験でよくわかった。胃袋が締めつけられる。男に向かって、〝あんたなんか興味ないからあっちへ行って〟なんて言える柄じゃない。だいいち、**彼が**わたしに興味を持つはずないでしょ。自分で思っているほど、きれいになっていないかもしれないし。

すばやく日除けを下ろし、そこについている鏡を覗き、すばやく戻した。ああ。

「なにしてるんだ？」ラッソは不思議そうに訊いた。「口紅をチェックするにしちゃ、ずいぶん短かったが」

口紅のことなどすっかり忘れていた。とにかく、ちらりと見るだけでまちがいなく自分が変わったことはわかった。

「警察の車にも鏡はついてるのかなと思って」口が滑った。「なんだか……ホモっぽい」

「ホモっぽい？」頬の内側を噛んでいるみたいだ。

「別にあなたの男らしさを疑ってるんじゃありません」急いでつけ加えた。ここで男らしさを証明されでもしたら大変だ。なにかで読んだけれど、男というものは、そういう意見を自分のことと受け取る傾向があるらしい。男の自尊心は、もっぱら性的能力とかそういうものに直結している。

ラッソはため息をついた。「気を悪くしないでほしいんだが、ミス・デイジー、あんたの考えについていくのは、全速力で跳ねている野ウサギを捕まえるようなもんだな」

デイジーは別に気を悪くしなかった。かえってありがたいぐらいだ。いちいち考えについてこられたらたまらない。「ミス・デイジーって呼ぶのはやめてもらえませんか。なんだかそれって――」〝オールドミス〟みたい、と言おうとしたが、それじゃ身も蓋《ふた》もない。「――こうるさい人みたい」

ラッソはまた、頬の内側を噛んだ。「ヘアネットが似合ったりして……」

「わたしはヘアネットなんてかぶりません！」デイジーは怒鳴り、びっくりしてシートにもたれかかった。いままで怒鳴ったことはない。癇癪《かんしゃく》を起こしたことは一度だってなかった。彼にいつも礼儀正しく接していたとは言えないが、**怒鳴った**ことはない。不安になってきた。警察官に怒鳴るのは法に反するのだろうか？　彼に対して怒鳴るのは、スピード違反で捕まって――仮にスピード違反をしたら、ということだが――警官に怒鳴るのとはわけが違う。

なんといっても彼は警察署長だし、ことによるともっとまずい――

「また空想の世界に入りこんだみたいだな」ラッソがぶつぶつと言った。

「警察署長に怒鳴ることは違法かどうか考えてたんです」デイジーは白状した。

「怒鳴ったら刑務所にぶちこまれると思ったのか?」

「とにかく無作法でした。謝ります。いつもは怒鳴ったりしないんだけど、でも、いつもはヘアネットが似合うなんて言われないから」

「怒るのももっともだ」

「そんなにほっぺたを噛んでたら、縫わなきゃいけなくなるわ」

「もうやめるよ。ついでに言っとくけど、おれがミス・デイジーって呼ぶのは、敬意の表われなんだけどな」

「敬意?」喜んでいいのかどうかわからなかった。もちろん敬意を払ってほしいとは思うけれど、自分より少なくとも数歳上の男に示してほしいのはもっと別の態度だ。ナイトクラブでもてたのはまぐれで、自分で思っているほど魅力的ではないのかもしれない。たぶん、男はクラブにいる女ならだれとでもダンスするのだ。

「あんたを見てると、ベッシーおばを思い出すんだ」彼は言った。

デイジーは声を出してうめきそうになった。ああ、思っていたよりもひどい。おばさんですって! やっぱり昨日の夜はまぐれ当たりだったのだ。悲しくなって、そこまで大きな思い違いをしていたのか確かめようと、また日除けの鏡を下ろした。

「なにしてるのか、もう訊かないよ」ラッソはため息をついた。

「わたし、あなたのおばさまに似ているの？」言葉を振り絞るように言った。

ラッソは笑いだした。ほんとうにデイジーのことを笑っている。悔しくなったデイジーは、日除けを上げて、もう一度腕を組んだ。

「じつは大おばだ。だけどおばと似ているって言ったわけじゃない。おばを思い出させるって言ったんだ。おばもまるで世間ずれしてなかったからな」

世間知らず。彼は世間知らずと言っているのだ。悲しいけれど、彼は間違っていない。ずっと本に鼻を埋めて生きていれば、だれでもそうなる。いろいろ興味深いことを知ってはいても、実世界での経験となるとないに等しかった。

ラッソはフォートペインに向かうハイウェイに乗り入れた。「どうしてフォートペインに行くんですか？」デイジーはヒマラヤ杉の森と緑の山並みを見渡しながら尋ねた。そこまでの道のりはすばらしいが、どうして行かなければならないのかわからない。

「行かないよ。ドライブするだけだ」

「どこか決まった場所に行くわけじゃないんですね」

「ドライブしようって言っただろ。それはつまり、ドライブするってことだ」

口説かれているのではないかという疑念が、おそろしいことにまた湧き起こった。それにしても、おかしな口説き方があったものだ。大おばを思い出すとか言ってみたり、彼女のことを笑ったり。だが、彼はヤンキーだ。北部ではこういうやり方をするのかもしれない。

「ドライブするなら逆方向のほうがいいんだけど」彼女はそわそわと言った。「家に戻ってください」

「やだね」

おやおや、なんともご丁寧なお言葉ですこと。口説いてるわけがない。大いに安心し、デイジーは彼に向かってにっこりした。

「なんだ?」彼は警戒するような目つきで尋ねた。

「いえ、別に」

「おれに笑いかけたぞ。なんだか薄気味悪い」

「わたしの笑顔が薄気味悪い?」笑みが消えた。

「違う、あんたが笑ってるってことが不気味なんだ。あんたの考えが、また進路をはずれたってことだからな」

「はずれてません。わたしには、どんな進路をたどってきたかわかってるもの。あなたにわからなくて、ほっとしてたところ」しまった、そんなことを言わなきゃよかった。彼が警官だということを忘れてはならない。警官は人一倍知りたがりだ。

「ほう?」思ったとおり、彼は興味を持った。

「プライベートなことよ」言ってやった。紳士ならここで引きさがる。

彼が紳士ではないことを思い出すべきだった。

「プライベートなことってどんな?」彼が尋ねる。「いやらしいことか?」

「違います！」デイジーはぞっとして叫んだ。いやらしいことをしたがっていると思われるなんて、ぜったいに我慢できない。それならまだ、実際に思っていたことを知られたほうがましだ。だから、彼女は言った。「わたしはただ、あなたに口説かれてるのかなって心配になってただけ。でも『やだね』って言われて安心したわ。だってそのつもりだったらそんなこと言わないでしょ。つまり、わたしを口説いているのならね」

「口説く？」かすかに肩が震えだした。

「そうよ、いまはなんて言うのか知りませんけど。『デートに誘う』じゃ高校生みたいだし、それにこれはデートじゃなくて、誘拐です」

「あんたは誘拐されてないだろ。おれはただ、昨日の夜のことについて個人的に話したかっただけだ」

「昨日の夜のことって？　わたしはなにも法に反した――」

「大袈裟《おおげさ》にわめきたてるのはやめてくれないか。ナイトクラブに行くことについて、ちょっと言いたいことがある」

「言っときますけど、わたしはおとなだし、いつでも好きなときにナイトクラブに行けるんです。それにまた行くつもり、だからあなたは――」

「ちょっと黙ってられないのか！」彼は怒鳴った。「行くなって言うつもりはない。ただ、気をつけるべきことを話そうとしてたんじゃないか！」

デイジーはしばらく黙りこくっていた。「ごめんなさい」ようやく言った。「あなたの前だと、ついむきになってしまうの。たぶんあなたが警察署長だからだわ」

「いいか、話をやめておれの言うことを聞くんだ。あんたが髪型をこんなふうに変えて、あんな服装をしたんじゃ、男たちが寄ってくる」

「そうね」デイジーは満足して言った。「寄ってきたわ」

ラッソはため息をついた。「知り合いだったのか？」

「いいえ、もちろん違います」

「じゃあ、信用するな」

「あら、あの人たちのだれとも一緒に家に行ったりするつもりはなかったわ。それに自分の車で行ったから、送ってもらう必要は――」

彼は割りこんだ。「デートレイプ・ドラッグって知ってるか？」

その言葉でデイジーは黙りこんだ。ショックのあまり彼を見つめた。「あなたもしや……あの人たち――」

「わからん。あんたにもわからんはずだ。つまりそこなんだ。ああいう場所に行ったら、ウェイトレス以外のだれにも飲み物を持ってきてもらうな。それより、自分でバーに行って取ってこい。踊っているときやトイレに行くとき、どんなときでもテーブルに飲み物を置きっぱなしにするな。もしそうしたら、二度と口をつけるんじゃない。新しいのを注文しろ」

「ど、どんな味がするの？　つまり、だれかがわたしの飲み物になにか入れたらってことだけど」

「味はわからない。飲み物と混ざったらわからない」

「まあ」デイジーは両手を膝に置いた。気が動転していた。ゆうべ踊ったいい人たちのだれかに計画的にクスリを盛られて、意識を失っているあいだに、どこかに連れていかれて犯されていたかもしれないなんて。「だったら──どうすればわかるの?」

「たいていはわからない。クスリの影響が現われるころには、正しくものを考えられなくなっている。クラブに行くなら友だちと一緒がいい。そうすればおたがいに気をつけることができる。どちらかが眠気やめまいを感じたら、まず病院の緊急救命室に行くことだ。それからなにがあっても、そこで出会ったどんな男の車にも乗るんじゃない」

デイジーはしょげ返っていた。一緒にナイトクラブに行ってくれる友だちがいないか考えてみる。だれも思い浮かばない。友だちがいないわけではないけれど、みんな結婚して家族がいる。デイジーの男探しに協力するため、旦那をほっぽらかしてナイトクラブに一緒に行ってくれる友だちなんてひとりもいない。母親とジョーおばはふたりとも独身だが……むりむり、考えるまでもない。

「デートレイプ・ドラッグには何種類かある」彼はつづけた。「ロヒプノールってのは聞いたことがあるだろう。だが、警察がほんとうに心配しているのは、GHBだ」

「どういうもの?」聞いたこともなかった。

彼は恐ろしげな笑みを浮かべた。「床のニスやペンキを剝がす化学溶剤に排水口の洗剤を混ぜたものだ」

「なんですって！」デイジーはびっくりして彼を見つめた。「そんなもの飲んだら死んじゃうじゃない！」

「ああ、じゅうぶんな量を飲めばな。それほどたくさんの量はいらない場合もある。どれほどの効き目があるかわからないんだ」

「でも——飲み下したときに、喉がヒリヒリするんじゃないかしら」

彼は首を振った。「いや。量が過ぎれば、眠ってしまってそのまま目覚めることはない。アルコールと混ざると、効力は増してもっと予測がつかなくなる。GHBを飲ませるような男は、相手が死んでいようがいまいがどっちでもいいんだ。あたたかいうちにファッ——いや、セックスできればな」

デイジーは目を見開いて、きれいな田園風景を眺めた。そういうことが現実に起きているなんて！　彼がまったく別の角度からナイトクラブの実態を浮き彫りにしてくれたおかげで、いままでのような見方はできなくなった。でも、外に出て交際範囲を広げなかったら、どうやって独身の男と知り合えばいいの？　下唇を嚙みながら、じっくり考えてみた。なんといっても、クラブに踊りに行くことが目的達成のいちばんの早道だ。用心に用心を重ね、彼の注意をちゃんと守るようにすればいい。

「気をつけるわ」デイジーは真剣に言った。「ご忠告ありがとう」危険な目に遭うかもしれないと、わざわざ忠告しにきてくれるなんて、ほんとうに親切だ。そう、思っていたよりも親切。ちょっと無愛想で、ずけずけとものを言うからといって、見る目が厳しすぎたかもしれない。

ラッソは一軒の教会に近づくにつれてスピードを落とし、駐車場のなかで方向転換してヒルズボロへ戻りはじめた。「今度はいつ行く？」彼はなにげなさそうに尋ねた。

感謝の気持ちもここまでだった。「どうして？」デイジーは尋ねた。いぶかっているのが口調に出ていた。

「男たちみんなに急所用サポーターをつけろって注意してやるため、ほかにあるか？」そこでため息をついた。「ただの質問だ、会話をつづけるための」

「おやま。そうね、もちろん日曜日は行きません。平日もね。だからたぶん、次の週末あたり。とにかく引っ越すために、家を整えなければいけないし」

「引っ越すのか？」

「ラシター・アベニューに家を借りたんです」

ラッソはちらりと横目で彼女を見た。「ラシター？　あのへんはあまり治安がよくないぞ」

「わかってます。でも選択肢は限られてたの。それに犬を飼うつもりだから」

「大型犬にしろよ。ジャーマン・シェパードがいい。頭がいいし、忠実な犬種だからゴジラが相手でも守ってくれる」

ジャーマン・シェパードは警察犬としても使われている。デイジーは、彼がシェパードに詳しいのもそのためだろうと思った。この犬種は頼りになるし信頼を裏切らないにちがいない。そうでなければ警察が使うはずない。

デイジーは、自分が安楽椅子に坐って本を読むかたわらで、大きな犬が居眠りしている光景を思い浮かべようとしたがうまくいかなかった。彼女はもっと小さな犬が似合うタイプだ。たぶんテリアのほうが、大きなジャーマン・シェパードよりよさそうだ。小型犬はちょっとした物音にも吠えて、侵入者を撃退するものだとなにかで読んだことがある。なにも完全撃退システムはいらない。警報システムがあればじゅうぶん。テリアは危険を知らせるのが得意だ。ちっちゃくてかわいらしいマルチーズもいいかもしれない。頭に小さなリボンを結んだりして。

帰る道すがら、小型犬の長所をあれこれ考えるのに夢中だったから、ラッソが車を停めるまで家に戻ったことに気づかなかった。ドライブウェイの彼女の車のうしろに駐まっているミニバンを見て一瞬とまどったが、だれの車か気づいた。

「友だちか？」ラッソ署長も見ていた。

「妹のベスとその家族よ」デイジーは答えた。彼らは少なくとも月に二度、たいていは日曜の礼拝のあとにやってきた。今日あたりくるはずだとわかっていたのに、記憶からすっぽり抜け落ちていた。

ドアハンドルに手を伸ばしたとたん、ジョーおばがポーチに出てきた。「ふたりともお入り。ホームメイドのアイスクリームにちょうど間にあったね」

デイジーがこなくていいと言う前に、ラッソ署長は車を降りていた。彼がドアをあけてくれても、デイジーは席に坐ったまま、目を見開いて彼を見上げた。「さあ、行こうぜ」彼はじれったそうに言った。「アイスクリームが溶けちまう」

「こういうの、よくないと思う」デイジーは小声で言った。

「どうして？」彼も小声で言い返してきたが、瞳はきらりと輝いた。

「だってみんなが、あなたは……その、わたしたちが……」

「つきあってる？」彼がご親切にもあとを引き継いで言ってくれると、文字どおりデイジーを車のなかから引っぱりだし、背中を押しながら歩道を進みはじめた。

「からかわないで！　狭い町で噂になったらどうなるか知ってるでしょ。それに、家族を誤解させたくないの」

「じゃあ、ほんとうのことを言えばいい。おれがデートレイプ・ドラッグの危険性をあんたに教えたがったんだって」

「母に心臓発作を起こさせるつもり？」デイジーは噛みつくように言った。「やめてよね！」

「だったら、おれたちは友だち同士だって言うんだな」

「さあ、みんな信じるかしら」

「そんなに信じられないようなことか？」

「ええ、まあ」すでに玄関ドアにたどりつき、ラッソがドアをあけてデイジーをなかに入れた。狭い玄関ホールがあり、すぐ左手が広いリビングだ。ふたりがなかに入ったとたん、おしゃべりがぱたっとやみ、アイスクリームのボウルを置くカチャカチャという音がした。そこにいるのはもちろん母親とジョーおば、ベスとネイサンにふたりの甥っ子、ウィリアムとワイアットだけなのだが、デイジーは百人もの人に見つめられているような気がした。みんなの視線を集めたことなどめったになかったので、ちょっと注目されただけでも大袈裟に感じてしまうのだ。

「あの……こちら、ラッソ署長」

「ジャックです」デイジーが紹介すると、彼はまずイヴリンと、それからジョーおばと握手をした。ネイサンは、自分の番がくると立ちあがって手を差しだしたが、男が家族を守らなければと感じたときに見せる表情を浮かべ、眉をひそめた。デイジーには、なぜネイサンが彼女を守ろうとするのかわからなかった。だが、ラッソ署長は〝男性ホルモン主導示威合戦〟には慣れっこらしく、まぶたをぴくりとも動かさずに無視した。

「アイスクリームをお取りしましょうね」イヴリンが言った。「ただのヴァニラだけど、お好みで胡桃《くるみ》とチョコレートソースをおかけしますよ」

「ヴァニラは大好物です」ラッソがあまりにも心をこめて言ったので、もし違った出会い方をしていれば、デイジーも彼を信じていたかもしれない。彼がヴァニラ好きとは思えなかったが、口をはさむのはやめておいた。さっさと食べて帰ってくれたほうがいい。

ベスは署長に目もくれず、目をまんまるにしてデイジーを見つめていた。「ブロンドにしたのね」弱々しく言った。「髪の色を明るくしたってママに聞いたけど……ブロンドなのね」

「おばさん、きれい」責めるような口調で、十歳のワイアットが言った。異性を嫌う年ごろだから、大好きなおばさんが女であることに気づいてうろたえているのだ。

「ごめんね」デイジーは謝った。「これからは、もっとちゃんとするわ」

「ぼくは好きだよ」十一歳のウィリアムが内気な笑みを浮かべた。あと何年かすれば、この笑顔が女をめろめろにするにちがいない。

「それに、**ジーンズ**をはいているじゃない！」ベスは泣きださんばかりだった。ベスだってシックなバミューダショーツとそれにぴったりのトップを着ているが、彼女の知っているデイジーはめったにパンツをはかなかったし、ジーンズを一枚も持っていなかった。

「買い物に行ったの」ラッソを含めたみんなに上から下までじろじろ見られ、デイジーは落ち着かない気分だった。「耳にピアスもしたの」みんなの視線が上向くように、小さな環を示した。

「すごくいいと思うよ」ネイサンがにっこりしながら言った。デイジーは義理の弟を愛してはいたが、姉の変身にかなりのショックを受けているベスの気持ちにもう少し敏感になってくれればと思った。

だが、ベスは自分勝手な人間ではない。なんとか笑顔になり、立ちあがってデイジーを抱きしめた。「すごくきれいよ」彼女が言ったとき、クリーミーな白いアイスクリームをたっぷりと盛ったボウルをふたつ持って、イヴリンがリビングに戻ってきた。

「ええ、そうね」イヴリンは言って、ふたりの娘にほほえみかけ、デイジーとラッソにボウルを渡した。

「ところで」ジョーおばがほがらかに言った。「あなたがた、つきあいはじめてどれぐらい？」

「わたしたち――」デイジーは言いかけたが、もっと太い声に先を越された。

「一週間くらいです」ラッソが言った。

10

マイナー家から帰る道すがら、ジャックは車のなかで大笑いした。ミス・デイジーをからかうことが、いまやいちばんの楽しみになりつつあった。彼女はどんな些細な挑発にも、牛追い棒でつつかれたように反応する。ふたりはつきあいはじめて一週間ぐらいになるといったとき——事実だからしかたない——彼女は跳びあがり、恐怖を剝きだしにして彼を見つめ、だしぬけに「つきあってなんかいません」と言った。その取り乱しように、ジャックはふと不安になり、鏡を見て確かめたくなった。もしかして、角とフォーク状の尻尾がいきなり生えてきたのではないか。前の妻をのぞけば、彼に突っかかってくる女はいなかったから、デイジーの反応には少しばかりむっとする。しかも、前の妻でさえ、ベッドのなかでは突っかかってこなかった。ミス・デイジーは、おれのどこがそんなに気に入らないんだ?

デイジーはあれから、まっ赤になって弁解しようとした。「わたしたち、ただのお友だちで——ううん、そこまでもいってない。だって、この人、ヤンキーだもの。昨日の夜、クラブで一緒にいて——一緒にいたんじゃなくて、たまたま居合わせたんだけど、それでけんかがはじまって——」

「けんかが？」みんながいっせいに繰り返した。母親とおばはすくみあがり、妹は唖然とし、義理の弟は身がまえ、二人の甥っ子はおもしろがった。

「わたしがはじめたんじゃないのよ」デイジーは急いで言った。「ほんとに違うの。わたしのせいじゃなくって、でも署長が——」

「ジャックだ」彼は横合いからちゃちゃをいれる。

デイジーはちらりと彼をにらんだ。「——ジャックが連れだしてくれて、今日ここにきたのは、デートレイプ・ドラッグのことを教えてくれ……あ、しまった」甥っ子が熱心に耳を傾けているのに気づいて、デイジーは不揃いな色の目を見開き、口をつぐんだ。

「ドラッグ」顔色を失った母親が呆然と言った。手のなかでアイスクリーム・ボウルが揺れている。

デイジーは深呼吸して、安心させようとした。「実際には見てないのよ。それにこれから気をつける」

「ヤンキーだとどこがいけないんだ？」ジャックは問いただした。内心おもしろがっているのが、目の輝きに出てしまっていた。

デイジーは、失言に気づき——しかも人前で、それが彼女にとっては大問題だったようだ——また早口にまくしたてた。「あの……別に、その——つまり、あなたは、はっきり言って……」声が尻つぼみになったところをみると、どうやら考えが行き詰まったらしい。

「おれは友だちだと思っていたのに」少し傷ついていたが、なんとか真顔で、まじめな目つきをしてみせた。はっきり言って、おれがなんなんだ？　彼女のタイプじゃない？　それには賛成だ。あっちはお堅くてうぶだし、こっちは警官。言うまでもない。

「ほんとに？」彼が気持ちを紛らすためにアイスクリームを食べていると、彼女は疑い深く尋ねた。冷たくてなめらかなアイスクリームが舌の上で溶け、彼は満足のあまりうなり声をあげそうになった。本物のホームメイド・アイスクリームにまさるものはない。あるものか。彼はアイスを飲みこんで言った。「ああ。例の〝モーヴ色のゲイ診断〟までやったじゃないか。友だちじゃない奴に、あんなことはしないだろ」

家族はみんな、われを忘れて目をまんまるにしていた。母親とおばが喘いだ。「あらまあ」おばのジョエラが弱々しく言った。「あなた、合格した？」

にやにや笑いを隠すために、顎をこすった。なるほど、あの検査の出所はここか。「どうでしょうか。答えを知っていたら合格なんですか、それとも不合格？」

ジョエラおばは目をぱちくりさせた。「ええと――合格も不合格もないだろうけど。つまり、その、ゲイだってことと」いったん口をつぐんだ。「で、そうなの？」

「ジョーおばさん！」デイジーはあいている手で両目を覆ってうめいた。

「いいえ、違います」彼はもうひと口アイスクリームを食べた。「ですが、これはあまりいいテストとはいえませんね。わたしはモーヴが何色か知っていましたから」

ジョーおばはきっぱりとうなずいた。「あたしもそう思ってたんだよ。ところでピュースはご存じ？」

「デイジーは辞書を見てみろと言ったんですがね」もはや、にやにや笑いを隠すことができなくなった。「そんな色をでっちあげるなんてって、彼女を責めましたよ」

ジョーおばは満足げな表情を浮かべ、胸を張った。「ほらね」彼女はデイジーの母親、イヴリンに言った。

あわれなデイジーは手をだらりと下ろし、最上の脱出ルートを探すようにきょろきょろしている。ジャックは先手をうって彼女の腕をつかみ、自分と一緒にふたりがけ《ラブシート》のソファに坐らせた。部屋のなかであいている椅子はそれだけだったので、ふたり並んで坐れるように彼女の母親がお膳立てしたのだろうかと思った。それならそれでじつに愉快だ。

世間話をして、もう一杯アイスクリームを食べて、一時間近くいたのだが、そのあいだデイジーは、アイスクリームが溶けるまでスプーンでかき混ぜていた。油断なく彼を見張り、少しでも離れようと懸命だった。ミス・デイジーは、個人の領域を死守しようとする。ジャックはわざとそこに侵入し、太腿を彼女の太腿にこすりつけたり、体を傾けて大きな肩で押したり、彼女の剝きだしの腕にさりげなく手をかけたりした。図書館にいるときと違い、家族の前だとさすがに失礼だと文句をつけないので、ベッシーおばがよく言っていた〝よそいきの顔〟をおおいに利用してやった。

帰るころには、ミス・デイジーは爆発寸前だった。

怒りたいだけ怒りゃいい。ジャックは家まで車を走らせながら思った。彼女はおれが嫌いなんだよな？　おれのことを友だちと思ってないし、おれに〝口説かれた〟と考えて恐れおののいたし、ふたりで出かけていたと家族に思われただけで、あからさまにうろたえた。

　こいつは気の毒だ。ジャックは上機嫌で思った。ついちょっかいを出さずにいられないし、彼女があまりにもおもしろすぎるものだから、彼は心を決めていた。このヤンキーが彼女をものにしてやる。

　デイジーはわれを忘れると、本物の爆弾になりそうだという気がした。冷たいわけではない。ただ経験がないだけだ。セックスをしたことがあったとしても、回数は少ないはず。そんな現状を変えてやり、思い出すだけで頬を赤らめるようなものを味わわせてやる。

　ジャックは離婚してから、特定の相手はつくらなかった。セックスはしたが、体がなじむような関係にはならないよう気をつけていた。女とつきあうのは面倒だし、そんな苦労をしてもいいと思えるほど興味が湧かなかった。だがそれもここまでだ。デイジーは無邪気だが扱いにくく、うぶだが聡明で、手厳しいもの言いをするがこれっぽちも悪意がない――そういう人間はそうそういるものではない。彼女の色の異なる瞳が、古風な流儀が、どこまでも率直なところが、彼を惹きつける。駆け引きをしないどころか、駆け引きそのものをわかっていない。男というのは、女にどう思われているかよくわかっているものだ。いまのところは、彼女の〝嫌いな人間リスト〟に載っているが、そのうち変えてやる。

　思い違いでなければ、デイジーは男を探している。しるしはいくらでもあった。髪型や服装を急に変えたし、化粧をするようになったし、いきなりナイトクラブに行きはじめた。男がほしいのなら、これ以上探す必要はない。こっちから志願してやる。だが口で言うつもりはない。そんなことをすれば、デイジーはくるりと背を向けて全速力で逃げてしまうだろう。そう、彼はタイプではないという思いこみを捨てるまで、しばらく手のうちを明かしてはならない。

それまで、デイジーが面倒に巻きこまれないよう見守ってやらなければならない。フルタイムの仕事になりそうだ。ナイトクラブやバーをはしごして、女の命を奪うかもしれないクスリを盛るくそったれを見張る仕事のうえに、デイジーがほかの男を近づけないように、ましてやクスリを盛られないように目を光らせなければならない。あのめかしこみようは、面倒の種になりそうだ。ブロンドがだんぜん似合う。あのセクシーな髪型だからよけいにだ。あの服装だってそうだ――いつも着ていたような古くさいブラウスの下にあんな胸を隠していたなんて、まったくだれが考えるだろうか。それに脚もいい。昨日の晩、そのことに気づいたのは彼ひとりではなかったろう。あの脚については試してみたいことがある。あれを肩にかけたら、さぞいい眺めだろう。

図書館であんなに間近に坐る前から、デイジーのことをかわいいと思っていた。ただ近くで見たからこそ、彼女の肌が赤ん坊のようにすべすべで、透明感があることがわかったし、片方がブルーでもう片方がグリーンの、変わった瞳にも気づいたのだ。色が違うせいか、その視線が妙に鋭い。だれよりも深くまで物事を見通すようなそんな視線だ。それに、怒ると頬が染まり、瞳がきらきらと輝いて最高にきれいだ。ジャックは以前よりひんぱんに図書館に立ち寄ることにしていた――だからこそ、昨日の夜バッファロー・クラブで彼女に気づき、何人かを危うく踏み潰しそうになりながらも、乱闘に巻きこまれて怪我をしないうちに彼女のもとに駆けつけたのだ。もちろん、すけべ野郎の膝から救いだすためでもあったが。デイジーはきっと手に負えないだろうが、うまく扱ってみせる――楽しみだ。

サイクスは苛立っていた。前夜、ミッチェルはハンツヴィルにほど近いバッファロー・クラブにいたが、サイクスが着いたときにはずらかったあとで、大勢の保安官代理が乱闘騒ぎの後始末をしていた。ついていなかっただけとはいえ、サイクスはいまだに機嫌が悪かった。三十分早く着いていたら、ミッチェルに悩まされることもなくなっていたのに。

ともかく、ミッチェルがどこかに隠れているのではなく、出歩いていることはわかった。それだけ情報が入りやすくなったわけだが、まだツキは回ってこない。あのくそったれは、思っていたよりも利口だ。もっとも、商品を殺してしまうくらいだから、その程度の頭なのだ。

最初に電話してきたバッファロー・クラブのバーテンダーには、一度頼みを聞いてもらうくらいじゃすまない貸しがある。日曜日にサイクスが訪ねていくと、彼は嬉しそうな顔も、驚いた顔もしなかった。

「なあ、おれはあいつを見かけてすぐ電話したんだぜ」一緒のところをだれかに見られては困るのか、バーテンダーのジミーはきょときょととあたりを見まわしていた。「でも、その直後にどっかのアホがけんかをはじめて、みんな逃げちまったんだ」

「別にいいさ」サイクスは言った。ジミーを痛めつけるためにきたのではない。「奴がだれかと一緒だったのを見たか?」

「見たわけじゃないが、二人分の飲み物を買ってたな。自分のビールと、コーラだった」

つまり、ミッチェルの奴はもう女を引っかけたのか、少なくとも引っかけようとしていたところだ。おおかた、けんか騒ぎのせいで失敗しただろうから、じきに女を探しに出てくるだろう。今晩ではない。日曜日はバーが閉まっているからだ。明日の夜にちがいない。そんなに早く、バッファロー・クラブに戻ってくるだろうか? その女がほしけりゃ戻ってくるだろうが、当の女が月曜日の夜にやってくる確率はいかほどか? よほどクラブにいれこんでないとこないだろう。だが、可能性はある。

「明日の夜、奴がくるか気をつけておいてくれ」サイクスは言った。「現われるとは思わないが、もしきたらこの週末よりは見つけやすいはずだからな」ジミーがもっと早くミッチェルを見つけられなかった言い訳を与えてやった。

サイクスが怒っていないとわかって気が楽になり、ジミーはにやりとした。「そうだよな。うちはいつも忙しいんだが、そのとおり、この週末はほんとうに混んでたんだ」

サイクスは折り畳んだ百ドル札を、フランクリンの顔が見えるようにして渡した。「あんたは注意してくれてたが、いつけんかがはじまるかまではわからないからな」ちょっとした袖の下はかならず喜ばれる。もちろん、ミッチェルが〝消えて〟しまえば、ジミーにも消えてもらわなくてはならない。それも運命だ。賢い男は、ほどけた紐《ひも》をそのままにはしておかない。

トッド・ローレンスの家のドライブウェイに、黒いフォード・エクスプローラーが入ってくると、年輩の男が降りたった。彼は大股で歩道を進み、階段をのぼった。ポーチにたどりつく前に玄関のドアが開いた。「昨日の夜はどうだった?」ポットに淹れたての濃いコーヒーが待つキッチンへ案内しながら、トッドが尋ねた。

「彼女はダンスが上手だったよ」年輩の男が淡々と答えた。白髪混じりの茶色の髪、茶色の目、そして平均的な体格。彼はどこにいても周囲に溶けこめるし、事実そうしていた。

「だれか近づいてきた?」

男は鼻を鳴らした。「男が群がってた。ほかの女みたいにチューブトップにジーンズだったら、あんなに目を惹かなかっただろうな。まるでグレース・ケリーが入ってきたみたいだったぞ」彼はキャビネットの扉をあけてコーヒーカップを取り出し、コーヒーを注いだ。

トッドはにやりとした。それこそ、デイジーを変身させるときに狙った効果だった。自分の仕事ぶりにおおいに満足した。「だれか彼女に飲み物を奢ってあげてた?」

「飲めるような余裕はなかったね。ダンスフロアに出ずっぱりで、何曲も踊っていた。それからすぐにけんかがはじまって、大きな男が彼女を捕まえて外に連れだしてしまった」

トッドは眉をひそめた。「ふたりをつけた?」

「あたりまえだ」つっけんどんに答えた。「そういう計画だっただろ？　だがその男はただ
彼女を車に乗せて、彼女はひとりで帰っていった」

「その男がだれか知ってる？」

年輩の男は頭を振った。「彼女と踊ってはいなかったが、顔見知りのようだった。外で言い争っていた。内容までは聞き取れなかったが、彼女が男に怒ってたのはたしかだ」カップをテーブルに持っていき、椅子を引いて腰を下ろした。「こいつはいい計画じゃない」きっぱりと言った。

「そうだね」トッドは自分のカップを取りあげ、キャビネットに寄りかかってコーヒーを飲んだ。「でもなにもしないよりはましだ。それに彼女は完璧だよ。あまりにうぶで、普通の女みたいに警戒したりしないからね」

「普通の女だって警戒しない。まったく、彼女のやることをいちいち監視するなんて無理だ。なにをしたらいいでしょうって、出かけるたびにおまえにお伺いをたてたりするか？」

「毎日、彼女に電話して、探りを入れることにする。〝女同士のおしゃべり〟さ」トッドは薄笑いを浮かべ、年輩の男は鼻を鳴らした。「彼女が出かけるつもりだって言えば、ぼくが店を薦める。われわれが目をつけている店をね」

「ほんとうになにかつかめると思ってるのか？」

「釣りみたいなもんだよ。魚は見えないけど、そこにいるのはわかってる。餌を投げ入れて、なにかが飛びつくのを待つだけ。それにさ、いずれにしたって彼女は出かけていくんだから。

少なくともこうすれば、きみが見張ってくれる」

「おれにだって生活があるんだぞ。毎晩出かけてラインダンスで跳びまわるなんて、あまりそそられないんだがね。〈ミリオネア〉を見逃してしまうじゃないか」

「ビデオに録ってあげるよ」

「こいつめ《ファック・ユー》」

「そりゃ無理だよ、ダーリン」

年輩の男はぷっと噴きだした。「ああ、まったくだ！　無理にちがいない。なあ、ここに送られてきた目的に専念して、おまえの個人的な復讐は、地元のおまわりに任せたらどうなんだ？」

「奴らはてんで役に立たないもの。別に仕事の妨げにはならない——」

「ああ、ならないだろうよ。毎晩、夜中まで踊り明かしてたら、とてもじゃないが全力は出せない」

「毎晩にはならないよ、週末だけだ。ぼくの読みが当たっていればね。彼女はとても責任感が強いから、平日の夜に出かけたりしない。それに、引っ越しするため家を整えるのに忙しいはずなんだ。彼女はなんでも教えてくれる」

「女のやることなんてお見通しだと思ってる男は、愚かだよ」

「それは認めるけど。でも言ったじゃない、毎日、彼女が図書館から帰ってくるころに電話して確かめるって。ぼくだって、彼女に無事でいてほしいからね」

「彼女が出かける晩に連絡がきたらどうするんだ、ピグマリオン？　だれが彼女を見張るんだ？」

「ぼくたちがこの仕事について何年だっけ、一年半くらいかな？　近いうちに仕事が入る確率はどれぐらい？　しかもデイジーが出かけそうな、週にふた晩のうちのどちらかに？」

「なあ、チャンスを狙って飛びまわってるくそ野郎はごまんといるんだ。お払い箱にならないよう注意しろって言ってるんだ。傷つくのは彼女なんだぞ」

11

あとひとつ、イメージチェンジのためにやるべきことがある。デイジーはそのことに気づいたので、月曜日の昼休みにクラッズ薬局に行き、コンドームを買った。

三軒ある町の薬局のなかからクラッズを選んだのは、サイラス・クラッドがいままでも、そしてこれからもずっとヒルズボロに住み、住人全員と顔なじみだし、ほかの人間に給料を払わなくてもいいようにと、妻のバーバラをレジ係に据えているからだった。バーバラ・クラッドときたら、ビューラ・ウィルソンに負けず劣らずのゴシップ好きで、〝分別〟という言葉は彼女の辞書にない。ある町会議員がバイアグラを買ったことが町じゅうに広まったのは、彼女のせいだ。デイジー・マイナーがコンドームを買ったことも、人から人へとつたわって、町のすみずみにまで広がることだろう。

ナイトクラブのはしごは楽しいし、最高の狩り場かもしれないけれど、デイジーとしてはヒルズボロで知り合える男も無視するわけにはいかなかった。家族の近くでずっと暮らしたいのだから、地元の男のほうがいいにきまっている。問題は、地元の独身男をあまり知らないということだった。教会で会う数少ない独身男はみんな年下だったし、だいたい年下の男には魅力を感じない。ハンク・ファリスは独身だけれど下品だし、結婚していないのにはわけがあった。体臭がひどいのだ。ものすごく臭い。というわけで、彼を有資格者に含めるわけには断固いかない。

　ヒルズボロのように、知り合いや親戚が蜘蛛《くも》の巣状態で繋《つな》がりあっている小さな町では、だれもが噂《うわさ》をするものだ。ちょうどこんなふうに。「イヴリン・マイナーの娘のデイジーを知ってる？　あの図書館司書の。クラッドの店でコンドームを**一箱**まるごと買ったんですって。ほんと、どうしちゃったのかしらね？」そしていつのまにか、興味を持った男がどこからともなく現われるという寸法だ。もちろん、望ましくない男は取り除くべきだが、本気でコンドームを**使う**気が彼女にないとわかれば、大部分は自然消滅するだろう。コンドームは、いわば話題作りにすぎない。

　ところが、コンドームを買うことがこんなに難しいとは。デイジーは五番通路に突っ立って、何段もの棚にずらりと並ぶ箱をにらんでいた。どうしてこんなにたくさんの種類があるのよ？　いまどきのセクシーで進んでる若い女が買いそうなのはどれ？

たとえば、〈ラフ・ライダー〉という名前のこれは妥当なのかしら、それとも妥当じゃないのかしら？　たぶん妥当じゃないだろう。暴走族が買いそうな名前だし。ヘルス・エンジェルスがコンドームをつけるとすればだけど。それにリブってなに？　コンドームにゴム編《リ》み《ブ》がついてるかついてないかで、なにか違いがあるの？　潤滑剤つきか、つきじゃないか？　デイジーはよく考えて、潤滑剤つきを選ぶことにした。

それにしても、サイラス・クラッドの店は、小さな個人経営の薬局にしてはたくさんの種類のコンドームを扱っている。どこでも売っているものだから、品揃えで勝負しているのだろう。

デイジーは〝彼女の想像力をくすぐる《テイクル・ハー・ファンシー》〟というラベルのついた箱を取って裏面を読み、大慌てで棚に戻した。サイラスは独自の顧客層を抱えているようだ。ラッソ署長に、クラッズ薬局の五番通路に注意するように言うべきかもしれない。ここで売っているいろいろな商品から考えると、ヒルズボロではいかがわしいことが起きているみたいだからだ。

とうとうやけになって、彼女は〈パーティー・パック〉という名のついた箱を取り——これならすべてをカバーしてるだろうから——堂々とレジへ向かい、バーバラ・クラッドの前のカウンターにその箱をぽんと出した。

「イヴリンとジョエラはお元気かしら」にこやかに言いながら、バーバラは箱を取りあげた。だれかが〝お元気でない〟のを探りだすためのいつもの手だ。そして、自分が手にしているものがなにか気づいて息を呑んだ。「デイジー・マイナー！」

うしろにだれかが近づいてきた。デイジーは振り向いてだれだか確かめなかった。「現金で」訊かれもしないのに言って、ヒルズボロの住民の半分がレジに並ばないうちに終わらせようと、財布から紙幣を抜いた。鼻歌まじりでやれるだろうと思っていたのに、顔が熱くなってきた。バーバラは、それまでコンドームを売ったことがないような顔つきをしている。バーバラもまっ赤になってきた。「おかあさまはこのことをご存じなの？」会話を聞かれないようにと身を乗りだし、小声で尋ねた。いちおうは気を遣ってくれているのだ、とデイジーは思った。

「いいえ、まだ。でもそのうち」ぼそぼそと答えながら、自分が店を出るやいなや電話回線がショートするかもしれないと思った。早くことを終わらせたくて、札を広げてみせた。

「急いでるんだが」不平がましい太い声が、すぐうしろの上のほうから聞こえ、デイジーは凍りついた。「さっさとレジを打ってくれ」

デイジーは動きたくても動けなかった。その声には聞き覚えがある。最近、いやというほど耳にしている。できることなら、この場で消えてしまいたかった。

バーコードを読むバーバラの顔は紫色になり、レジスターのチンという音がして、小さな窓に金額が表示された。バーバラはデイジーから金を受け取り、黙って釣り銭を返し、『クラッズ薬局』と赤い文字の入った白い紙袋にパーティー・パックを突っこんだ。デイジーは釣り銭を財布に入れて、生まれてはじめて次に待っている人にありがとうと言わずに店を出た。

恐ろしいことに、ラッソ署長はなにも買わず、彼女の隣りに並んで歩きはじめた。「なにをしてるんですか?」歩道に出たとたん、デイジーは抑えた声で言った。「戻ってなにか買いなさいよ!」まっ赤な顔が熱波となって、歩道の気温を上げるのにひと役買っているかもしれない。デイジーがいやがっているのに彼は気づいていないようだ。

「おれはなにもいらないんだ」

「だったらそもそも、なんで入ってきたの？」

「あんたが入っていくのが見えて、話をしようと思ったんだ。コンドームか？」おもしろそうに紙袋を見つめている。「大箱みたいだな。いくつ入ってるのかな？」

「あっちに行って！」デイジーはうめき、胸にパーティー・パックを抱きしめ、つかつかと歩道を歩いた。男の目を惹くためにコンドームを買おうと思いついたときは、**この男**のことが頭にあったのではないし、いまだってそうだ。デイジーは、紙袋を覗こうとする男たちがぞろぞろついてきている場面を想像し、ヒステリーを起こしそうになった。「あなたのためにこれを買ったと思われたじゃないの！」いまごろ少なくともひとり、いやふたりは、ラッソ署長とデイジー・マイナーがコンドームの特大ボックスを買った話を耳にしているだろう。しかも署長は、急いでいる、とまで言った！　デイジーは、またうめきそうになるのをこらえた。

「コンドームならおれが買ったのに、悪いな」

「わたしがなにを言いたいかわかってるくせに！　**わたしたち**が使うものだと思われたのよ——つまり、つまり……」デイジーは考えたことを口に出せず、途中でやめてしまった。

「昼休みにそれだけたくさん使うには、よほどがんばらなきゃな」ラッソが言った。「無理だと思うけど。いくつ入ってるんだ、六ダースくらいか？　そりゃ七十二個になるな。ということは、休み時間まるごとつかっても、だいたい五十秒に一個の計算になる」言葉を切って、なにか考えているようだ。「あまり挑戦したくない記録だな。一時間に一個、または二時間に一個がいいところだ」

ショックのあまり、デイジーはほんとうに気を失いそうだったが、自分では、日盛りに小走りで歩いているせいだと思った。彼のほうは脚が長いので、まったくふだんどおりの足取りだった。息を喘《あえ》がせてもいない。

彼女だって、喘いでいるわけではない。彼が一時間に一個のコンドームを使うなんて話をしているときに、〝喘ぐ〟なんて考えるのもいやだった。喘いでいるのではない、息を速く吸ったり吐いたりしている、それだけ。

「すごく暑そうだな」ラッソが言った。「歩道の上でぶっ倒れたあんたをおれが担がなきゃならなくなる前に、コーヒー・カップに寄って、冷たいものでも飲もうぜ」

デイジーはくるりと振り返り、怒りを押し殺した声で言った。「バーバラはもう母に電話してるかもしれない。ほかの人にだって。いまごろは、わたしたちがお昼休みにパーティー・パックってコンドームを買ったことをみんなに言いふらしてるわよ！」

「それなら、おれとコーヒー・カップに行くのがいちばんだ。そうすれば、おれの家に行って、がんばって全部使ったりしていないことを、証言してもらえるだろ。へえ、パーティー・パック？」彼はにやりとした。「きっといろんなのが入ってるぜ。どれどれ」

「やめてよ！」デイジーは叫び、袋に伸ばした彼の手を払った。

彼は顎をなでた。「猥褻《わいせつ》物を持ったまま路上を歩くことを禁止する条例が、たしかあったような気がする」

「コンドームは猥褻物ではありません」彼女は言ったが、胃袋がずしんと落ちこんだ。「避妊と衛生のためのものよ」

「普通のコンドームはそうだが、パーティー・パックなんて代物のなかには、妙なものが入っているかもしれん」

デイジーは唇を嚙んだ。逮捕されることはないにちがいない。そうはいっても、せっかくの〝買い出し〟があれよあれよという間にとんでもないことになってしまい、頭がクラクラしているから、運を天にまかせて突っぱねる元気もない。おとなしく袋を差しだした。

ラッソはただ袋の口をあけて中身を見ただけではなかった。その場で、つまり路上で、袋からパーティー・パックを取り出したのだ。デイジーは、マンホールを探した。なんでもいいから、飛びこめる穴はないかと。ラッソは箱の裏面のラベルから顔も上げず、逃げようとするデイジーの腕をつかんで引き寄せた。

「『十種類の色とフレーバー』」彼は読みあげた。「『バブルガム、スイカ、イチゴ』だってさ」彼は天を仰ぎ、舌を鳴らした。「あんたにはおそれいったよ、ミス・デイジー」

「スイカ味のが入ってるなんて知らなかった」うっかり口走った。まさか緑の縞しまのコンドームが入ってるんじゃないでしょうね。急に不安になった。そもそも、買おうと思ったことが間違いだったのだ。コンドームを返品するのを禁ずる条例がないのなら、バーバラは代金を返してくれるかもしれない。だが水着や下着を返品する人はいないだろうから、パーティー・パックを返そうとしたら、店から叩き出されるかも。

「おれだったら、バブルガムのほうを心配するな」まだ読んでいる彼は、うわの空でつぶやいた。

彼女はあっけにとられて目をみはった。「あら、わたしはそんなもの膨らましたりしないわよ」言ってしまってから手で口を塞ぎ、恐怖に目をまんまるにして彼を見つめた。「いいかげんにしてよ」数分後、いっこうに笑うのをやめようとしない彼に、デイジーは怒りをぶつけた。彼は駐まっている車にだらりと寄りかかり、いまだにコンドームの箱をつかんだまま、膝に手をついて笑っていた。正確には吠えていた。涙が頬を流れている。それが苦しみの涙だったら、とデイジーは思った。

いや、それは違う。だれだろうと、たとえ彼であっても、痛い目にあってもらいたくはない。だがもういいかげんにしてほしかった。あと一秒だって我慢できない。パーティー・パックはいただいていくから、逮捕したければ笑うのをやめなさい。

デイジーが近づくと、彼はてっきりぶたれると思ったらしく、手をかざして身を守るしぐさをしたが、それでも息を切らして大笑いするのをやめなかった。デイジーは箱を取りあげ、このうえなく冷たい声で「幼稚ね！」と吐き捨て、つかつかと歩み去った。

「ま、待ってくれ！」彼が喘いでいるのが聞こえた。「デイジー！」

デイジーは歩みを止めず、振り返りもしなかった。激しい怒りにまかせて広場を突っきり、図書館に戻ると、玄関ドアまで二段の大理石の階段を上がった。いったん立ち止まり、平静を装うために深呼吸し、ミス・アメリカよろしく颯爽《さっそう》と玄関を抜けて貸出デスクに向かった。

パーティー・パックを持ったままだ、しかも白い紙袋なしで、と気づいたのは、カウンターの天板を上げようと手を伸ばしたときだった。

デスクの内側にいたケンドラは、もちろんデイジーが持っているものに気づいた。目がまんまるになり、白目が剝きだしになった。「デイジー！　なにを——」ここがどこだか思い出して、大声を出してはいけないと口をつぐんだ。そして黙って箱を指さした。

ここまできたらもうどうとでもなれ。デイジーはなにげないふうを装った。「これ？」ケンドラの反応が理解できないとばかりに、箱を掲げてみせる。「ただのコンドームの箱よ」それから颯爽とオフィスに入ると、ドアを閉めて椅子に倒れこんだ。

「コンドームを買ったんだって？」その夕方、トッドが電話をかけてきた。おもしろがっていることは、電話回線を通してもはっきりつたわってきた。

「あなたと母とおば、それに教会にくる人たちの半分に、近所の人全員が知ってるわ」デイジーはため息をついた。とにかく目論見どおりになったわけだ。いちおう。

「われらが高名なる警察署長と、昼休みに半分を使ったそうじゃない」

「わたしはまっすぐ図書館に戻りました！」デイジーは声を荒げた。「バーバラの言いそうなことだわ。あの噂好きのおせっかいならね！　彼はわたしと一緒だったんじゃありません。わたしがお金を払ってるときにきただけ」

「彼はなにも買わなかったそうじゃない。急いでるって言って、ふたり一緒に帰ったんでしよ」

「これでなにもかもおじゃんだわ」キッチンで電話を受けた彼女はため息をつき、朝食用のテーブルから椅子を引きだして坐りこんだ。母親とジョーおばは、いつものようにテレビを見ている。

「どうして？」

「もしみんなにわたしと署長が——あの——」

「できてると思われたら」トッドが助け舟を出した。

「——そしたら、だれもわたしに近づこうとしないじゃない！　警察署長ににらまれるのはごめんだからって、だれも誘ってくれなくなる。わたしはどうやって夫を見つければいいいの？」

「なるほどね、そりゃ大変だ。彼は大きくて、いかにも強そうだものね」

「だから、地元の男の人はみんな警戒するでしょ。それじゃコンドームを買った意味がない」

「よくわからないんだけど。地元の男にだけ使わせるつもりだったの？」

「あら、**使う**つもりはないの。あれを買ったらバーバラが言いふらすにちがいないから、そしたら町の男の人たちは、わたしのことを誘いやすいとか、進んでるとか、そういうふうに思うでしょ。興味を持ってちょっと確かめてみたくなるはず。理屈のうえではそうなるはずだったの」デイジーはむっつりと言った。「現実には、署長がすべてをぶちこわしてくれた。

こうなったら、ナイトクラブの男の人たちだけが頼りだわ」

「今夜は行くの？」トッドが訊いた。

「いいえ、家を住めるようにするための仕事が山ほどあるもの。バック・レイサムがペンキを塗り終えたから、掃除をしたり家具を探したり、電化製品を買ったりしなくちゃ」

「どんなスタイルの家具を探してるの？」

「そうね、狭い家だから、こぢんまりと居心地よくするつもり。スタイルはどうでも、居心地よくしたいの」

「新品じゃなきゃだめかな？　個性的な古いものはどう？　オークションに行けば、家具屋さんで新品を買うよりずっと安上がりよ」

節約できるなら、それにこしたことはない。「オークションには行ったことがないの。いつどこで開かれるの？」

「いつでーも、どこでーも」彼が語尾を引っぱって言う。「明日の晩、どこであるか探してみる。そしたら、あっという間に住めるようになるから」

ラッソ署長に〝コンドーム計画〟を邪魔されたことに腹を立てる暇もないほど、あわただしく準備をして、デイジーは金曜日に小さな家へ引っ越した。あまりにも忙しかったので、彼女を見かけた人がこそこそと話をするのもまったく気にならなかった。なんといったっていまは二十一世紀だし、たとえヒルズボロであっても、コンドームを買うことなど大事件ではないのだ。みんながやっていること。そうでなければ、サイラス・クラッドがあんなにたくさん棚に並べるはずがない。

このところずっと、デイジーには引っ越しという大仕事以外のことを考える余裕はなかった。これまで、結婚して自分の家を持つときに備えて、ものを買い溜めておくようなことは、あえてしないできた。そんなことをすれば、いまの生活に満足していないのを認めるようなものだから。たしかに満足してはいなかったのだが、いまはそれを認めている――そして、なんとかしようとしている。

結婚したわけではないけれど、自分の家は持った。家が小さいからって、まわりの環境がよくないからって、それがどうだっていうの。裏庭にはフェンスがあるし、犬を飼うつもりだし、なんといっても自分の城だ。あいにく、ベッドリネン以外の家庭用品は持っていなかったので、世帯をかまえるために必要なものを細ごまと揃えなければならず、買い物にすっかり時間をとられた。

カーテンに調理器具、食料品や家庭用品をどっさり、それにほうきと掃除機とモップを買いこみ――自分だけの掃除機！　デイジーは有頂天だった――暇さえあれば、掃除と片づけにいそしんだ。

それ以外の時間は、トッドに連れられて家具探し。彼女の新しい生活にそこまで興味を示してくれたことは少々意外だったが、彼はとても頼りになるので心から感謝していた。二度ほどオークションに連れていってもらい、競争相手があきらめて競りから抜けるまで、ただうなずきつづけるのを楽しく感じるようになった。競争相手がいなくなってから、番号札を挙げ、ランプや敷物や小さなテーブルを自分のものにする。勝つとあからさまに喜ぶので、彼女が競りに参加するのを、トッドはいつもおもしろそうに眺めていた。

「まるで生き餌を追いかける鮫《さめ》みたいだね」頰を染めて目を輝かせるデイジーにほほえみかけ、彼はけだるい口調で言った。

デイジーはすぐにまっ赤になった。「わたしが？　いやだ」二度と番号札を出さないように、膝の上で両手を組んだ。

トッドが笑った。「あら、やめたらだめ。ぼくよりよっぽど楽しそうだもの」

「だって楽しいもの、でしょ？」デイジーは、競りにかけられているティー・カートを見つめた。スペースに余裕がないので、ほしいものを残らず競り落としたら、家具のようなほんとうに必要なものがおさまらなくなる。でも、あのティー・カートをリビングの隅に置いたらすてきだろう。上には鉢植えを、下の棚には写真を置いて……。

数分間の激しい競り合いのすえ、ティー・カートはデイジーのものになった――それから、感じのよい小さなテーブルと二脚の椅子、半透明のピンクの台にクリーム色のシェードがついた対《つい》のランプ、濃いセージグリーンの敷物、くすんだ青とクリーム色のピンストライプの布が張られた大きくてやわらかな安楽椅子、テレビを置くための小さなキャビネット。帰る段になって、トッドは彼女の戦利品を見渡した。「ピックアップを借りてきてよかったね。あの大きな椅子は、あなたの車のトランクにはとてもおさまらない」

「すてきでしょ?」いまからあの椅子の上で丸くなっている自分を想像して、このうえなく幸せな気分で言った。

「ほんとうだね。それにぴったりのものがあるの。残念ながら新品だけど」トッドがすまなさそうに言う。「でも完璧なソファなの、保証する」

その完璧なソファとは、安楽椅子と同じようなくすんだ青の地に、抽象化したセイヨウバラの模様が入ったものだった。法外な値段だと思ったが、ひと目見て恋してしまった。もうさえない茶色なんてごめんだ! このセイヨウバラにする。それらをすべて小さな家に備えつけると、思っていたよりずっと居心地よさそうになった。

金曜日の夜、デイジーの小さな家は、人と家具と箱でいっぱいになった。

イヴリンとベスとジョーおばが仕分けをして、中身がおさまるべき部屋に箱を運び入れたが、蓋はあけずにおいた。三人でやってしまうと、どこになにがあるかデイジーにわからなくなるからだ。トッドが総仕上げに、絵を掛けたり、家具をちょうどいい具合に置くのを手伝ったり、重いものを持ちあげるために力を貸したりした。洋服はクローゼットにおさまり、カーテンはすべて掛けられ、本は本棚に、食料品は冷蔵庫に入れられた——なにもかも揃った。

この家は、意志の固い女たち——それにアンティークのディーラーひとり——がその気になったら、ここまでできます、という格好の見本だった。近所の人たちが押しかけてきて、ベッドルームのものを動かすのを手伝ってくれた。地元の電気屋は、ガスレンジに冷蔵庫に電子レンジ、洗濯機に乾燥機を、買ったその日に配達して備えつけてくれた。使った金額を考えれば即日配達はあたりまえ、とデイジーは思った。

デイジーがはじめて自分の家でとる食事にと、イヴリンがポットローストを作って持ってきてくれた。デイジーは母親とおばを買ったばかりの小さなテーブルにつけ、自分とベスとトッドは床に坐った。みんな大仕事を成し遂げた満足感から、おおいに笑い、かつおしゃべりした。

「信じられないわ」デイジーはキッチンを見まわしながら言った。つい笑みがこぼれてしまう。「これだけのことを、たったの二週間でやったなんて！」

「ひと言だけ言わせてもらえる？」トッドが気取って言う。「あなた、人使い荒い」もうひと口ローストを食べ、嬉しそうにため息をついた。「ミセス・マイナー、レストランを開くべきだ、ぜったい。ひと儲けできる」

「もう財産はあるもの」イヴリンは穏やかに言った。「家族がいるし、健康だし。すべてうまくいってる」

「それにね」ベスが言った。「デイジーの大変身のショックから、あたし、ようやく立ち直ろうとしてるの。だから、うちの母を料理界の大御所に変身させるのは、もうちょっと待っていただけないかしら」

これにはみんな笑った。日曜日には相当な衝撃を受けたようすだったが、ベスはそれからのち、ほかのみんなと同じように、デイジーの変化をあたたかく見守るようになっていた。

次女の気持ちを気遣っていたイヴリンは、ほっと胸をなでおろした。ベスもマイナー家の女だ。一本筋がとおっている。それに、ベスとデイジーは、子どものころからたがいを思いやる仲のよい姉妹だった。

「慣れるために数カ月の猶予をあげましょ」トッドが言った。「でもぼくはあきらめないからね。こういうお料理はみんなでわかちあわなきゃ」

「そしてお金ももらわなくちゃ」口をすぼめてジョーおばがつけたした。

「そのとおり」彼はまわりを見まわして、デイジーに言った。「ドアの鍵は換えたよね」

「まず最初にやりました。実際はバック・レイサムにやってもらったんだけど。わたしの手もとにふたつ鍵があって、母と大家さんが一本ずつ合い鍵を持ってるの。ドアに古い鍵をつけたままにしとく気はなかったもの」

「それに犬を飼うんだって」ジョーおばが言った。「じつを言うとね、友だちの犬が何週間か前に子犬を産んだんだよ。まだ残っているか訊いてみよう」

子犬！　デイジーは喜びが湧きあがるのを感じた。なぜか成犬を探すことしか考えていなかったが、子犬をもらって赤ちゃんのころから育ててみたい。

「子犬ねえ」トッドがかすかに眉をひそめた。「成犬のほうがよくない？」

「わたしは子犬がほしいな」デイジーはすでに、腕のなかで手足をばたつかせる、あたたかくて小さな体を思い浮かべていた。自分の子どもの代用品かもしれないけれど、いまのところは子犬でじゅうぶん。

みんなが帰るときになっても、トッドはぐずぐずして玄関ポーチで立ち止まった。「明日の晩はダンスに行くの？」

デイジーは、頭のなかにやるべき家事を並べてみて、今週すでに費やした長い時間を思った。先週のバッファロー・クラブは楽しかった、少なくとも乱闘がはじまるまでは。

「行こうかしら。ほんとにダンスは好きだから」

「だったら気をつけて、楽しんでね」

「ありがとう、そうします」デイジーはほほえんで、遠ざかる車に手を振った。トッド・ローレンスのようないい友だちが見つかったことを、幸運の星に感謝しながら。

12

バッファロー・クラブが一週間でいちばん混みあう土曜日の夜だったから、ミッチェルがいつからそこにいたのか、バーテンダーのジミーにはわからなかった。気がつくと、ミッチェルがビールを手に、サンアンドレアス断層級の皺を隠すため厚化粧した赤毛女にしきりと粉をかけていた。赤毛女はそそられなかったらしく、話の邪魔よと言わんばかりに、同じくらい厚化粧をした連れのプラチナブロンドのほうに顔を向けたまま知らん顔だ。

ジミーはそのあと彼らに目を向けなかった。自分が気づいていることを、ミッチェルに悟られてはまずい。ミッチェルがビールを持っているところをみると、いつものようにカウンターに買いにくるかわりに、ウェイトレスに持ってこさせたにちがいない。ジミーはカウンターの下にある電話の受話器を取り、番号を押して言った。「奴がいる」

「おお、それはそれは」サイクスが電話の向こうで陽気に応えた。「奴とはじっくり話したいんだが、いまちょっと手が離せない。またの機会だな」

「わかった」ジミーは電話を切った。

サイクスも電話を切り、すぐに知り合いのふたりの男にかけた。「四十分後にバッファロー・クラブだ。準備してこい」

それからサイクスも準備した。髪を隠すために野球帽をかぶり、背を高く見せるためにブーツを履き、シャツのなかに小さな枕を詰めた。明るい光の下ならすぐにばれるが、夜ならクラブで厄介なことが起きたとしても、このささやかな変装のおかげでまず見破られないだろう。クラブでことを起こすつもりはなかった。ミッチェルを見つけて、よその場所に連れていくつもりだ。何百人もの人間に目撃されない場所に。だが、そううまくいくものではない。だから彼は、自分の車で乗りつけたりしない。念のためにまた車を借りて、ナンバープレートをジョージア州の車から盗んだものと取り替えた。

不測の事態、たとえば乱闘騒ぎがまた起きさえしなければ、今夜こそ、お荷物のミッチェルを始末してやる。

いくら故意ではなかったにしても、乱闘騒ぎを起こしたクラブに舞い戻るのは勇気がいる。デイジーはそのことを思い知った。原因を知っている人間はそんなにいないはずだ。自分とラッソ署長、それに彼女が睾丸を潰した男——痛さのあまり、まわりの出来事に注意を払う余裕なんてなかっただろうけど——あとはひとりかふたり、めざとい人が見ていたかもしれない。そう、多くて五人。彼女を除く四人のうちのだれかが今夜もきている確率はどれくらいだろう? 安心していい。ドアから入るやいなやこちらを指さして、「あの女だ!」と叫ぶ人はいないはず。

理屈のうえではそうだ。でも理屈のうえでは、コンドームを買うなんてお茶のこさいさいのはずだった。つまり、理屈は信用できないということだ。

というわけで、デイジーは暗い駐車場に駐めた車のなかで、賑わっているバッファロー・クラブに入っていくカップルやグループや独り者を眺めていた。ドアが開くたびに音楽があふれ出て、壁を通してでさえバスドラムの打つ重いビートがつたわってきた。上から下までおしゃれをしたのに、入っていく勇気がなかった。

それでもデイジーはがんばった。自分を励まし、ようやく車のドアをあける気になった。生まれてはじめて買った赤いワンピースを着ていて、それが似合っていることはわかっている。ブロンドの髪は、シンプルで洗練されたスタイルのままで揺れているし、化粧は薄いけれど顔立ちを際立たせている。この赤いワンピースは、チューブトップ姿の女たちをワンランク下に、つまり野暮ったく見せるだろう。ワンピースはサンドラ・ディーが六〇年代はじめに着ていたサンドレスとそっくりで、肩は幅二インチのストラップ、深くえぐられた——でも、けっして深すぎない——ネックライン、ほっそりとフィットしたウェスト、そして膝上丈のふんわりしたスカートが歩くと脚のまわりで揺れる。今日も灰褐色のパンプス、足首で金色のアンクレットが輝いている。つけているアクセサリーはこれとイヤリングだけなので、とてもクールですっきりして見える。

こんなにきれいなのに、ものすごくきれいなのに、車から出て店に入らなければ、自分以外のだれにもそのことを知ってもらえない。

でも、用心のために、もっと店が混むまで待つべきかもしれない。そうすれば、あの女だと見とがめられる可能性はかぎりなく低くなる。

デイジーはハンドルを指で叩いた。音楽が呼んでいる。さあ、ダンスフロアに出ておいで、踊ろうよ、と。あの晩も、ダンスの部分は楽しかった。リズムにあわせて体を動かすことが楽しかったし、うまく踊れるのが嬉しかった。ステップを覚えていたし、男たちは、一カ所に突っ立って揺れるしか能のない女より、ちゃんと動ける女と踊りたがることがわかったから、学生時代のレッスンは役に立ったわけだ。ライングダンスとか、カントリーミュージックのナイトクラブではただ揺れているのは流行らない。ラインダンスとか、ゆっくりしたテンポの曲のほうが——

「わたし、時間稼ぎをしている」デイジーは車を相手に言った。「それに、わたしはそれが得意なのよね」

だがその反対に、自分で設定した期限を守ることも、ずっと得意にしてきた。「あと十分よ」イグニッションを回して、ダッシュボードの時計を見た。「十分以内になかに入ること」

もう一度イグニッションを切り、小さなバッグの中身を確かめた。運転免許証、口紅、ティッシュ、そして二十ドル札一枚。全部調べても、せいぜい五秒くらいのものだった。

三人の男が出てきて、頭上のネオンサインの光が一瞬、その顔を照らした。まんなかの男に見覚えがあったけれど、名前は出てこなかった。乱雑に並んだ車やトラックのあいだを抜けて、混みあった駐車場を歩いていく三人を目で追った。三人の向かう先にあった車から男が出てきて合流した。四人は木の下に駐めてあるピックアップのほうへ歩きだした。

一台の車が駐車場に入ってきて、ライトがピックアップのそばにいる四人をさっとかすめた。男のうち三人はその車に目をやったが、そのとき四人めの男はうしろを向いて、ピックアップの荷台に積んであるものを見ていた。

車から男女が出てきて、クラブに入った。ドアがあいた瞬間、音楽が騒々しく鳴り響き、ドアが閉まると鈍い振動に変わった。木の下の四人とデイジーのほかに、駐車場にはだれもいなくなった。

デイジーは時間を調べるために、もう一度イグニッションを入れた。あと四分ある。よかった。あそこに四人の男がいるのに、車を出てひとりで駐車場を歩いていくのはいやだった。もうすぐいなくなるだろう。イグニッションを切り、ちらりと見上げた。

男たちのひとりは、ひどく酔っぱらっているにちがいない。ふたりの男が両側から支え、男の頭に手を添えて抱きあげ、ピックアップの荷台に乗せた。よかった。あの人のようすからすると、もう正体をなくしているようだし、あとの三人もそんな状態で家まで運転させるつもりはないようだ。クラブを出てきたときは全員しっかりした足取りに見えたが、気を失う直前まできちんと歩いたり話したりする人もいるらしい。そんなのは嘘っぱちだと思っていたけれど、たったいまそれが実証されたわけだ。

ピックアップに仲間を乗せたふたりは、運転台に乗りこんで車を出した。四人めの男は、自分の車へ戻っていった。

デイジーはもう一度時間を確かめた。十分が過ぎた。深呼吸して、イグニッションから鍵を抜いてバッグに入れ、ドアをあけて反射的にロックボタンを押し、外に出た。

「右を望めば大筒ぞ、前も左もまた筒ぞ……」駐車場を進みながらテニスンの詩を口ずさんだが、ほかのものにしておけばよかったと思った。この軽騎兵隊はたくさんの戦死者が出てしまったのだから。

それでもデイジーは無事だった。馬上から撃ち落とされたわけでもなければ、ドアをあけるやいなや、だれかに指されたわけでもなかった。なかに入って二ドル払い、音楽に呑みこまれた。

グレン・サイクスは車のなかから、冷たく燃える目でクラブに入っていく女を見つめていた。いったいあの女はどこから現われたんだ？　ここにある車のどれかにいたはずだが、この暗さだから四人とも気づかなかった。

問題はあの女がなにかを見たかどうかではなく、どのくらい見ていて、どのくらい理解したかだ。暗いので細部まで見分けるのは難しいし、気づかれるような大きな音はたてなかった。ミッチェルが車できたカップルに向かって叫んだりしなければ、あの女の目を引くことにはならなかったはずだ。だが、サイクスが車から出てくるのを見たとたん、ミッチェルは殺されると感づいただろうから、やけになるのも無理はない。あの馬鹿が助けを求めようとしたのを責めるわけにはいくまい。もっとも、バディーが電光石火のごとくナイフを使ったから、ミッチェルはせいぜい短い悲鳴をあげた程度だった。

あの女は彼らを知らない。異常事態が起きたことにも、気づかなかったにちがいない。だが、あの女は不確定要素であり、サイクスはなんでも中途半端は嫌いだった。当初の計画では、ミッチェルの喉に男三人を楽に殺せるくらいのＧＨＢを流しこむはずだった。それがくそったれにふさわしい最期に思えた。ＧＨＢが分解される前に見つかるような場所に死体を置くつもりだった。そうすれば、警察が正しく死因を突き止めて、よくあるクスリのやりすぎとみなしてくれる。ミッチェルの喉に傷があり、駐車場には探せば見つかる血痕が残った以上、もはやこの計画は実行不可能だ。

もしあの女がこの店の常連なら、ミッチェルだと気がついただろうし、知り合いということもありうる――そして、奴の喉が切り裂かれたと聞いて、いろいろ思い出すかもしれない。女が出てきたのはどの車かわからなかったが、絞ることはできる。サイクスは車から降りて、駐車場のそのあたりに近づいていき、見られないようにしゃがんでナンバーをすばやく書き留めた。クラブに入って、女を捜そうかとも考えた。ブロンドで赤いドレスを着ていた。ドアが開いた瞬間にそこまで見分けられた。見つけるのはたやすいはずだ。

しかし、ジミーに今夜は忙しいと言ってあったし、ミッチェルが死んだいまとなっては、とにかく姿を見せたくなかった。そんなことをすれば、ミッチェルが最後に目撃された場所に、自分もいたことになってしまう。

サイクスはため息をついた。ここに留まって女が出てくるのを待ち、あとを尾《つ》けなくてはならない。ミッチェルの死体の処分を監督する必要があったが、同時にふたつの場所にいることは不可能だ。バディーとその仲間がうまくやってくれると信じるしかない。奴らだって一蓮托生《いちれんたくしょう》の身だ。いまはあの女をなんとかするのが先決だ。

バッファロー・クラブは、先週よりもずっと混んでいた。デイジーは、ものすごい話し声と音楽に慣れようとちょっと立ち止まった。「アールなにがしは死ななくちゃならない」とバンドが歌うのに合わせ、大勢の女性客が歌っていた。おそらくアールという名前なのだろう、男がその曲に腹を立ててビール瓶を投げつけたおかげで、ステージを囲む金網の役割がわかった。大男がふたり、ビール瓶を投げた男に近づいて外に連れだすのを見て、デイジーはほっとした。まだきたばかりなのだから、乱闘がはじまる前にせめて何曲か踊りたかった。

「やあ、おれを覚えてるかい?」横から男が現われた。すかさずデイジーのウェストに手を回し、混みあったダンスフロアへ連れていく。

見上げると、アラン・ジャクソンばりの口ひげを蓄えつつある、背の高いブロンドの男だった。「いいえ」デイジーは言った。

「またまたそんな。先週、一緒に踊った――」

「いいえ」デイジーは断言した。「踊ってません。わたしが踊ったのは、ジェフ、デニー、ハワード、スティーヴンよ。あなたはそのなかに入っていない」

「そりゃまあ、そのとおりだ」男は陽気に言った。「おれはハーレー、バイクの名前と同じ。なあ、先週は踊らなかったけど、今週は踊ろうぜ」

どうせもうダンスフロアに出ているのだから、踊るのがいちばん。アールは死んで、バンドは違う曲をはじめた。今度は客の半分が大声で合唱しない。みんなくるくると回って、さっと膝を屈める。デイジーも手をハーレーにあずけ、くるくると回りさっと屈むとスカートが脚のまわりで渦巻いた。次の曲はエルヴィス・プレスリーの『雨のケンタッキー』で、その曲のあいだ、ハーレーは彼女の手を握りっぱなしだった。

「ところで、きみの名前は？」まだ名を名乗りあっていないことをやっと思い出したのか、ハーレーが尋ねた。

「デイジーよ」

「だれかと一緒かい？　飲み物を買ってこようか？」

あらら、この人はラッソ署長が注意しろと言っていた男たちのひとりかしら？「友だち何人かできてるの」デイジーは嘘をついたほうが安全だと思ったので、テーブルがごちゃごちゃと並んでいるあたりをあいまいに指さした。それから言い足した。「ありがとう、でもいまはなにも飲みたくないの。踊りにきたんだから」

ハーレーは肩をすくめた。「わかった。おれはちょっと休憩だ」彼は現われたときと同じようにふっと消えてしまった、デイジーはまわりを見まわした。これまでのところ、睾丸を潰した男を除いて六人の男に出会ったが、ピンとくる人はいなかった。選り好みしすぎかもしれない。でも、それじゃどうすればいいのだろう。誘われれば断わらずに踊ったのに。

ダンスフロアにハワードの姿を見つけた。手を振っている。また踊ろうと誘ってくれるかもしれない。彼はあのなかでいちばん上手な踊り手だった。

そして——しまった——あの男がいた。彼女を引っぱって膝に坐らせた男。ほとんど同時にむこうも気づき、怯えた表情を浮かべてすばやく顔をそむけた。

デイジーも同じように顔をそむけ、気づかなかったふりをしたかったが、良心が疼《うず》いた。ちょっかいをかけてきたのはむこうだし、彼女だってわざと怪我させたわけではないが、ひどく痛い思いをさせてしまったのだから謝らなくてはならない。

男を見失わないようにしながら、勢いこんで人込みをかきわけた。男のほうも、やはり勢いこんで男子トイレに向かっている。なんとしても逃げたいと言わんばかりだが、あるいは彼女の思い違いかもしれない。こういう場所ならビールを飲んでいるだろうから、用を足したくなって当然だ。

ところがデイジーが追いつく前に、男はトイレへとつづく短い廊下を抜け、まるで地獄の猟犬に追われるようにあたふたと傷だらけのドアの向こうへ消えてしまった。デイジーはため息をつき、抗議(女からの)や誘い(男からの)を無視しながら、人込みをかきわけ、身をくねらせて進んだ。川を遡上《そじょう》する鮭になった気分だった。それでもようやくトイレの脇の壁際まできて、人の流れに足を踏んばって逆らいながら待った。

永遠とも思われる時間が過ぎ、デイジーがダンスの誘いを三つ断わったあと、目的の人物が廊下に顔を出した。

デイジーは深呼吸して一歩進み、男の肩を叩いた。

大男のくせに、たしかに跳びあがった。

まるで偽キリストに出会ったように、男はあとずさった。肉づきのいい顔がまっ赤になる。

「お願いだから、あっちへ行ってくれ」

デイジーはあっけにとられた。この人は、心からわたしをこわがっている。目をぱちくりさせながらも、男を安心させようとした。「こわがらないで」できるだけ穏やかに言った。

「傷つけたりしないから。謝りたいだけなの」

今度は彼が目をぱちくりさせる番だった。彼はあとずさるのをやめた。「謝る？」

「怪我をさせてほんとうにごめんなさい。でもあれは事故なのよ。あなたの膝から降りようとして、まずいところに手を突いたの。ほんとうに潰すつもりはなかったの、あなたの――」ああ、〝タマ〟なんて言えない。それがいちばん普通の言い方のようだけれど。あなたのにこういったことに慣れようとしているのだから、〝モノ〟なんて言い方もしたくない。

「――睾丸を」自分ではそんなつもりはなかったのに、つい大声を出していた。

男はぶたれたように縮みあがった。バンドの騒音にもかかわらず、まわりの人が聞きつけて振り向くほどの大声だった。

相手の顔がますます赤くなった。「詫《わ》びは受け入れた」彼はぼそりと言った。「消えてくれ」

もともとの原因を作ったのは彼のほうなのだから、もう少し感謝されてもいいのではないかという気がした。知らない女を膝に抱く権利があると言わんばかりに彼女を引き寄せたりしなければ、あんなことにはならなかったのに。少しむっとして、そう言ってやろうと口を開いたとき、不意に脇から背の高い人物が現われて、太い声で言った。「彼女があんたに近づかないようおれが見張ってやる」

その言葉どおり、ラッソ署長が前回と同じように有無を言わさず彼女を抱きあげたが、運んでいった先は表ではなく、ダンスフロアだった。

「あなたって汗疹《あせも》みたい」デイジーは下ろされたとたん声を荒げて言った。

片方の眉が問いかけるように吊りあがった。「おれがいやか？」ラッソは彼女の右手を握り、左手を自分の肩に置かせ、右腕を彼女の背中に回した。「踊ろう」

「**どこにでも**出てくる」デイジーはエルヴィスのスローな曲にあわせ、彼のリードに自然と身をまかせた。今夜はエルヴィスの曲ばかりだが、このバンドは先週のバンドとは違うのかもしれない。

「だれかがあんたをトラブルから守らないといけないからな」

「トラブルから守る？　トラブルから**守る**ですって？」デイジーは顔を仰向けて彼をにらんだ。ヒールのある靴を履いていても、見上げなければならなかった。トッドが言ったとおり、ラッソ署長は強そうな大男だ。「先週はここから連れだしてくれてありがとう。でも、あれ以外は、わたしがこうむったトラブルの**原因**はすべてあなただったじゃない」

「おれのせいにするなよ。一年分のゴムを買ったのはおれじゃない。もういくつか使ったか？」

言葉が出てこなかった。というよりも、礼儀正しい言葉が出てこない。言いたいことがいくつか浮かんだが、口にしたら罰《ばち》が当たるかもしれない。

ラッソはにやりとした。「あんたがいま、自分の顔を見たら……」デイジーを抱く腕に力をこめ、くるっとターンした。彼女とすれば、どうしたって彼の肩にしがみつかざるをえない。結果的にこれまでよりずっと近くに引き寄せられた。それまで踊ったどの相手よりも近くに。胸が彼のシャツをかすり、彼の腰の動きを感じる。脚と脚が密着する。彼の脚は――なんてこと、片方がわたしの脚のあいだにある。

不意に熱いものが湧きあがった。内側からやわらかくなって、溶けていくような感じ。骨が硬さを失い、筋肉がゆるむ。このうえなく不思議な、このうえなく魅惑的な感覚だった。

「署長――」

「ジャックだ」名前を呼べとせっつくように、腕にもう少し力が入った。

「ジャック」デイジーはほんとうにとろけていた。いまや彼に寄りかかっているも同然で、リードに従って脚は動いているものの、ほとんど全体重をあずけていた。「引き寄せすぎだわ」

彼は首をかしげ、彼女の耳に息を吹きかけながら言った。「ちょうどいい具合に支えているはずだが」

ああ、とろけた女が好みならばそのとおりだ。それに、抗議の言葉は本心というより口先だけと思われてもしかたなかった。自分から離れようとしないのだから。彼に寄りかかっているとあまりにも心地よくて、やわらかになった体が、彼のがっちりした体の線にぴたりと寄り添っていた。乳房が彼の胸に押しつけられてわずかに潰れているのも、いい気持ちだった。とてもいい気持ち。なぜかわからないけれど、気がついたら左手の下にある力強い肩と、ウェストに回された腕のあたたかな感触を楽しんでいた。あたたかい……ああ、なんてあたたかいのだろう。彼の発する熱と麝香《じゃこう》のような匂いに包まれていると、鼻をこすりつけたくなった。

ジャック・ラッソに鼻をこすりつけたいですって？

そんなことを考えたショックで、顔を仰向ける勇気がでた。彼は妙に真剣な顔つきでこちらを見つめていた。けわしい表情ではないが、ほほえんでもいない。

「なにかおかしい？」デイジーは訊いたが、どういうわけか声がかすれていた。

彼は頭を振った。「別に」

「でもあなた――」

「デイジー。黙って踊ろう」

黙って踊った。会話で気を散らされることがなくなったので、また彼に寄りかかった。彼は気にしていないようだ。それどころか、もっと近くにデイジーを引き寄せ、引き寄せられたデイジーは、みぞおちに彼のベルトが当たるのを感じた。

感じたのはそれだけではなかった。

警察署長のペニスがそこにあるのがわかって、頭がくらくらした。ダンスが終わり、バンドが〝ジュークボックスを撃った男〟を歌った陽気な曲をはじめても、頭はくらくらしたままだった。ジャックはしかめっ面で彼女をフロアから連れだし、しっかりと手を握って人込みを巧みに抜け、奥の壁ぎわを目指した。そこはほとんどバンドのまうしろで、おそらくそのせいでいくつか席があいていた。ジャックは放りだすようにデイジーを坐らせ、ウェイトレスがいないかとあたりを見まわした。「ここにいろ。飲み物を買ってくるから。なにがい い？」

「レモン入りのジンジャーエールをお願い」

ジャックはにっこり笑ってうなずくと、彼女を残し、バーを囲む人垣に向かっていった。デイジーは、軽いショックを受けていた。思っていた以上に自分はうぶなのかもしれない。だって彼のほうは、踊っているあいだにパートナーがペニスに気づいてもどうってことないようにふるまっていた。**だから**、みんな一緒に踊るのだろう。でも、ほかの人と踊っているときにはペニスに気づかなかった。ジャックだけだ。

もう二度と、彼のことを警察署長だとは思えないだろう。

ぼんやりしていて、ジャックがいなくなってどのくらいたったかわからなかった。片手にビールを、もう片手にジンジャーエールのグラスを持った彼が近づいてくるのを目にするまで、運よくだれもダンスに誘ってこなかった。

「踊らないのかい？」

声の主は左側から屈みこんできた男だった。〝楽しくやろうぜ〟と書かれたTシャツなんか着ているので、どっちみち断わるつもりだったが、その暇はなかった。ジャックが彼女の前のテーブルにジンジャーエールを置いて言った。「彼女はおれの連れだ」

「わかったよ」その男はすぐに別の女のほうを向いた。「踊らないのかい？」

ジャックが隣りの椅子に坐り、ビールをあおった。デイジーは、彼が飲みこむたびに力強く動く喉もとを見つめ、また体がほてるのを感じた。冷たいジンジャーエールがありがたい。

デイジーはしばらくすると、彼が暇なく人込みに視線を配り、ときどき目を留めてだれかを観察し、また視線を動かしているのに気がついた。まったく違う面を知って、また少しショックを受けた。「仕事なの？」

ジャックはちらりと彼女を見た。灰色がかったグリーンの目がきらめいている。「ヒルズボロの外はおれの管轄じゃないよ」

「わかってる、でもじっと人込みを見つめてる」

彼は肩をすくめた。「ただの癖だ」

「リラックスすることってないの？」彼女のなかで、警察官に対する見方ががらりと変わった。つねに用心深く警戒しているのだろうか？　非番のときも警戒を怠らないことも、給料に含まれているのだろうか？

「あるよ」椅子の背にもたれ、右足首を左膝に載せた。「家にいるときはな」

デイジーは彼がどこに住んでいるのか知らなかったし、〝彼の家〟というものを想像できなかった。ヒルズボロはちっぽけな町だが、それでも全住民と知り合いになり、近所じゅうと仲良くなるのは無理だった。「どこに住んでいるの？」

また彼女をちらりと見た。「あんたのおふくろさんの家からそんなに離れていない。エルムウッドだ」

エルムウッドは通り四本隔てているだけだ。ヴィクトリア調の家が並んでいる地区で、きちんと手入れされているものもあるが、そうではないものもある。まさか彼がヴィクトリア調の家に住んでいようとは思わなかったが、口には出さなかった。

「大おばから家を譲り受けたんだ。いつかあんたにも話したベッシーおばだよ」

デイジーは背筋をぴんと伸ばした。エルムウッドのベッシーなら知り合いだった。「ミス・ベッシー・チルドレス？」

「ああ、そうだ」ジャックはいまは亡き大おばに敬意を表して、ビールを掲げた。

「あなた、ミス・ベッシーの甥なの？」

「その息子だ。子どものころ、人生で最高の夏をおばと過ごした」

「父が亡くなったとき、ベッシーはココナッツ・ケーキを持ってきてくれたの」デイジーはびっくりしていた。まるでヨーロッパに行って、隣人に出くわすようなものではないか。ジャックのことを完全なよそ者だとばかり思っていたけれど、そうではなくて、彼は子どものころ、たった通り四本離れたところで夏を過ごしていたのだ。

「ベッシーおばのココナッツ・ケーキは世界一だった」自分の知っているココナッツ・ケーキを思い出しながら、ジャックはほほえんだ。

「わたしたち、どうして会わなかったのかしら？」

「ひとつには、おれは学校が休みの夏のあいだだけきていた。もうひとつ、おれはあんたより年上だから、同じ仲間とつきあっていなかったはずだよ。あんたがバービー人形で遊んでるあいだ、おれは野球をやっていた。それに、ベッシーおばは別の教会に通っていたし」

そのとおりだ。ベッシー・チルドレスは根っからのメソジストで、マイナー家は長老派だった。だから、子どものころに出会わなかったのはあたりまえなのだが、それでもショックだった。なぜって彼は……そう、身内同然だもの。

突然、ダンスフロアが騒がしくなった。男がひとり床に伸び、カップルたちがパッと散った。女が叫ぶ。「ああ、ダニー!」女の金切り声に切り裂かれ、にぎやかな音楽が調子を崩してやんだ。転んだ男——もしくはノックダウンされた男はむっくと立ちあがり、頭を低くして別の男に突っこんでいったが、その男がひょいと脇によけた拍子に女にぶつかり、女はひっくり返った。女のパートナーがすぐさま反撃に出て、ダンスフロアは混乱の坩堝《るつぼ》と化した。

「ああ、くそっ」ジャックはため息をつき、デイジーの手首をつかんで立たせた。「また逃げなくちゃ。さあ、裏口から出るぞ」

同じことを目論んだ人の群れに加わったが、ジャックがその巨体と力強さを生かして強引に進んだおかげで、たちまちふたりは湿った夜気に包まれ、叫び声やガラスの割れる音を遠くに聞いていた。

「あんたって触媒みたいだな」ジャックが頭を振りながら言った。

「わたしのせいじゃないわよ」デイジーはむっとした。「あの人たちの近くにいなかったもの。**あなた**と坐ってただけ」

「ああ、だがどういうわけか、あんたがいるとこういうことになる。なにもかも調子が狂うみたいだ。信じようが信じまいが、こういうトラブルはめったに起きないんだぜ。ところで車はどこだ?」

デイジーが先に立ち、建物の表に回って車へと向かった。正面の入り口から人びとがあふれ出てくる。まるで先週の騒ぎをそっくり再現しているみたい。ため息が出てきた。今週は三曲しか踊っていない。この調子でいくと、次は乱闘の前に一曲踊れたらいいほうだ。

バッグから鍵を取り出すと、ジャックがそれを受け取ってロックを解除し、ドアをあけて返してくれた。デイジーはシートベルトを締め、ドアを閉めようと腕を伸ばしたが、ジャックは謎めいた表情でじっと彼女を見つめていた。

その場に立ち、軽く眉をひそめている。「家までついていくよ」

「どうして?」驚きを隠さなかった。

ジャックは肩をすくめた。「肩胛骨《けんこうこつ》のあいだがなんだかむずむずするんだ。引っ越したと聞いたが、あの通りは気に入らない。ただそれだけだ」

「ありがとう、でもけっこうよ。ポーチの明かりをつけっぱなしにしてきたから」

彼は歯を見せたが、笑顔ではなかった。「人の言うことはきくもんだ」そう言ったが、忠告という感じではなかった。

13

畜生！　人びとが蟻《あり》よろしくぞろぞろとクラブから出てくるのを見て、サイクスは苛立《いらだ》ちのあまり、ハンドルをぶっ叩きそうになった。人目を引く心配がなければそうしていた。こいつらはどうなってるんだ？　ダンスくらい、けんかせずにできないのか？

車から出たくなかったが、とにかく外に出て、人の群れのなかに赤いドレスのブロンドを探した。暗闇のなかで、出ていく車のヘッドライトが、四方八方へ散る人を一瞬照らしだし、まるでストロボが点滅しているようだった。

そのとき、乱闘騒ぎではなく結婚式から出てきたばかりのように、落ち着きはらって砂利の上を歩いているあの女が見えた。爪先からほんの数インチのところを車がかすめ過ぎたので、ぱっと脇にどいたが、決して標的から目を離さなかった。だが、そこで立ち止まり、心のなかで毒づいた。女はひとりでなかに入ったのに、いまは連れがいる。まるで朝食に岩でも食べてきたようないかつい男だ。そいつが「家までついていくよ」と言うのが聞こえたので、すぐに計画を変更した。女の車を突き止めると、すぐさまその場を離れた。先ほどナンバーと型を書き留めたメモと照合すればいい。今夜は女の家まで尾行できないが、しかたない。三台も車がつづけばめだってしまう。だが、ナンバーはわかったから、あの女は手に入れたも同然だ。サイクスはさっさと車に戻ると、リストにさっと目をとおし、すぐに目当ての車種を見つけた。八年もののフォードのセダン、ベージュ——あれほど品があってセクシーな女にしては、まったくつまらん車に乗っている——ナンバーが三九ではじまっているということは、ジャクソン郡で登録されたものだ。

それならことは簡単だ。テンプル・ノーランにナンバーを教えて、警察のだれかに調べさせればよい。町長に話してからものの数分で、女の名前と住所がわかるはずだ。

だが、ここは冷静にやるのが賢明だ。今夜、町長が警察に照会すれば、電話を受けた人間は、町長が土曜の夜遅くに調べたがるなんてよほど重要なナンバーなのだろうと、記憶に留めてしまうだろう。どんな些細なことでも、注意を引かないようにするのが得策であることに変わりない。月曜の朝でもじゅうぶん間にあう。

なにごとも冷静に。今夜は動いてはならない。万全の準備をするだけの時間が持てるのだから、待つほうが好都合だ。なに、こんなもの、朝飯前の仕事だ。必要なものはもう揃っているのだから。あの女は酒場の常連みたいだし、自分にはGHBという備えがある。あの女も、いつものクスリのやりすぎとみなされるだろう。セックスする気はないから、警察は、〝歯止めが効かずつい度を過ごしてしまった中毒者〟として処理するだろう。

デイジーはバックミラーにちらりと目をやって、口を尖らせた。背後の車のヘッドライトがあまりに間近に見える。ジャックがぴたりとうしろにつけているのだ。こうなることは予想しておくべきだった。まったく、あの男ときたら、しょっちゅう人の領域に侵入してくる。ただ彼女を困らせるためにそうしているのか、それとも仕事柄、人を動揺させるのが習い性となっているのか、デイジーにはわからなかった。わかっているのは、断固気に食わないということだけ。

スピードを落とし、車を停められそうな場所を探して、ウィンカーを点滅させた。車を停めると、ジャックはヘッドライトも見えないほどすぐうしろに車をつけ、デイジーが非常点滅表示灯のスイッチを手探りしているあいだにドアをあけていた。

「どうかしたか？」ジャックは訊いた。

「どうかしたかもないもんだわ」そこで言葉を切る。「あら、まあ」ジャックは手に銃を持っていた――大きい銃で、彼はそれを腿に添わせ銃口を下にして持っていた。オートマチックだ。おそらく九ミリ口径。デイジーは身を乗りだして覗きこんだ。銃身の夜間照準器が、彼女の車の明かりに負けじと光を放っている。「まあ」もう一度言った。「そのちっちゃいやつ、ずいぶん明るいのね」

ジャックは見下ろした。「ちっちゃいやつって？」地面を探している。暗闇で光る蟻でも見つけようというのか。

「その夜間照準器よ」デイジーは銃を指さした。「どこの銃？　H&K？　シグ？」暗いうえに彼の手のなかにあるので、見分けられなかった。

「シグだ。それにしても、なんで拳銃のことを知ってるんだ?」

ジャックは明らかに臍《へそ》を曲げている。「ビーソン署長が、警察官の持つ銃のグレードアップを目指したときに、わたしも調査研究のお手伝いをしたの。あなたがくる前のことよ」ただもう彼をいじめてやりたくて、そうつけ加えた。ビーソン署長はジャックの前任者だ。

案のじょう、彼が歯を食いしばるのがわかった。歯ぎしりの音が聞こえたような気がした。

「ビーソン署長が何者だか知ってる」彼は低い声で言った。

「あの人はそりゃもう徹底した人だった。何カ月もかけて、あらゆるモデルを調べたわ。でも結局は、議会が新しい銃器を買う予算に反対したの」

「知ってる」彼は絶対に歯ぎしりしている。「後釜に据わったこのおれが始末をつけたんだからな、忘れたのか?」警察を骨抜きにした議会を恫喝《どうかつ》することが、彼の初仕事だった。そして望みの武器も手に入れた。

「公正を期すために言っときますけどね」デイジーは言った。「あのころ、町は下水設備にすごくお金をかけていたから——」

「下水設備なんかくそくらえだ!」ジャックは髪をかきあげた——じゅうぶんな長さがあったら、そうしていただろう。髪をもうちょっと伸ばしたほうがいいのに、とデイジーは思った。彼は大きく息を吸った。冷静になろうとしているのだ。「それで、どうしたんだ? なぜ停まった?」

「あなたがぴったりくっついてくるんだもの」

彼女の車の開いたドアの内側で、ジャックの体が固まった。シャーッと舗道をこするタイヤの音をさせて、車が通りすぎていった。赤いテールランプがカーブを曲がって消え、ふたたび路上にふたりだけになった。

「なんだって?」ジャックがようやく言った。叫びたいのを我慢しているようだ。

「あなたがぴったりくっついてくるんだもの。危ないじゃない」

また長い沈黙があり、ジャックは一歩あとずさった。「車から降りろ」

「いやよ」車のエンジンはかかったままだし、ハンドルを握ったままだから、彼女のほうが有利だ。「あなたは間違ってるし、それに――」

言葉は途中から悲鳴になった。ジャックが屈んですばやくシートベルトをはずし、デイジーを車の外に引っぱりだしたのだ。そんな声を出すのはとっくに卒業したと思っていたから、デイジーは自分の悲鳴にうろたえた。ジャックがドアを力まかせに閉め、彼女を車に押しつけた。大きな体がかぶさってきて、冷たい金属のうえで身動きできなくなっても、混乱のあまり驚く余裕もなかった。まるで炎と氷の板挟みになったみたい。でも、すぐに体のなかが溶けていくような、あの奇妙な感覚がよみがえってきたから、炎のほうが激しかったのだろう。

「おれには選択肢がふたつある」ジャックは落ち着いた口調で言った。「あんたを窒息させるか、それともキスをするか。どっちがいい?」

彼にキスされるのかと思うと不安になった。「それはあなたの選択肢でしょ、わたしのじゃない」

「それならなんでまっ赤な服を着てきたりしたんだ」

「わたしの服のどこが――ムムムム」

彼の唇がかぶさってきて、抗議の言葉は封じこめられた。全身が仮死状態に陥ったようで動けなかった。頭のなかでは、なんとか期待と現実の帳尻をあわせようとしていた。いいえ、期待していたわけではない。ジャック・ラッソがキスするなんて思ってもいなかったのだから。そんなことは、頭のなかに記した〝起こりうることリスト〟には載っていなかった。でも、現に彼にキスされているわけで、それはいままでに感じたことのない驚きだった。

彼の唇はやわらかな感触なのに、押しつけてくる力は強い。店で飲んでいたビールの味と、それになんだか……なんだか甘い味。蜜だ。蜜の味がする。大きな手が髪に絡みつき、彼女の顔を仰向かせる。こんなに深いキスははじめて。それがずっとつづいていた。口のなかに彼の舌があり、蜜の味が彼女の骨をとろかし、器官という器官をぐにゃぐにゃにする。

ゆっくりと体の力が抜けていく。ぴたりと押しつけられた彼の体がなかったら、そのままくずおれていただろう。頭のどこかでぼんやりと考えていた。こんなにいい気分ははじめて。こんなに心が安らいだのは。冷たい車体に押しつけられてるのだから、心地よいはずがないのに。腕を上げて彼の首に巻きつけると、ふたりの体はあつらえたようにぴたりと合わさった。へこみもでっぱりも、角ばったところも平らなところも――すべてぴったり。彼の熱に焼き尽くされ、彼の肌の匂いが体に染みわたる。蠱惑《こわく》的な蜜の味に、もっともっととせがまずにはいられなくなる。すると彼が、もっと与えてくれた。きつく抱き寄せられると、腰が彼の下腹部をくるむ揺りかごになった。勃起したものが脚のつけ根に押しつけられた。

クラクションを鳴らして、また車が通りすぎた。ジャックは顔を上げて「馬鹿野郎」とだけ言うと、すぐにまたキスした。さっきよりももっと深く、飢えたようなキスが、デイジーの渇望を満たしてくれる。心臓が激しく脈打って肋骨を叩く。頭の一部では――奥のほうの小さな部分では――こんなことが自分の身に起きていることに驚いていた。暗い道路脇の人目につくところに突っ立ったまま、男にキスさせているなんて。いまここで彼女を裸にしてすべてを奪いかねないほど激しいキスを。しかも、ただキスさせるだけではなく、自分もキスを返しているなんて。片手で彼の後頭部をつかみ、もう片手は襟に差しこんで彼のうなじに触れた。彼の素肌にほんの少し触れているだけなのに、めまいがするほど嬉しかった。

ようやくジャックが唇を離し、苦しそうに喘いだ。デイジーはわれを忘れ、彼にしがみついて蜜のようなキスをもっととせがんだ。ジャックは汗ばんだ額を彼女の額に押しつけた。

「ミス・デイジー」低く言った。「どうしても、**どうしても**、あんたと裸で絡みあいたい」

十五分前だったら――二十分前かもしれない――関心をもたれても迷惑なだけ、ときっぱり言っていたはずだ。だけど十五分前には、蜜の味を知らなかった。

「あら、そんなことだめよ」デイジーはおろおろと言った。この人は麻薬みたいなものだ。思ってもみなかったけれど。なるほど、町の女がみんな夢中になるはず！　みんな彼の味を知っているのだ。そんなのぜったいにいやだ、と不意に思った。

「すごくいい考えだと思うけどな」

「まったくばかげてる」

「だが、すごくいいぜ」

「あなたってわたしのタイプじゃないの」

「そいつはよかった。でなけりゃ、おれの身がもたない」ジャックがもう一度キスした。デイジーは思わず爪先立ちになってしがみついた。ジャックの右手が乳房をすっぽりと覆い、重さをはかり、もみしだき、うまく乳首を探りあててこすりはじめた。乳首がツンと尖る。刺激が全身を駆けめぐり、喘ぎとなってほとばしる。自分の声にショックを受けて、ほんの少し正気が戻った。でも、さらにもう少し、ほんの二十秒ほど彼の手の感触を楽しんでおいて、首に回した手を解いて胸にずらし、ぐいっと押した。ああ、でもなんて魅力的な胸だろう。とてもあたたかくて引き締まっていて、掌に荒々しい鼓動を感じた。彼も同じぐらい興奮していると思うとときめいた。それは、いま覚えた快感と同じくらい刺激的なことだった。このデイジー・アン・マイナーが、男を興奮させたなんて！　それもただの男じゃない――よりによって、ジャック・ラッソを！

デイジーが彼の胸をぐいっと押したとたん、ジャックの唇が離れた。せめて手は、もっとゆっくりと乳房から離れてくれてもよかったのに。それからジャックは、名残り惜しげにゆっくりと体を離し、ふたりのあいだに隙間ができた。急に彼の熱を奪われて、夜気が氷のように冷たく感じられた。穏やかな夏の夜なのに、ジャックにくらべれば、大気はまるで冬のようだった。

「あなたのせいで、わたしの計画はすっかり狂ってしまった」

「どんな計画？」ジャックはうつむいて、デイジーの顎をそっと囓《かじ》りはじめた。もう一度、彼女を味わわずにはいられないと言いたげに、すばやく嚙みつくようにキスを繰り返す。それ以外のやり方では触れようとしない。触れる必要もなかった。デイジーのほうから、彼にもたれかかっていったのだから。それに気づいて背筋をぴんと伸ばす。

デイジーは取り乱して口走った。「わたしは男の人を探しているの」

「おれも男だが」ジャックは彼女の鎖骨に向かってつぶやいた。「おれじゃまずいのか？」

首からみるみる力が抜けて、頭を支えていられなくなった。彼女がスーパーウーマンなら、彼は超能力を冒す金属のクリプトナイトだ。なんとか撃退しなければ。「つまり、おつきあいする相手ってことよ」

「おれは独身だ」

デイジーは叫んだ。「わたしは結婚して子どもがほしいの！」

ジャックは撃たれでもしたように直立した。「ワオ」

触られなくなって、デイジーは呼吸がしやすくなった。「そう、ワオよ。わたしは夫を探してるの。それをあなたが邪魔してる」

「夫を探してるだって、ええ？」

その言い方は気にくわなかったが、また車が近づいてきたので、通りすぎるまで待ってから、彼をにらんだ。「あなたが薬局に現われたせいで、ヒルズボロの人はみんな、わたしたちが——その、できてると思ってるから、町の男の人はだれもわたしを誘わないわ。だから、男の人を見つけるためにナイトクラブに行かなくちゃならないのに、あなたはまた同じことをして、わたしたちがつきあってるように思わせて、わたしから男の人を遠ざけてるじゃない」

「あんたをトラブルから遠ざけてるんだ」

「先週はそうだったけど、今週はトラブルなんてなかった。なんのトラブルも起こさなかったし、近寄りさえしなかったのよ。あなたが追い払った男は、わたしの生涯の恋人だったかもしれないんだから。でも、あなたが自分の連れだって言ったせいで、それもわからずじまい」

「〝楽しくやろうぜ〟なんてTシャツを着てた奴を、生涯の恋人と思うのか？」

「もちろん思わない」きっぱりと言った。「そういうことじゃないわ、わかってるくせに。たとえばってことよ。この調子でいくと、あなたのせいで北アラバマの男の人は残らず、わたしのことを〝売約済み《スポークン・フォー》〟だと思うようになるわ。そしてわたしは、いい人を見つけるためにアトランタまで車を飛ばすはめになるのよ」

「売約済み？」ジャックが繰り返す。信じられないという思いがその口調にありありと出ていたので、デイジーは思わずひっぱたいてやろうかと思った。「あんた、いまが何世紀かわかってるか？」

デイジーも、自分のしゃべり方がいささか古風であることはわかっていた。母親とおばと暮らしていればそうなるものだ。愛すべき人たちではあるが、たしかに古くさい。時代がかったふたりの言いまわしは使わないようにしているけれど、ほとんどいつも耳にしているわけだから、つい口をついて出てしまう。けれども、わざわざ指摘されたくはなかった。「二十一世紀よ、このおせっかい、きいたふうな口叩くな!」

沈黙。

「ああ、なんてことを」デイジーは手で口を覆ってつぶやいた。「ほんとうにごめんなさい。まさかあんなことを言うなんて」

「ええと、まあそうだな」彼は答えた。声が不自然だ。「あんたが言ったのは聞こえた。まあ、そうしょっちゅう言うわけじゃないから」

「ごめんなさい」もう一度謝った。「申し訳ないわ」

「おれがあんたを怒らせたわけだし、もういいだろ?」

「そうだけど、でも自分のやったことには責任があるわ」

「神よ」彼は天を仰いだ。「なぜ悪党たちはみんな、彼女みたいになれないんですか?」

神の答えはなく、ジャックは肩をすくめた。「おれの努力は報われたわけだ。さあ、おれにまたキスされないうちに車に戻れ」

あいにく、それは脅しにもなっていなかった。デイジーはぐずぐずしている自分に気づき、心を決めてドアの把手《とって》に手を伸ばしたが、先に彼の手が伸びていた。車に乗り、スカートを整えてシートベルトを締めると、そもそもなぜ停まったのかを思い出した。眉根を寄せて彼を見据えた。「もうぴったりついてこないでよね」

ジャックは屈みこんだ。彼の眠たそうな目に、少し腫《は》れた唇を見て、デイジーはついさっきまでしていたことを思い出した。「わかったよ。少なくとも車のなかではね」

心臓がドキンとして、二倍の速さで脈を打ちはじめた。唇を舐め、車のなかでしている姿を想像しないようにした。その努力もむなしくその場面が浮かんできた。乳首がキュンと尖った。

「じゃあな！」無情にもジャックは言い、ドアを閉めてうしろに下がった。デイジーは車を出した。すぐあとから、彼の車も道路に出てきた。

ヒルズボロまでずっと、ジャックはじゅうぶんに安全な距離を保った。

14

翌朝、デイジーはいつものように教会に出かけた。ジャックとあのコンドーム事件のおかげで、その週のあいだ噂《うわさ》の種になっていたことはわかっていたけれど、小さな町でそんな状況をやりすごすには、いつもどおりにするのがいちばんだ。

じろじろ見られるとわかっていたから、いつもより髪型と化粧には気を遣った。きれいに装うことがすっかりあたりまえになっているのだから、おもしろい。お天気チャンネルによると、今日は蒸し暑く、気温も三十七度を超えそうだから、できるだけ涼しい服にして、パンティーストッキングははかず、足がくっつかないように、パンプスのなかにベビーパウダーをはたいた。

九時四十五分、デイジーが家を出たときにはすでに暑く、三十度を軽く超えていた。車のエアコンを〝強〟にしたが、教会までは二ブロックしかないので、吹きだしてくる風が冷たくなったころには到着していた。教会のなかはひんやりと心地よかったので、デイジーはほっと息を吐いて内陣に入り、いつものように母親とジョーおばの隣りに坐った。ふたりはにっこりと笑った。「とってもきれいだよ」ジョーおばが身を乗りだして、デイジーの手をなでた。「昨日の晩はどうだった？」

デイジーはため息をついた。「三曲しか踊れなかった」小声で言った。「またけんかがあったの。わたしはなんの関係もないけど」ふたりの目がまるくなったので、急いでつけ加えた。

「でも別のクラブを探したほうがよさそう」

「そうなさいな」母親が言った。「けんかばっかりね！」

デイジーが心配しているのはけんかではなく、バッファロー・クラブがジャックのいきつけの店だという事実だ。彼女だって馬鹿ではない。こっちからトラブルを招くようなことをしないだけの分別はあるし、昨日の夜で、彼の近くにいれば大きなトラブルに巻きこまれることがよくわかった。彼がバッファロー・クラブに行くなら、自分はほかのクラブに行けばいい。それだけだ。

だれかが隣りの席に滑りこんできたので、デイジーはにっこり挨拶しようと、反射的に振り返った。笑顔が凍りつく。「ここでなにしてるのよ？」声を殺して尋ねた。

ジャックは、祭壇や聖歌隊席やステンドグラスの窓を見渡してから、「教会のミサに参列しちゃいけないか？」と言い、身を乗りだしてイヴリンとジョーおばに挨拶した。ふたりは笑顔を返し、イヴリンは礼拝後の正餐《ディナー》にこないかと彼を誘った。デイジーは、彼が承諾しようものならヒールで踏んづけてやろうとかまえていたが、先約があると断わったおかげで、彼の爪先は難を免れた。

教会じゅうの人たちの視線が背中に突き刺さっているような気がした。「ここでなにしてるのよ?」もう一度、今度はもっと凄みをきかせてささやいた。

ジャックは声を聞かれないように、デイジーの耳もとに顔を近寄せた。「ひと夜きりの相手のためにコンドームを買ったなんて、思われたくないんじゃないのか?」

デイジーの目がまるくなった。そのとおりだ。彼が教会にきて隣りに坐ったおかげで、ふたりのあいだには立派なロマンスがあるとみんな思いこんだはずだ。真剣につきあっていなければ、男が女の通う教会にきて、隣りに坐ったりするわけがない。ジャックはわざわざ朝の時間を割いて、怪しげなこっちの立場をはっきりさせにきてくれた。いまどき、恋愛中の男女がセクシャルな関係になるのはあたりまえだ。既存の宗教団体は難色を示すだろうけれど。

二時間後、デイジーの神経はすっかり参っていた。警察署長が自分と裸で絡みあいたがっていると思うと、教会の平穏な朝が平穏ではなくなってくる。説教が自分に向けられたときに備えて、精いっぱいそっちに集中しようとするのだが、気が散ってばかりだ。とりわけ右隣りに坐る男のことが気になってしかたなかった。

昨夜の抱擁にはびっくりした。キスと軽いペッティングしかしていないのに、それ以上のことをしてしまったみたいだった。デイジーは彼の腕のなかで燃えだしそうだったし、彼が生半可な気持ちでなかったことは勃起したことでわかった。自分に嘘はつけない。ふたりはセックスする寸前までいっていた。ぎりぎりで身を引いたのは彼女だった。

もしモラルを忘れていたら、彼が好みではないことを忘れていたら、自分を満足させること以外はすべて忘れていたら、どうなっていただろう。いいえ、どうなっていたかなんて考えるまでもない。わかっている——どうせ考えるなら、どんなふうだったか、のほうだ。

彼の味を頭から閉めだすことができなかった。彼のセックスは、あのキスにふさわしいものだろうか？　彼のキスは夢のようで、蜜の壺みたいな味がした。たとえ彼が恋人として世界一最低だったとしても、まあ、そんなことはないだろうけれど、そうだとしても、あのキスのためなら我慢する価値はある。しかも、キスの上手な人はセックスも上手だという説もある——どこかで読んだ——から、ジャック・ラッソもベッドのなかではすごいのだろう。

こんなこと、教会の礼拝中に考えるべきではない。とてもじっとしていられず、ちょっと動くたびに脚が彼の脚をかすめた。教会のなかはエアコンがきいていて涼しいのに、体がカッカしてきて、靴を脱ぎ捨ててドレスを引きちぎってしまいたい衝動に駆られた。はやばやと更年期に入ってほてっているのか、それとも、身も蓋もない言い方をすれば〝さかり〟がついているのか。

デイジーはちらりとジャックを盗み見た。そうせずにはいられなかったのだ。こざっぱりと、保守的な服装をしている。靴はいつも磨かれているが、それは大事なことだ。靴の状態は持ち主の自分自身や他人に対する態度を反映しているという記事を読んでから、デイジーはかならず人の靴をチェックして、自分の靴もきれいに磨いておくように気をつけていた。

ジャックの白髪混じりの髪は短すぎるけれど、よく似合っている。先端が少しカールしているので、カールを抑えるために短くしているのだろう。大柄だけど、ぜんぜん鈍重なところはない。その動きは抑制がきいていて、動物的な優美さがある。余分な肉もついていない。それは前夜にわかった。全身が岩のように硬い筋肉だった。

好みではない男のことを考えるにしては、時間をかけすぎている。

彼の手が動いて、手の甲が太腿を軽くなでた。デイジーは唾を呑みこみ、ブリッジズ師をにらみつけ、なんの話をしているのか理解しようとしたが、まるで外国語で話をされているも同然だった。

いま、この教会で、ジャックは誘いをかけている。デイジーは気づいた。たいしたことはされていないけれど――まだ太腿をなでつづけているぐらい――される必要もなかった。彼がそこにいるだけでじゅうぶんだった。彼女は前夜のことを思い出して、自分からその気になっているのだもの。

きっと大袈裟に考えすぎているのだ。理屈からいえば、どんなキスだろうと、昨日感じたほど強力であるわけがないもの。久しぶりにキスした男がジャックだっただけのこと……いったい何年ぶりだったのか思い出せないくらい。ずっと昔のことだ。それは自分のせいにほかならない。外に出て〝キスなし状態〟をなんとかしようとせずに、家にこもってばかりいたのは自分なのだから。でもとにかく**何年も**キスされていなかったせいで、極端な反応を示してしまったのだ。彼にとっては、興奮するようなことではなかっただろう。

でも、荒々しい鼓動が掌につたわってきたし、あんなふうに勃起したふりをするには、パンツのなかに懐中電灯でも突っこんでおかなければならない。それも特大の懐中電灯を。

いけない、いけない。教会の礼拝中に考えるべきことではない。

ようやくのことで説教が終わり、最後の賛美歌も歌い終わった。信徒たちが席を立ち、握手をしたり笑顔でおしゃべりをはじめた。どうやら参列者全員がジャックに挨拶にきているようだが、そのあいだジャックは信徒席の端に立って、デイジーの出口を塞いでいた。ジョーおばとイヴリンは向きを変えて別の側から出ていったので、デイジーもそちらから出ようとすると、ジャックがむこう向きのまま手を伸ばして彼女の腕をつかんだ。「ちょっと待ってろ」と言うと、また握手に戻った。男たちは、警察官と近づきになることでマッチョ気分に浸り、女たちは、色目を使っている。曾孫《ひまご》がいるような老女までも。ジャックは女に対してそういう影響力を持っているのだ。そんなもの自分には効かないとデイジーは思っていたが、高を括っていると足をすくわれることは、最近の経験でわかった。

みんなが引き上げて、信徒席から出られるようになると、ジャックは脇によけてデイジーを通し、彼女のウェストに腕を回した。触られたとたん、デイジーの心臓は跳びあがった。明らかに〝おれたちつきあってます〟のしぐさだが、それは他の人たちに見せつけるためであって、ほんとうの目的はただやりたいだけなのだ。つきあうことなど考えないほうがいい。この人は結婚して子どもがほしいとは思っていない――そういえば、彼は結婚していたことがあるから、子どももだっているかもしれない。

確かめる方法がひとつだけある。デイジーは身を乗りだして小声で訊いた。「あなた、お子さんはいるの？」

ジャックはぎょっとした顔で彼女を見た。「まさか！」ここがどこか思い出したのだろう、声を低くした。「さあ、さっさと出よう」

言うだけなら簡単だ。ブリッジズ師が出口で待ちかまえ、ひとりひとりと握手をしたり、おしゃべりしたりしていたが、どうやらジャックにも話したいことがたくさんあるらしい。辛抱強く自分の番を待っているデイジーには、ひとつも重要な話をしているようにはみえなかった。牧師といえども他の男たちと同じで、警察署長と話がしたいのだ。ジャックはいらいらしないのだろうか？　デイジーはありがたいことに、自分の職業ゆえに長話の相手をさせられたことはない。警察官はみんな、こういうことを我慢しなければならないのだろうか？

ようやくデイジーも握手をして、短く言葉を交わした。ブリッジズ師のもの問いたげな目つきを見て、もしかして説教は自分に向けられたのではと心配になってきた。この一週間の話題が出たあとにこの目つきだもの、きっとそうにちがいない。母親に尋ねてみなければ。

暑さはしのぎがたいほどで、地面から熱気が立ちのぼっていた。ジャックをはじめ男たちは教会を出たとたん上着を脱ぎ、ネクタイをゆるめた。けれども、女はパンティーストッキングとブラジャーから逃れられない。デイジーは裸足でよかったと思った。かすかに吹き寄せる風も熱気をはらんでいたが、とにかく風は感じられる。

ジャックは首からネクタイをはずし、上着のポケットに入れた。「一緒に行くよ」

「わたしたち、どこに向かってるの？」デイジーは困惑して言った。

「あんたの家」

デイジーの心臓がまた跳びあがった。「日曜日のディナーはいつも母とジョーおばととることにしているの」

「電話してキャンセルしろよ。引っ越したばかりだから、片づけることがいろいろあるって」

片づけることのひとつはジャックなのだろう。意味ありげな彼の目つきからして、そういうことらしい。デイジーは咳払いをした。「いい考えとは思えません」

「ここ何年かでダントツにいい考えだと思う」

デイジーはさっとあたりをうかがった。この暑さでは、ぐずぐずと野外に残っている人はいないだろう。案のじょう、教会の駐車場はほとんど空っぽだ。それでも万が一聞かれては困るから、彼に顔を寄せて言った。「どうなるかわかってるでしょ！」

「それを期待してるんじゃないか」

「火遊びはいやなの！」声を押し殺して言った。「ずっとつきあっていける人がほしいの。それにはあなたが邪魔なのよ！」

「じゃあ、つきあう相手が見つかるまで、おれと楽しめばいいじゃないか」ジャックはもっと近づいてきた。まるでのしかかられているみたいだ。大気も熱いが、彼のほうがずっと熱い。その熱がデイジーを包みこむ。彼の灰色がかったグリーンの瞳が燃えている。「おれは健康だし、ノーマルだ。極端な変態行為はしない。あんたを妊娠させないように努力する」

「努力する？」デイジーはあきれかえった。

ジャックは肩をすくめた。「世のなかなにが起きるかわからない。ゴムは破れるもんだし」

そんなこと、考えるのもぞっとするはずなのに、しなかった。つまり、それだけのぼせあがっているということだ。不慮の妊娠に考えが及んでも正気に戻らないぐらいだから。それに――

「極端な変態行為って？」デイジーは小声で尋ねた。

引き締まった顔がにやりとした。「知りたければ教えてやる」

昔のデイジーだったら、キッとなって大声を出していただろう。いや、そんなことはしなかったかも。昔のデイジーだって、いまのデイジーと同じくらい誘いに乗りやすかったのだから。ただし、昔のデイジーには、セックスが目的だとはっきり言う男とつきあう勇気はなかった。ところが、いまのデイジーは、セックス以外のことは考えられない。この男がほしい。ジャックのことを考えるので精いっぱいだから、だれかほかの人が現われても、残念ながら気が向かないだろう。

「おれがどんなものか試してみろよ」彼がぼそっと言う。「なあ、試してみろ」

挑発に乗ったわけではない。ちょっと彼を試してみたかったのだ。

「わたしを妊娠させたら」デイジーは言った。「結婚してもらうわよ」

「決まりだ」ふたりはそれぞれの車でラシター・アベニューまで行った。ジャックは遠慮がちにちゃんと距離をとって運転していた。

木の葉のように震えるはずだと思ったのに、数分後、デイジーはしごく落ち着いた手つきで、家の鍵穴に鍵を差しこんでいた。震えているのは体の内側だけ。それならどうということはない。

デイジーが母親に電話をかけているあいだ、ジャックはこぢんまりしたリビングのまんなかに立ち、室内を見まわしていた。なぜディナーにこないのかと母親に訊かれて、嘘をつくのが下手なデイジーは、彼に目をやってだしぬけに言った。「ジャックがきてるの」

彼はにっこりした。

「まあ！」母親は声をあげ、くすくす笑った。母親がくすくす笑っている。「なにもかも承知したわよ。楽しみなさいな」

母親に、なにもかも承知されたくはなかったが、ことのなりゆきを見れば、承知されてもしかたがない。デイジーは電話を切った。「楽しみなさいなって」

「そのつもりだ」彼がまだまんなかに突っ立っているので、部屋はますます狭く見えた。

「どっちを先に満たす？　つまり、空腹のほうか、あっちのほうか。腹減ってるんじゃないか？」

デイジーは頭を振った。

「よし」ジャックが手を差しだした。

彼のキスのおいしさはじゅうぶんにわかっているつもりだった。もう一度キスされるまでは。小さく鼻を鳴らすと腕を彼の首に絡め、爪先立ちになって体を押しつけ、彼の貪欲《どんよく》な唇に自分の貪欲な唇をあわせた。

あの奇妙な、とろけるような興奮がふたたび体に広がり、膝の力が抜けたので、もたれかかって全体重をあずけた。すると、とろける感覚が全身に広がるスピードが速まった。ああ、彼ってすごく気持ちいい。体が興奮にどよめいていた。信じられないほど硬く締まった筋肉と、輝きを発しそうなほどの熱気が官能の繭《まゆ》となって彼女を包みこみ、全身の力を奪っていった。あとはもう彼の手のいいなりだ。さらに強く引き寄せられると、ごつごつした彼の体の窪みを、彼女の体のやわらかな曲線がぴたりと埋めていった。上体が反りかえり、腰のあたりに硬く膨張したペニスが当たった。小さく声をもらすと、キスが深くなった。自分の息が自分のものではなくなり、息をしているかどうかさえ気にならなくなった。

これが欲望。これが。熱く求めていた。空っぽの体が震えながら強烈に求めていた。緊張とけだるさ、鋭い疼き。**これがそうなの。**

デイジーは喘ぎ、力なく顔を仰《の》け反らせた。ジャックがここぞとばかり熱い唇を這《は》わせる。喉から下へ、このうえなく敏感な首のつけ根へと。そこに歯をあててこそぎあげ、肌に吸いつく。荒々しい歓びを抑えきれずに、デイジーの体が激しく震えた。膝は完全に力尽きたが、しっかりと抱きしめられているからだいじょうぶ。

彼の両手が狂おしいほどゆっくりと体のうえを動きまわり、乳房をこすり、ジッパーを下げてワンピースを肩からはずし、腕を引き抜き、ブラのホックをはずして取り去った。ふたりの腰はぴったりと密着していたので、ワンピースは落ちずにウェストのあたりで折り重なった。ようやく手が剝きだしの肌に触れ、乳首をこすって痛いほど硬く、ピンと立たせた。腕に背中をあずけて胸を反らすと、彼が乳房に顔を埋めて吸う。やさしくはないけれど、やさしくされる必要はなかった。デイジーは彼の頭をかき抱き、押しあてられた彼の唇に誘われて快楽の高みにのぼりつめると、歓びの声をあげた。

彼の肌に触れたい。デイジーは矢も楯もたまらずシャツを引っぱりあげると、ボタンもはずさずに無理やり脱がせようとした。彼は協力するあいだ顔を上げたが、デイジーを手放したくないから片手だけの応援だ。ふたりでシャツと格闘するうち、ボタンが二つちぎれ落ちた。ようやくシャツが脱げると、両腕が彼女の体に戻ってきた。強《こわ》い髪の毛がチクチクと乳房をつつき、親指と同じくらい上手に乳首をこする。全身がほてって疼いていた。こんなすてきな疼きは生まれてはじめて。全身が切迫した興奮と欲情で脈打っている。脚のあいださえも。

「嘘をついてたのね」デイジーは息も絶えだえで、自分がしゃべっていることにも気づかないほどだった。

「だれが?」喉もとでジャックが尋ねる。

「女の人。このことで」

「このこと?」どうでもいいような口ぶりだ。首のつけ根の感じやすい部分をまた見つけて、歯をあてる。

「どんな感じかってこと。これが」

「脚のあいだが」

「どんな感じ?」

「なんだか……ずきずきしてる」かろうじて言葉が出た。「脚のあいだが」

荒々しい声が彼の喉からほとばしり、全身が震えた。ペニスも脈打っている。「おれが止めてやる」その声はあまりに低くてかすれていたので、よく聞き取れなかった。

ジャックはデイジーの両脚をなであげ、体にフィットしたドレスをたぐって布地を腕の上に集め、パンティーのなかに両手を入れた。あたたかい掌が一瞬、ほんの一瞬だけ尻を包みこむ。それからどんどん下りていき、閉じた割れ目を探って隙間を見つけた。デイジーは喘いだ。声が詰まり、全身がこわばった。待ちわびた。期待で身動きできなかった。そして二本の太い指が滑りこんできた。全身の神経の先っぽがまるで暴動を起こしているみたい。もっと、もっとと見境なく求めて、体を弓なりにした。ああ、すごい。体が伸びて、貫かれている——なのに、まだ足りない。

潮が満ちるように高まってきて、腰が動きはじめた。「もっと」そう言うのがやっとだった。すすり泣き、乞い願う。「もっと」

パンティーを脱がされるあいだ、デイジーにできることといえば、ジャックにしがみつくことだけだった。ジャックはポケットからコンドームを出し、靴を脱ぎ捨て、残りの服もかなぐり捨てた。裸になった彼はよろめきながらソファに移動すると、坐ってデイジーを膝に乗せ、脚を開いてまたがらせた。すばやくぐいとコンドームを着け、彼女の尻をつかんで正しい位置に導いた。

唐突に時の流れが滞る。ペニスに脚のあいだをつつかれて、彼の肩をつかんだ。ペニスはなかではなくとば口をつついている。ここを開けて入れてくれとそそのかすように。

デイジーの呼吸が短い喘ぎに変わった。ジャックもうなり声をあげた。顎が引き締まり、首筋の筋肉が盛りあがっている。それでもそのまま耐えて、デイジーにペースをつくらせた。デイジーはそのことに驚き、満たされた。小さく前後に動き、硬いペニスで自分を愛撫し、腰を上げたり、揺らしたり――ああ。彼がなかに滑りこんできた。ほんの先端だけなのに、彼は歯を食いしばってもう一度、荒々しい声をあげた。彼の指が尻にくいこんできて、それからゆるんだ。

すみずみに広がり、満ちていく熱い興奮に集中するにつれて、デイジーはうっとりと遠くを見つめる目になった。もう一度腰を上げて下ろし、膨らんだ亀頭をそっくり受け入れた。ジャックはうめき、まるで痛がっているように顔を歪めた。尻をクッションの端までずらし、もっと深く入るように脚を開いた。デイジーは上下に動いた。目を閉じ、身をくねらせて位置をなおしながら、じわじわと貫かれるのを味わった。そしてついに、ついに彼のものが根もとまでおさまった。

魔法。

そんな感じだった。体が自分のものではなくなり、勝手に動き、のたうち、求めている。いままで触れられたことのない、体の奥深くで彼を感じ、彼の大きさと裸の体を満喫していた。彼のかすれ声を愛した。尻にくいこむ指の必死さを愛した。感覚の渦がきつくなるにつ

れ、熱くはりつめていく自分の体を愛した。前に乗りだして彼にキスしたとたん、不意にな
にもかもが限界に達し、感覚が爆発した。あたりがぼやけた。自分の叫びとすすり泣きが聞
こえ、腰が激しく彼にぶつかるのがわかる。気がつくと仰向けにされていて、体の上で彼が
懸命に動いていた。ふたたびクライマックスを迎えた直後、彼も体をこわばらせ、絶頂のう
なり声をあげた。

ジャックの重たい体とセイヨウバラ柄のクッションに挟まれて、デイジーは余韻にひたり
ながらぐったりと横たわっていた。ふたりのお腹は汗でくっついていたが、その脇を涼しい
風がなでていく。彼の喉もとに鼻を擦り寄せ、濃厚なムスクの香りを吸いこんだ。こめかみ
に、彼がキスしてくれた。

「教会にいたときから、ポケットにコンドームを入れてたのね」そのことに思いあたったと
たん気恥ずかしくなり、ぽつりと言った。

「ああ。思いがけない幸運が降ってくるのを待ちかまえてたからな」話すのもやっとという
ように、かすれた声だった。

彼の背中の筋肉をなぞり、ひんやりした尻までなでおろす。「一個しか持ってないの？」
デイジーはささやいた。

ジャックは首をもたげてほほえみかけた。眠そうな目をして、髪は汗に濡れて色が濃くな
っている。「あんたこそ、パーティー・パックを持ってるだろ？」

15

その日の午後、デイジーの夢が現実となった。まず栄養補給しなければとジャックが言うので、アイスクリーム・バーを手に握らせてベッドルームに連れていった。彼がヴァニラアイスを舐めているあいだに、デイジーはベッドカバーを折り返した。それからジャックをベッドの上に押し倒して飛び乗り、彼の引き締まった裸体に猫のように体をこすりつけた。脚のあいだでぴくりと動くものを感じ、好奇心に負けた。体を離してかたわらにひざまずき、両手で勃起したペニスを包みこんで、楽しげにしげしげと眺めた。

こんな午後が夢だったし、ずっと知りたかったことなので、屈みこんで彼のものを口に含んだ。しょっぱくてムスクの香りがする。ペニスが脈打ち、膨張してくるさまがとても気に入った。うっとりしながら舐めまわし、睾丸のほうに続いている裏側を探索しはじめた。

ちょっと性急すぎたのかもしれない。彼が「おれの番だ」と言うなり彼女を押し倒したところをみれば。たちまちのしかかってきて、太腿のあいだに陣取ってデイジーを押さえつけた。肘で体を支え、にやりと見下ろす。「あとで好きにさせてやる、約束する。だが、いまはだめだ」

彼の重みが気持ちよかった。かすかに身をよじり、彼の腰が脚のあいだにぴったりはまる感触を楽しんだ。彼のためだと、なんて自然に脚が開くのだろう。この体位はすてきだし、心地いいし、興奮する。「なぜいまはだめなの？」

「おれがあんたを好きにしたいから。それにおれのほうが偉い」

というわけで、ジャックはしかるべき場所でいちいち道草を食いながら、デイジーの体にキスしてまわった。ようやくそうしてほしい場所に彼がたどりつくころには、クライマックスのあまりの強烈さに死んでしまうかと思った。オーラルセックスはなにからなにまですばらしいと〈コスモポリタン〉に書いてあったけれど、ほんとうにそのとおりだった。ジャックはなにしろ上手なんだもの。余韻のなかで震えていると、這いあがってきたジャックのペニスにまたもやつつかれた。「パーティー・パックは？　いまこそ必要だ」

「起きあがらせて」疲れと期待に喘ぎながら言った。「取ってくる」

ジャックがどくと、デイジーはよろよろとクローゼットに向かった。パーティー・パックは棚の上の貝殻コレクションを入れた箱の下にしまってある。引っぱりだして、セロファンの包装を破り、よく確かめずにひとつ取り出してジャックに渡した。

なんともいえない表情が彼の顔に浮かんだ。「紫のコンドームなんかつけないぞ」そう言って突っ返す。

デイジーはコンドームを見下ろした。「グレープですって」

「砂糖漬けだろうが関係ない。おれは紫のコンドームなんかつけない」

その気色の悪いコンドームをラグの上に放り、別のものを取り出した。ブルーベリー。じっと見てから鼻に皺を寄せ、それも捨てた。

「青のどこが悪い？」

「なんだかあなたが……凍ったみたいに見える」

「信用しろよ、凍るもんか」それでも、ジャックは青いコンドームを拾わなかった。デイジーはチェリー味を取り出したが、紫に近い赤だったので頭を振った。

「それもまずいのか？」

「別に。病気に見えてもよければだけど」

「やれやれ」ジャックはベッドにごろりと横になり、哀願するような目で天井を見上げた。

「そのなかにはちょうどいいピンクはないのか？　バブルガム味は？」

「たぶん赤紫のじゃないかしら」あいまいにつぶやきながら、それを取り出して確かめた。こんな色のバブルガムなんてみたことない。匂いをかぐと、袋を通してかすかな香りがした。なんだかよくわからないけれど、絶対にバブルガムじゃない。たぶんストロベリーだろう。どちらにしろ、あまり好みではない。箱の中身をひっくり返して探したが、バブルガム味らしきものは見あたらなかった。「だまされたみたい。バブルガム味なんてないわ」

「あした逮捕状をとる」だんだんやけになっている。「スイカを試してみよう」

やっぱり、スイカ味のコンドームは緑色だった。唖然としてジャックを見つめた。「まるで壊疽《えそ》にかかったみたい」

ジャックはベッドから飛び降りて、紫のコンドームをつかむと、透明な袋を破った。「おれが紫のコンドームを着けたなんてばらしたら――」

「ばらさない」デイジーは目をまるくして約束した。ジャックはデイジーをベッドに放り投げ、すばやくぐいと突き入れた。それでふたりとも色のことは忘れた。

裸で男と過ごすことがあまりにもすばらしいので、慎みなど考えもしなかった。純粋に彼を楽しみ、強烈なセックスだけではなく、終わったあと、腕にくるまれ肩に頭をあずけて一緒に横たわることの楽しさに目をみはった。何年間もこれを知らずに過ごしてきたなんて。彼から手を離すことができなかった。離そうとするたびに、掌がむずむずしはじめるので、あきらめて心ゆくまで彼をなでた。「とっても引き締まってるのね」彼の波打った腹筋に手を滑らせて驚嘆した。「しょっちゅう鍛えてるんでしょう」

「習慣になってるんだ。部隊ではコンディションを整えておかなくちゃならない。それに『しょっちゅう』じゃないよ。一日一時間でいい」

「『部隊』って?」

「SWATにいた。シカゴとニューヨークで」

デイジーは肘をついた。「SWAT? あの黒ずくめの格好をして大きな銃を抱えた人たち?」

ジャックはにやりとした。「ああ、あのなかのひとりだった」

「それを捨てて、ヒルズボロみたいな小さな町にきたの?」

「忙しすぎて疲れてきたんだよ。ベッシーおばが亡くなって家を相続した。それに、ひとりの人間として小さな町で暮らしてみたいと思ったし」

「生活を変えることに問題はなかったの？」

「言葉の問題だけだな」もう一度、にっと笑った。「いまならおれも、ここの人たちとまったく同じように『みなさん《ヨール》』って発音できるぜ」

「うーん――だめ、なってない」

「嘘だろ？　おれの『みなさん』がぜんぜん本物じゃないって言うのか？」

「南部訛《なま》りをまねてる生粋のヤンキーってとこね」

いつのまにか、気がつくとまた彼の下になっていた。この人って、猫みたいに動けるんだ。

「南部女とやる生粋のヤンキーのほうは？」ジャックが喉もとでささやく。

デイジーは彼の首に腕を回した。「そっちは完璧だったわ」

ジャックは首をめぐらし、床の上にずらりと並んだカラフルなシリアルのようなコンドームを眺めた。「紫はもうごめんだな。黄色はどうだ？　たぶんバナナ味じゃないかな」

デイジーは顔をしかめた。「ウエッ。黄色はやめて」

ジャックはいらいらして言った。「色つきが嫌いなのに、なんだって色つきを買ったんだ？」

「あら、だって**使う**つもりはなかったんだもの」デイジーは目をぱちくりさせて彼を見た。

「見せびらかすだけのはずだったの。知ってるくせに。わたしがこれを買ったってことを、ミセス・クラッドが友だちに話すでしょ、そしたらその友だちがまた友だちに話すでしょ、すると町の独身男性が聞きつけて、わたしに興味を持って誘いにくるってわけ。それなのにあなたったら、わたしたちがつきあってるってミセス・クラッドに思わせて、計画を台無しにしたのよね」

彼の顔に浮かんだ表情は、なんとも言いがたかった。咳きこんでちょっとむせ、咳払いをした。「そりゃまた……名案だ」

「わたしもそう思ったのよ。ウォルマートやチェーン店で買ったってしょうがない。バーバラ・クラッドなら町いちばんの噂好きだから、いつもお客さんが買ったものを言いふらすの。ミスター・マクギニスがバイアグラを買ったって知ってる?」

率直で裏表のない議員を思い出して、ジャックはもう一度咳をした。「あー、いや、知らないな」

「ミセス・クラッドがみんなにしゃべったのよ。だから、わたしのコンドームのことも言いふらすってわかってたわ」

ジャックはデイジーの肩に顔を押しつけ、深呼吸した。デイジーは少し震えている彼を抱きしめた。「まあまあ、これが田舎生活ってもんよ。すぐに慣れるわ」

頭をもたげてデイジーの目がいたずらっぽく輝いているのを見て、ジャックは笑いをこらえる努力をやめた。「おれにバイアグラが必要になったときには、クラッズ薬局に行かないように言ってくれ」

デイジーは、太腿の内側に押しつけられた硬いものに考えをめぐらせた。「まだしばらくは必要ないと思う。そんなに速く、また硬くなるなんて思ってもみなかった。わたしが読んだどの記事にも——」

キスされて、デイジーは蜜を味わうためにおしゃべりをやめた。彼が顔を離すと、眠たげな目になっていた。「どうやらその気になりっぱなしだ。でなけりゃ、挑発されてるんだ」

デイジーは異を唱えた。「挑発している人がいるとすれば、それはあなた——」

「おれは七十二個もコンドームを買ってないぜ」

一瞬押し黙って、その言葉に隠された意味を考え、それから満足げな笑みを浮かべた。

「わたしの計画は成功したってことじゃない？　いちおうはね」

「成功だな」彼はしゃがれた声で言った。「さっきからバブルガム味のことが気になってるんだ」

電話が鳴って、ふたりの邪魔をした。デイジーは顔をしかめた。電話なんか出ないで、ジャックと楽しみたい。デイジーがなかなか出ようとしないので、とうとうジャックが言った。

「出ろよ。おふくろさんかもしれない。あんたの無事を確かめにやってきたらまずいだろ」

デイジーはため息をついて彼の下で体を伸ばし、受話器をひっつかんで耳にあてた。「デイジー・マイナーです」

「こんにちは、お嬢さん。昨日のハントはどうだった？」

トッドだった。いつもだったら彼とおしゃべりするのは楽しいけれど、いまは違う。「またけんかがあったから、さっさと帰ってきちゃった。これからは別のクラブに行くことにするわ」あ、しまった。ジャックの前でこんな話をするんじゃなかった。わざとジャックから目をそらした。

「どこがいいか調べてみるよ。ということは、いい人はいなかったんだ？」

「ええ。三曲しか踊れなかったし」送話口から顔を離して、部屋のなかのだれかに声をかけているふりをする。「そんなに長くならないから。先にはじめてて」

「ごめんね。お友だちがきているのに邪魔しちゃったね」トッドはすぐに言った。「あとでかけなおすよ」

「あら、いいのよ」嘘をついていることをうしろめたく思いながらも、これからセックスできるというときに電話で長話なんてしたくなかった。

「お友だちと楽しんで」トッドはやさしく言った。「じゃあね」

「じゃあね」おうむ返しに言って、手探りで受話器を戻した。

「友だちがきているふりをしたな」ジャックは肘をつき、彼女を見下ろした。「この嘘つきめ」

「友だちはいるじゃない。あなたが」

「でもぜったいに、あんた抜きで先にはじめてほしくないだろ」

「ぜったいにいや」

「で、〝旦那探し計画〟にはだれかが一枚嚙んでるんだ。だれだ？」

「トッド・ローレンス」ジャックの腕と肩に手を滑らせながら言った。「髪型とお化粧と、洋服を変えるのを手伝ってくれたの」

ジャックは眉を吊りあげた。「トッド」

思い違いじゃなかったら、彼の声にはかすかに嫉妬が含まれていた。ぞくぞくしたが、すぐに言い添えた。「あら、彼はゲイよ」

「いいや、違うね」その言葉はデイジーをびっくりさせた。

目をぱちくりさせた。「まさか、違わないわよ」

「もしおれの知ってる、あのでかいヴィクトリア調の家に住んでいて、ハンツヴィルでアンティーク・ショップをやってるトッド・ローレンスだったら、そいつはゲイじゃない」

「そのトッドよ」デイジーは眉をひそめた。「まちがいなくゲイだわ」

「まちがいなくゲイじゃない」

「なんでわかるのよ」

「ほんとうなんだ。おれは知ってる。あのピュースの検査に合格していようが、関係ない」

「トッドは買い物上手なのよ」あくまで意見を変えない。

「ふん、おれだって買い物上手だ。車や拳銃とか、そういうものに関してだったらな」

「トッドは服の買い物がうまいの。それにアクセサリーのつけ方だって詳しいし」デイジーは勝ち誇ったように言った。

「そりゃそうかもしれないけど」ジャックは認めた。「でもあいつはゲイじゃないんだ」

「そうだってば！　どうして違うって思うの？」

ジャックは肩をすくめた。「女と一緒のところを見たんだ」

デイジーは一瞬あっけにとられたが、理由を思いついた。「たぶん、その女の人と買い物してたのよ。わたしだって女だし、トッドはまる一日つきあってくれたもの」

「あいつはその女の喉に舌を這わせてた」

ぽかんと口があいた。「でも——でも、だったらなぜ、ゲイのふりなんかするの？」

「さあな。その気になれば、あいつは火星人のふりだってできるさ」

デイジーはおろおろと首を振った。「トッドはバーブラ・ストライザンドが好きなのよ。部屋でCDを見たわ」

「ストライザンドが好きなストレートの男だっているだろ」

「そうね。あなたはどんな音楽が好き？」

「クリーデンス・クリアウォーター。シカゴ。スリー・ドッグ・ナイト。まあ、古いやつ《クラシック》だな」

デイジーはジャックの肩に顔を押しつけてくすくす笑った。その声が気に入ったのか、ジャックがほほえんだ。「ああ、おれは懐メロ野郎だ。あんたはどうなんだ？　待て、当ててみよう。本物のクラシックが好きだろ？」

「ずるいわ。リビングの棚にあるコレクションを見たんでしょ」

「おれがあそこにいたのは、そうだな、あんたがおふくろさんと電話してた一分間くらいなもんだ。あんたのコレクションをじっくり見る余裕はなかった」

「あなたは警官だもの。ものごとを観察する訓練を受けてるはず」

「おいおい、おれはあんたと寝ることばかり考えてたんだぜ」

「わたしのソファは何色でしょう?」

「青地にでかい花柄だ。気づいてないとでも思ったのか? ソファでさんざん楽しんでおきながら」

デイジーは幸せそうに息を吐いた。「そうね」

「でも、ひとつだけあんたが正しい。おれは警官だから、観察眼はある。たとえば、次はどのクラブに行くつもりだ?」

チェッ! 気づかれたか。「どうしようかしら」答えを濁した。「まだ決めてないの」

「じゃあ、決まったら教えてくれ」聞いたことがないくらい、真剣な声だった。「本気なんだ。ひとりで出かけるんだったら、どこに行くか知らせてほしい」

デイジーは下唇を噛んだ。どこかに出かけるたびに彼が現われて、ダンスに誘ってきた人たちを追い払ったらどうなるかしら? でも安全に関して言えば彼が正しい。この件については聞きわけよくしておかなければ。それに、文字どおりいまは難しい体勢だ。裸で仰向けにされて、押さえつけられているんだもの。

「約束してくれ」ジャックは食いさがった。

「約束する」

ちゃんと約束を守るか重ねて尋ねはしなかった。そうすると信じているのだろう。ジャックはデイジーの額に自分の額を押しあてた。「無事でいてほしいんだ」そうささやいて、キスした。

あいもかわらず、一度のキスがまた別のキスをもたらし、そのうちデイジーは興奮にわれを忘れてジャックにしがみついた。彼の腰に脚を巻きつけると、彼はうめき声をあげて覆いかぶさってきた。何度かぐいぐいと突いたあと、いきなり悪態をついて引き抜いた。ベッドの端から身を乗りだし、やみくもにコンドームを引っかきまわす。「何色でもかまうもんか」しゃがれ声で言った。

デイジーも、何色でもよかったので、確かめもしなかった。避妊具なしにやってしまったことに動揺していた。ほんのしばらく入れていただけだけれど、多少のリスクはある。彼がまた覆いかぶさってきて、デイジーも彼の激しさに対抗して、与えてくれるものはなんでも貪欲に求めた。

終わって疲れ果てたデイジーは、ジャックに寄り添ってまどろんでいたが、彼のほうは天井を見つめながら、トッド・ローレンスがいったいなにを目論んでいるのか考えていた。なにかが進行中だという気がして不安になる。まったくいやな感じだ。この不安がデイジーに関係しているとなれば、なおさらだ。自分はやけに耳がよく、あのときデイジーは自分の下に横たわっていて、受話器がすぐそばにあったから、ふたりの会話は一言一句聞きとれた。まちがいなくトッドが怪しいといえるような噂は耳にしていないから、自分を突き動かしているのは警官の直感でしかない。だが、デイジーは特定のクラブにおびきよせられているように思える。こんなシナリオはまったく気にくわない。

ピータースンと話をしてから、日曜日を除いて毎晩バーやナイトクラブを回ってきた。一度、デートレイプ・ドラッグを使っているらしき場面を目にした――それが木曜日のバッファロー・クラブだったのだ。クスリを盛られたように見えた女は、ふたりの女友だちと一緒にきていた。ジャックがさりげなく三人に尋ねたところ、彼女たちは男に飲み物を買ってもらってもいなければ、ダンスやトイレに立っているあいだに飲み物をほったらかしにした覚えもないと言う。そんなわけで、はたしてクスリが入れられたのか、そうだとしたらいつだったのかはわからなかった。

だが、ほかのふたりは車の運転ができるくらいしらふなのに、三人めだけがフラフラというのはおかしい。クスリを盛られたにちがいないと、疑いが深まった。ジャックはふたりを手伝って三人めを車に乗せると、飲み物になにか入れられた可能性があるので病院に連れていくようにと小声でつたえ、三人が乗った車が見えなくなるまで見送ってから店に戻った。

そんなわけで用心のため、金曜日と土曜日にもバッファロー・クラブへ確かめに行ったのだが、ずっとめだたないように動き、騒ぎも引き起こさず、警官の身分も明かさなかった。どこかのくそったれが女の飲み物にGHBかなにかをこっそり入れているとすれば、その男を警戒させるような真似はしたくなかった。ただ見張りをして、もし女性がトラブルに巻きこまれそうになったら邪魔をする程度に留めておいた。そして翌朝、ピータースンに電話して、手がかりが見つかったようだとつたえた。

　昨夜は乱闘のせいで早めに切りあげることになったが、ダンスフロアにデイジーを見つけたときには心臓が止まりそうになった。デイジーは、ほかの女たちと対照的にシックな服装をしている自分がどんなにめだっているか、わかっていないようだ。男たちは彼女を見ていたが、それはダンスが上手だったからだけではない。男たちはあの脚や、楽しくてたまらないと言いたげに輝く瞳を見ていた。あの胸や、あの赤いドレスが胸にぴったりと貼りついているようすに目を奪われていたのだ。裸の彼女が腕のなかにいるいまでさえ、あの胸を思い出すとよだれが出てくる。わがミス・デイジーはいい胸をしている。でかくはないが、文句なしにいい胸だ。

　デイジーは亭主と子どもをほしがっている。自分は子どもどころか女房もほしくない。それでも、デイジーがクラブで心底惚れられる男と出会い、そいつとつきあったり寝たりして、ついには結婚なんてことになったらと思うと、胃がキリキリと締めつけられるようだ。単なる男の独占欲なのだろうが。そんなシナリオはまったく気にくわない。まずコンドームを着けないで入れたことに気づいたとき、ほとんど自制心を失い、彼女のなかでイキたいという考えにそそのかされて、ほんの一瞬だけ、そのまま突きつづけてしまった。もし彼女を妊娠させたら——よし、結婚しよう。約束したじゃないか。ミス・デイジーとの結婚生活は、あのあばずれのヘザーと送った結婚生活よりなんぼか楽しいだろう。よくもあんなに長く耐えていたものだ。

結婚を考えても逃げだしたくならないとは、いやはや面倒なことになった。眠っているデイジーの顔を見下ろし、そっと裸の背中をなでた。コンドームなんかやめて、あとはなりゆきまかせにするか。いいや、彼女にそんなことはできない——彼女がほかのだれかと真剣につきあうそぶりでも見せないかぎり。そんなことになったら、汚い手を使ってでも彼女を勝ち取ってやる。

16

飼い主が大声で命令しているのに、膝くらいの高さの草むらを、イングリッシュ・セッターが楽しそうに駆けまわっていた。その犬は幼い牝犬で、野原に出てきたのは二回めだった。飼い主は庭でいろいろなおとりを使い、獲物を探して拾ってくる訓練をほどこしていた。庭ならいつも狩猟本能がまさっている。ところが野原に出てくると、はちきれんばかりの若さが勝ってしまうことがあった。野原は探りたくなるようなおもしろい匂いにあふれている。鳥に鼠、昆虫や蛇の濃厚な匂い。見たことはないけれど、追跡したくなる。

朝の空気には、とりわけ興味を引かれる臭気が漂っていて、犬は野原を囲む森へと誘われていった。うしろで飼い主が怒っている。「こんちくしょうめ。ルル、ついてこい《ヒール》!」ルルはついてこず、ただ尻尾を振って、ほかより強く臭っている藪《やぶ》に飛びこんでいった。地面を嗅ぎながら、敏感な鼻を震わせている。飼い主が怒鳴った。「ルル！　こっちにこい！　どこにいるんだ？」――ルルは尻尾を振って穴を掘りはじめた。

飼い主は揺れているふさふさの尻尾を見つけ、ひと息ごとに毒づきながら、絡みあった葡《ぶ》萄《どう》や茨、下生えの藪をかきわけて進んだ。

臭いが強くなるにつれて、ルルはますます興奮した。うしろに下がって自分の興奮を知らせるように吠え、また藪に飛びこんだ。ルルはめったに吠えないので、飼い主は急に不安になって、足を速めた。「どうした？　蛇がいたのか？　こい、ルル、こっちにこい」ルルはなにかをくわえて引っぱりはじめた。それは重そうで、動きそうにもなかった。ルルは土をうしろに飛ばしながら掘りつづけた。

「ルル！」飼い主が追いつき、首輪をつかんで引き寄せた。ガラガラ蛇を追い払わなければならなくなったときのために、折れた大枝を手にしている。そして、ルルが掘り出したものを見つめ、ルルを引きずりながらよろよろとあとずさった。「なんてこった！」

こんなことをした張本人が待ち受けているのではないかと、彼はやみくもにあたりを見まわした。だが、聞こえるのはそよ風が木の葉をさわさわと揺らす音だけだった。彼とルルに驚いて、鳥たちも飛び立ったかじっと黙っているが、遠くのほうでは鳴き声やさえずりが聞こえていた。銃声が静けさを破ることもなく、大きなナイフを持った狂人が、彼めがけて木のあいだから飛びでてくることもなかった。

「行くぞ、ルル。行こう」首輪に引き綱をつけ、犬の脇腹を軽く叩いた。「よくやった。電話を探しにいくぞ」

テンプル・ノーランは、車のナンバーが書かれた紙を見下ろした。不安の冷たい指先が背筋をなでおろすのを感じる。ミッチェルが殺されるところを、どこかの女が目撃していた。

もっともサイクスは、その女がなにも見ていないと考えているようだ。あの暗闇ではなにが起きているのかわかるはずがない。そう考える根拠は、女が落ち着いてバッファロー・クラブに入っていったことだ。

サイクスが正しいと信じこもうとしたが、腸はよじくれたままだ。紐《ひも》の先がほどけていると、だれかがたぐってすっかりほどいてしまうこともありうる。サイクスは助っ人ふたりにまかせたりしないで、自分でミッチェルを始末するべきだった。彼らはミッチェルが人目につかないところにくるまで待って、それから捕まえるべきだった。彼らは――くそっ！――もっとちゃんとやるべきだった。だが、もはや手遅れで、被害を最小限に留め、これ以上広がらないことを祈るしかない。

ノーランは公務用の電話を取り、ラッソ署長の内線番号にかけた。一度のコールでエヴァ・フェイが出た。「エヴァ・フェイ、テンプルだ。署長はいるかな？」ノーランはいつも自分のファースト・ネームを使うようにしている。ひとつには、人びとを協力的な気分にさせるからだ。もうひとつ、ここはちっぽけな町だから、肩書きを使うことにこだわると、町長風吹かして偉ぶっているという噂がすぐに広まる。ノーランは広い家に住み、ハンツヴィルのカントリークラブと、ヒルスボロのカントリークラブとは名ばかりのみじめなクラブに属している。上流の者たちとしかつきあわないが、気さくな南部男のようにふるまっているかぎり、再選されることはまちがいない。

「おりますわ、町長」エヴァ・フェイが答えた。

署長が電話に出た。太い声はほとんど吠えているように聞こえる。「ラッソです」

「ジャック、テンプルだ」ここでも〝ファースト・ネーム商法〟。「じつは今朝、ベネット医師の診療所の前にある防火帯に、車が駐まっていたんだよ。ナンバーを書き留めておいたんだが、保安官に切符を切るように電話して、病気の方を困らせたくないんでね。ナンバーを調べて持ち主の名前を教えてもらえれば、わたしから電話して、もうそこに駐めないようにつたえようと思うんだが」ノーランほど、気さくな南部男のふりができる者はいないだろう。

「いいですよ。ちょっとペンを探します」署長はまったく驚いていないようすだ。小さな町のしきたりに慣れてきている。「どうぞ」

ノーランはナンバーを読みあげた。

ラッソ署長は言った。「一分とかかりませんから、そのまま待っていただけますか？」

「もちろん」

コンピュータのスクリーンに情報が表示されると、ジャックは信じられない思いで見つめた。厳しい表情でそのまま一分ほど坐っていた。それから情報をプリントアウトして、その紙を持ってオフィスに戻った。

だが、受話器は取らなかった。町長は待たせておけ。

車は所有者がデイシンダ・アン・マイナーで、引っ越す前のデイジーの住所で登録されている。車種は八年もののフォードだから、まちがいなくデイジーのものだ。本名がデイジーではなくデイシンダだとは知らなかった。やれやれ、デイシンダなんて名前をつけられたら、おれだってデイジーに変えるだろう。

いったいどういうことなのか見当もつかないが、ひとつだけわかっている。町長は嘘をついている。デイジーなら防火帯に駐車したりしない。広場を裸で駆け抜けないのと同じで、ぜったいにしない。スピード違反もしなけりゃ、横断歩道以外で道を横切ったりもせず、汚い言葉遣いさえしない。

それればかりでなく、デイジーは今朝、ベネット医師の診療所には行っていない。昨日の夜はずっと一緒にいたのだから、彼女が元気だったことはわかっている。健康そのものだった。特大の笑顔を浮かべていた。彼は着替えるために自宅に寄ったが、署についたときには、彼女の車は図書館の裏のいつもの場所にあった。

いったいだれが、そしてなぜ、デイジーのナンバーを調べているんだ？

ジャックはすばやく考えをめぐらせた。盗まれたナンバーだと嘘をつくことはできるが、町長は車の特徴を知っているのだろうか？　もしくはデイジーの車だと教えて、ことのなりゆきを見守るか。

はじめはトッド・ローレンス、次はテンプル・ノーランか。一介の図書館司書に集まる関心としては度を超えているし、あまりにも細部が嚙みあわない。漠然とした不安だったものが現実味をおびてきて、肩胛骨のあいだがほんとうにむず痒くなってきた。

デイジーと自分の噂が町長の耳に入っている確率はどれくらいだろう？　交際範囲は重な

っていない。仲間意識が強いわりには、町長は町の人間とあまりつきあわない。職務上、つきあうことはあるが、そこまでだ。気さくにふるまうのがうまいから、ほとんどの町民には気づかれていないし、ときどき公務を欠席するのは、酒浸りの妻のジェニファーのためだということになっている。町長がたびたび妻を都合のいい言い訳に使っていることに、ジャックは気づいていた。

ジャックは受話器を取って、自分の直感に従った。「お待たせしてすみません。今日はコンピュータの調子が悪くて」

「かまわないよ、急いでるわけじゃないからね」ノーランは愛想よく言った。「で、該当者はだれだったかな?」

「この名前には聞き覚えがないな。デイシンダ・アン・マイナーですが」

「は?」明らかにノーランはぽかんとした。

「デイシンダ・マイナー——そうだ、図書館の人じゃないかな。たしか、マイナーという名字だった。名前はデイシンダじゃなくて——」

「デイジーだ」ノーランはわけがわからないという口ぶりだった。「みんなにデイジーと呼ばれている。なんてことだ、彼女が——」

「図書館員でも、違法駐車することはあるでしょう」

「ああ——そうだな」

「おれが電話してきつく言いましょうか?　公務員ともあろう者が、常識をわきまえないなんて」

「いや、わたしがかけるよ」ノーランはすばやく答えた。

「わかりました」ジャックには、電話などしないとわかっていた。「またなにかあったら知らせてください、町長」

「ああ、頼むよ。ありがとう」

ノーランが電話を切ったとたん、ジャックは公共機関のリストを指でたどって、図書館の電話番号を見つけ番号を押した。

「ヒルズボロ町立図書館です」てきぱきしたデイジーの声だった。

「やあ、スイートハート。元気にしてるか？」

「元気よ」あたたかく、親しみのこもった口調になった。「あなたは？」

「ちょっと疲れてるが、まあ今日一日ぐらいなんとかもつだろう。じつは、ベネット先生の診療所の前であんたの車を見たって人がいたんだ」

「そんなはずないわ。あんなインチキ医者。ダイエットピルを売りつけるのよ」

ジャックはベネット医師の名前をメモ用紙に書き留めて、あとで忘れずにこの〝名医〟の処方箋を調べようと思った。

「それと、あんたの名前はデイシンダらしいな。ほんとか嘘か？」

「今日はいろんなことを聞いたのね。ほんとうよ、町の職員名簿に目を通してもらえればわかるわ。わたしの名前は、祖母にちなんでつけられたの」

「デイシンダって呼ばれたことはないだろ？」

デイジーは気取って鼻を鳴らした。「そう願いたいわね。母が言うには、赤ん坊のころはデイジーって呼ばれてたんだけど、一カ月か二カ月そこらで、だんだんデイジーに変わったんですって。わたしはデイジーって呼ばれていた記憶しかないわ。わたしの名前に、どうしてそんなに興味を持ったの？」

「ちょっと話がしたくて。最後に声を聞いてからしばらくたったからな」

「まあ、一時間半ってところじゃない」

「もっと長く感じるよ。昼休みは家に戻るのか？」

「いいえ、ジョーおばと話したところなんだけど、犬を見つけてくれたそうなの。おばが段取りしてくれて、お昼に会うことになってる」なんだか残念そうな声だった。

自分の半分でもデイジーは残念に思っているのだろうか。だが、デイジーにとって犬を飼うのは大事なことだし、こっちはいろいろ調べることに時間を使えばよい。しばらく町長を尾《つ》けて、どこにいくか確かめてみよう。

「じゃあ、今夜は調べ物があるんだが、できたら寄るよ。いつも何時ごろに寝るんだ？」

「十時よ。でも――」

「無理だったら電話する」

「わかった。でも無理しなくても――」

「いや」思ったよりも、ぶっきらぼうな声になってしまった。「そうする」

そんなにむっつりした声を出さなくてもいいのに。デイジーは電話を切りながら思った。ジャックに執着したり、時間を割いてくれと迫るつもりはなかった。ちゃんと分別を働かせ、次にいつ会えるか尋ねたりしなかった。もっとも、また会えるとわかっていた。男というものは、セックスが気に入らなければ、午後をまるまる使ったあげく夜明けまでつづけたりしないはずだ。

ラシター・アベニューに住む利点がひとつある。だれと夜を一緒に過ごそうが、だれも気にしないことだ。引っ越してきたばかりだから、近所の人は彼女を知らないし、いつもどの車がドライブウェイに駐まっているかわからない。百人の視線に見張られているような気にならずにすむのは、生まれてはじめての体験だった。ジャックといると自由な気分になる。好きなようにしてもよい自由、絶頂に達したときに声をあげてもよい自由、さっとエネルギーを補給するために、キッチンで裸のままピーナツバターつきのクラッカーを食べる自由。ジャックが何時に帰るか近所じゅうに監視されることもなく、ひと晩じゅうドライブウェイに彼の車があっても舌打ちされることもなく、彼との関係をつづけることができる。

だいたいのところ、デイジーは事態の進展にとても満足していた。ただ、今日のやることリストのなかには、**もっとコンドームを買うこと**というのがある――フレーバーつきじゃなくて、普通のものを。コンドームは、またクラッズ薬局で買うつもりだった。彼女は〝あれ〟が好きだとバーバラに思わせてやれ！　ジャックが一週間で六ダースのコンドームを使いきったという噂が広まったら、女たちのあいだで彼の株はますます上がるにちがいない。

昼休みになって、デイジーは実家まで車を運転してイヴリンとジョーおばを拾い、犬を選びにマイリー・パークの家へ向かった。

ミセス・パークは、ヒルズボロから数マイル離れた美しい地域の、フェンスに囲まれた広大な庭のある小さな木造家屋に住んでいた。エプロンで手を拭きながら笑顔で三人を出迎えるミセス・パークと一緒に、ゴールデン・レトリーヴァーが嬉しそうに尻尾を振って、跳ねるように出てきた。

「サディー、お坐り」犬は素直に坐ったが、訪問者たちに挨拶したくてうずうずしている。

ミセス・パークは門をあけて言った。「急いで、あの子たちがくる前に門を閉めなきゃ」

「あの子たちって?」言われたとおり急いで門をくぐりながら、イヴリンが訊いた。ミセス・パークがさっと門を閉めたとたん、家の角をまわって子犬たちがもつれあうように駆けてきた。

「このちっちゃな悪魔たちは、稲妻みたいにすばやいのよ」ミセス・パークは、かがんでサディーの頭をなでながら言った。「門のあく音がしたとたん、すっとんでくるの」

サディーは立ちあがって、鼻の数をかぞえているように、順番に子どもたちに鼻を寄せて確認した。子犬たちは、先にママに飛びついておっぱいをもらうか、それとも新参者を調べにいくか、どっちにするか決められないらしい。前後に飛び跳ね、短い尻尾を懸命に振っているので、体全体が揺れているように見えた。

「まあ」デイジーは息を呑み、草の上に坐りこんだ。「まあ!」五匹しかいないのに、十二匹はいるように見えるほど、子犬たちは元気いっぱいだった。デイジーが坐ったとたん、子犬たちは調べにかかり、瞬《また》くまに膝の上は子犬であふれた。膝に上って顔を舐めようとしたり、髪の毛に嚙みついたり、靴を齧《かじ》ったりしている。

三匹は深みのある金色で、あと二匹は白に近い淡いクリーム色だ。みんなまるまると太り、まるで毛糸玉に輝く目をつけたみたい。ぽってりとやわらかな足は体に似合わない大きさだ。赤ちゃんらしくふんわりとした毛に、デイジーは思わず手を埋めたくなった。

「木曜日で七週めよ」ミセス・パークが言った。「二週間前からサディーが離乳させはじめて、この一週間は、子犬用のドッグフードだけ食べさせてる。一回めの予防注射は終わったわ。獣医に連れていくのは、そりゃもう楽しかったわよ!」

「どの子もきれいね」デイジーは、すでに夢中になっていた。頭がくらくらする。「全員連れていきます」

みんなが笑ったので、デイジーは自分がなにを口走ったのか気づいた。「ええと、一匹だけにしておいたほうがよさそうね」頰を赤くして、自分でも笑った。

「いいお宅だってわからなければ、サディーの子どもはお渡ししてないの」ミセス・パークが言った。「ゴールデン・レトリーヴァーは元気がよくて、たくさん運動をさせなくちゃならないのよ。安全に走りまわれるような場所がなかったら――」

「裏庭にはフェンスがあります」急にこのかわいらしい子犬を飼えなくなるかもしれないと

心配になり、デイジーはあわてて言った。

「広いお庭かしら？」

「広大とはいえませんけど」

「まあ、子犬にはじゅうぶんね。大きくなったら、狭い庭で遊ばせるだけじゃなくて、もっと運動させなくちゃならないけど。時間をかけてお散歩に連れていったり、ボールを投げてやったり、泳ぎに連れていったりできる？」

「できます」どんな約束でも喜んでするし、なんでもやるつもりだ。

「人間と一緒にいるのが好きなの。いいえ、**大好き**と言ったほうがいいわね。昼間、一緒にいてやる人がいるのか、それとも仕事で留守のあいだ、犬だけ裏庭に置いておくつもり？」

そこまではまったく考えてなかった。振り返って、助けを求めるように母親を見た。

「昼間はあずかってあげる」イヴリンが言った。

「辛抱できるかしら？　ちっちゃな悪魔たちは、想像以上の悪さをするわよ。なにかを置きっぱなしにしたら、かならず噛んでぐちゃぐちゃにされるわ、とくに歯が生えはじめたらね。でも、懸命に学習してあなたを喜ばせるわ。しもの躾《しつけ》が難しい子なんて、わたしは飼ったためしがない」

「わたし、とても辛抱強いんです」それはほんとうだ。そうじゃなければ、生き甲斐を得るのに三十四年間も待ったりしない。一匹の子犬を抱きあげると、小さなピンク色の舌で必死に顔を舐めようとするので、デイジーは声をあげて笑った。

ミセス・パークはにっこりして腕を組んだ。「一匹につき、四百ドルね」

「わかりました」デイジーはためらいもせずに答えた。ミセス・パークに千ドルだと言われても、躊躇《ちゅうちょ》しなかっただろう。

サディーが近づいてきて、デイジーの抱いている子犬を舐め、それから彼女も舐めた。デイジーの足もとに伏せると、すぐさまころころした子犬たちが寄ってきて、乳首を探して体の下に顔を突っこんだが、サディーは防御法を覚えてしまったので、子犬たちの努力は無駄に終わった。

「どの子にする?」

ほかの質問はすべて簡単だった。これは難しい。デイジーは、どれにするか決めようとして、子犬たちをじっくりと眺めた。

「男の子が三匹で、女の子が二匹——」

「いえ、言わないで。性格で選びたいの、性別じゃなくて」

子犬たちが膝に乗ってきたり、まわりで遊んでいるあいだ、デイジーはじっと坐っていた。すると、淡いクリーム色の一匹が小さな口を大きくあけてあくびをして、信じられないほど長い金色のまつげにふちどられた黒い目がとろんとしてきた。その子はデイジーの膝になんとかよじのぼると、くるくる回って心地よい場所を見つけ、小さな眠れる毛糸玉となった。

「まあ、わたしのほうが選ばれちゃった」デイジーはその子犬をやさしく抱きしめた。

「男の子よ。これから大事に世話してあげてちょうだい。ちょくちょく電話して、この子が元気か確かめるからね。いつでも好きなときに連れてきて、サディーに会わせてやって。記入する書類を取ってくるから、この子の登録をしてね」

「名前はなんにするの？」町に戻る途中、イヴリンが尋ねた。ジョーおばが運転し、デイジーは眠っている子犬を抱えてバックシートに坐っていた。

「これから考えなくちゃ。この足のサイズからすると、この子は大きくなりそうだから、男らしくて強そうなのがいいな」

ジョーおばは鼻を鳴らした。「たしかに男らしくて強そうだ。ファズボール（おまわり）なんていいんじゃないかね」

「いつまでもふわふわ《ファジー》じゃないのよ」デイジーは、早くも子犬時代を卒業したこの子のことを考えて悲しくなった。小さな頭をなでていると、急に背負った責任の重さを実感した。

「しまった、なんにも買ってない！　ウォルマートに寄って、子犬用のドッグフードとか、水や餌を入れるお皿とか、おもちゃなんかを買わなくちゃ。それにベッドと、下に敷くためのトイレパッドも。なにか忘れ物はないかしら？」

「ふたつずつ買ってね」イヴリンが言った。「昼間はわたしたちがあずかるんだから。この子のものを持って行ったり来たりするなんて、ばからしいもの」

「図書館に戻るのが遅くなっちゃう」はじめてデイジーはそれを気にしなかった。恋人と犬がいる。これ以上の人生なんてあるかしら？

17

テンプル・ノーランは、あのナンバーがデイジー・マイナーのものだと知って、びっくりするどころではなかった。信じられなかった。サイクスははっきりと、女はブロンドだと言っていたが、デイジーの髪は茶色だ。そのうえ、彼女がナイトクラブに行くなんて考えられない。彼女は典型的なオールドミスだ。一生を実家で暮らし、ハロウィーンにいちばんいいお菓子をふるまうので、近所の子どもたちには人気があり、週に三回は教会に行くような。

ところがそのとき、おぼろげな記憶がよみがえった。廊下でふたりの職員とすれちがったときに、デイジーが〝新しい葉をひっくり返した（心機一転するの意味）〟とか、〝花びらを摘み取られた〟とか、なにやら園芸に関するような会話が断片的に聞こえたことがあった。ひょっとすると、デイジーは仕事のあとに少しばかり羽を伸ばしているのかもしれない。あまりに彼女の性格とはかけ離れているように思えて、まったく信じられないが、調べてみる価値はある。

秘書のナディーンに、デイジーに関する噂を聞いていないか尋ねようかと思った。だが、また不安の冷たい指先に背中をなでられ、用心することにした。デイジーがほんとうにサイクスの見た女だったら、死ぬか消えるか、これは奴の采配しだいだが、彼女の身になにかあった直前に、市長から質問されたと、あとでナディーンに思い出してもらっては困る。というわけで、ナディーンにしばらく外出するとつたえ、図書館に向かった。なかに入る必要はなかった。ガラスのドア越しに覗きこむと、貸出デスクの向こうに、前屈みになって書類仕事をしているデイジーが――ブロンドの頭が――見えた。デイジーは髪を染めていた。

吐き気をもよおしてきた。

背中を丸めてオフィスに戻った。入っていくと、ナディーンがぎょっとした。「町長、だいじょうぶですか？　顔色がよくないですよ」

「胃がむかむかするんだ」ほんとうのことだ。「新鮮な空気を吸えばよくなると思ったんだが」

「お帰りになったほうがよさそうですよ」ナディーンは心配そうだ。いつも孫の子守をしているような、いかにも母親らしい女で、町の医者よりもよほど診断をくだしたがる。

スコッツボロの町長と昼食をとる予定だったので、ノーランは頭を振った。「いや、ただの消化不良だよ。今朝、オレンジジュースを飲んだんだ」

「それならだいじょうぶ」ナディーンは机の引きだしをあけて、壜を取り出した。「どうぞ、マーロックスです」

おとなしく二錠を受け取り、素直に口に含んだ。「ありがとう」ノーランはオフィスに入った。そのうちナディーンは、心臓発作を起こした人間に消化不良の診断をくだすだろう。だが、とにかく彼には、胃酸過多の原因がはっきりとわかっていた。

ドアがきちんと閉まっているのを確かめて、プライベート用の電話でサイクスを呼び出した。とにかくやるべきことは……やらねばならない。

ジャックは部下からピックアップ・トラックを借りると、ネクタイをはずし、サングラスをかけてジョン・ディアー——世界最大の農業機械メーカー——のロゴ入り帽子をかぶり、スコッツボロ町長との昼食に向かうノーランを尾行した。疑わしいことがないからといって、安心はできなかった。デイジーが関わっているとなれば、ぜったいに安心できない。長年の危険な任務で剃刀《かみそり》のように研ぎすまされた直感が、油断なく警戒して標的を探していた。

不穏な空気がデイジーを取り巻いている。ジャックにはわかったが、本人はもちろん気づいていない。彼女の長所のひとつは、あくまでも前向きなところだ。いやなことには目をつむるというのではない。なにもかもうまくいくわけではないことを認めつつ、たいていのことはうまくいくと信じている。あのゴシップ女のバーバラ・クラッドに対する態度を見ればわかる。あれがバーバラのやり方なんだから、クラッズ薬局に行くのなら、自分がなにを買ったか言いふらされると覚悟すればよい、というわけだ。だがいまは、デイジーがもう少し世間というものに疑いの目を向けてくれれば、こっちも安心なのにと思う。多少の用心深さは備えているのだろう。いちおうは安全のために犬を買ったところをみれば。夜のあいだ、そばにいてやれなくても、鋭い牙を持った警報装置がある。

昼食後、ノーランはヒルズボロに戻った。ジャックはエヴァ・フェイに連絡してハンツヴイルに向かい、トッド・ローレンスのアンティーク・ショップの場所を確認した。名前は単に、〈ローレンスの店〉となっていて、気取ったところはなかった。ジャックはジョン・ディアの帽子をかぶったまま入っていったが、近づいてきた店員の冷たい視線から判断するに、その帽子のせいではた迷惑な乱暴者とみなされたようだった。

中年で中肉中背の店員には、恐ろしいことに見覚えがあった。ジャックは長年、周囲のあらゆる人物を観察してきたので、顔を忘れることはめったにない。この男はバッファロー・クラブにいた。事実、思い違いでなければ、最初の晩にデイジーと踊っていた男だ。ジャックの疑念は突っ走りはじめた。

「ミスター・ローレンスはいますか?」

「あいにくですが、いま手が離せないんです」店員はすらすらと答えた。「わたくしでよければ、承りましょうか?」

「いや」ジャックは警察バッジを取り出し、相手に見せた。「ミスター・ローレンスを。いますぐだ。あんたにもいてもらう」

店員はバッジを受け取ってじっと見てから、冷ややかに返した。「ヒルズボロ警察の署長さんか」厭味っぽく言った。「たいしたもんだ」

「折れた腕ほどにはたいしたもんじゃないが、役に立つものは使わせてもらう」

店員の口もとに、不敵な笑みがかすかに浮かんだ。「しかも、しぶとい」少し体重を移動させる。わずかに姿勢が変わっただけで、ジャックの目が鋭くなった。

「無駄口はやめろ」ジャックは低い声で言った。「デイジー・マイナーに関することなんだ」

店員の表情がまた変化して、悔しさとあきらめの入り混じった表情になった。「しかたない、トッドはオフィスにいる」

ジャックと店員が狭いプライベート・オフィスに入っていくと、トッドは顔を上げた。ジャックを認めて眉を吊りあげ、すばやく店員のほうに問いかけるような視線を投げると、愛想のよい商売人の顔をつくり、立ちあがって手を差しだした。「ラッソ署長ですね？　そんな帽子をかぶってるから、わかりませんでしたよ」ジョン・ディアの黄色いロゴの入った緑色の帽子にいぶかしげな視線を向ける。「これはまた……レトロな」

ジャックは手を振って、にこやかに言った。「くだらんおしゃべりはそのくらいに。まあ坐りましょうよ、あんたとそちらの武術家の店員さんなら、どうしてわたしがまったく誤った結論に飛びついたのか教えてくれそうだ。つまり、あんたがデイジーを特定のナイトクラブやバーに送りこんで、そちらのブルース・リーが彼女を尾けているとか——なんのために？　彼女が悪さをするところを捕まえる？　まさかね」

「ハワードだ」店員がにやりとして言った。「ブルースじゃない」

トッドは両手の指先をあわせて口もとを叩きながら、ジャックを見つめた。「なんの話かまったくわかりませんね」

「けっこう」たわごとを並べている余裕はない。「じゃあ話題を変えて、ストレートの男がゲイのふりをするのは、いったいどういうわけなんだろう。しかも、わたしがそいつの化けの皮を剝がすとどうなるかな」

　トッドがかすかに笑った。「証拠もなしにそう言われてもねえ、署長さん」

「そうかな？　じつはね、ここにきたばかりのころ、このあたりの地理に明るくなくちゃと思って、あちこち見てまわったんだ。まさかヒルズボロの警察署長がいるとは、だれも思わないような場所にもよく行ったよ。ヒルズボロの住人にも目を光らせて、名前を訊いて顔を覚えた。だから、あんたの顔も知っていた」

「つまり？」

「つまり、ゲイのふりをしてるんだったら、女とモーテルにしけこむときには、一緒に部屋に入るべきじゃなかったってことだ。しかも、カードキーを差しこみながら、女の喉をしゃぶっちゃいけない。イメージが台無しだ。女の特徴を言おうか？」

「ああ」ハワードが興味津々で言った。

「気にしないで」トッドは急に無表情になった。「署長さん、話の本題からずれてるんじゃありませんか？」

「そうだな」ジャックは認めた。「最初の質問に戻ろう。いったい、デイジーになにをしているんだ？」

「なにをしているのか教えてやる」ハワードが言った。「彼女がぜったいに傷ついたりすることがないように見張ってるんだ。ナイトクラブは女にとって危ない場所になりうる」

「だったらなぜ、彼女を送りこむんだ？　子猫を熊の檻《おり》に放りこむようなもんじゃないか」

「あんたの言い方じゃ、よっぽど頼りないみたいだな。彼女は頭がよくて用心深い。ダンスをして、男との出会いを求めているだけだ」

「近ごろ、酒場で起こってることを考えりゃ、たとえ利口な女でも、男ひとりか、あるいは仲間全員にレイプされる可能性はじゅうぶんある——死なずにすめば運がいいほうだ。他人に飲み物を買わせるなとデイジーに教えてやったか？　踊っているあいだにテーブルの上に飲み物を置きっぱなしにするなとは？」

ハワードはため息をついた。「おれの役目はそれだ。おれは彼女から目を離さないし、飲み物に一服盛られたりしないように見張っている」

「ぜったいに彼女が目の届くところにいるって言えるのか？　あんたはトイレにも行かないし、人込みのなかでも彼女を見失わないのか？」

「できるだけのことはしている」

「できるだけじゃだめだ。彼女をおとりに利用していなくてもだ」ジャックは厳しい視線をトッドに向けた。「そろそろ詳しい話を聞かせてもらおう。正直に言え、じゃないとおまえの正体をばらしてやる」

トッドは顎をなでた。「普通、そんな脅しは反対の意味で使うんじゃないかな」

ジャックはただ黙っていた。自分の意図ははっきりさせたし、デイジーに関わっているからには、手を引くつもりも取引するつもりもなかった。彼女の安全がいちばん大切だ。

トッドはジャックの顔をじっと見ていた。明らかに決意のほどをうかがっている。「個人的なことだ、なぜぼくが……デイジーに協力したのかは」

ジャックは穏やかに言った。「おれはなんだって個人的にとるんだ」

「だから彼女のことが気になるんじゃない？」トッドはほほえんだ。「ちょっとおしゃれすれば、デイジーはみんなを虜《とりこ》にするってわかってた。必要なのは、自信をつけさせることだけだった。彼女はローラーコースターに乗ってる子どもみたいに、きらきらした目をしてて、すごくチャーミングだ。魅力を引きたたせる格好さえすれば、男なんてすぐ寄ってくるって思ったよ」

「本題に移ろう」ジャックは不機嫌に言った。

「いいよ。簡単に言えばこうだ。ぼくの知り合いが、友だちと一緒にバッファロー・クラブに行ったんだ。彼女はいらいらしていて、踊りたい気分じゃなかった。友だちが踊っているあいだ、男が近づいてきて、飲み物を奢るって言ってきた。いらついていたせいで、彼女は男に奢ってもらった。眠くなったところで記憶がとぎれた。翌朝、自分のベッドで目覚めた。彼女は裸で、ひとりぼっちで。なにかがあったのははっきりしていた。レイプされて、アナルセックスもされていた。彼女は懸命にもシャワーを浴びずに警察を呼んで、病院に行った。

少なくとも、六人の男にレイプされた形跡があった。飲み物を買った男のことは、ぼんやりとしか憶えていなかった。警察は、いくつかの不鮮明な指紋を除いて、手がかりをつかめなかった。その指紋はどれもファイルには載ってなかったから、犯人たちに前科はない。行き止まりだ。迷宮入り。そいつらのうちのひとりでも、また女をレイプして捕まって、精液サンプルのDNAと、そいつのDNAが一致すれば別だけど」

あまりにもなじみのある話だ。デートレイプとは、被害者が加害者と顔見知りの場合でさえ、告訴に持ちこむのが難しい。もし加害者が見知らぬ人間で、しかも被害者がクスリを盛られて記憶を失っていたら、捕まえるのは不可能に近い。

ジャックは怒りのあまり歯嚙みした。「つまり、あんたはそいつらを自分で捕まえようとして、デイジーをおとりにしてるってわけだ。警察にまかせて、こんな事態のために訓練を受けている婦人警官を使ったほうがいいとは思わないのか？」

「ああ、でも警察はなにもしてくれない。予算は限られているから、こんな事件はあとまわしになる。どうしてなのか、きみだってわかっているはずだ。犯罪は多発しているのに、金は足りない、警官の数も足りない、留置場も刑務所も足りない。どこの部署も優先順位を決めなくちゃならない」

「ほんとうにあんたをぶん殴りたくなってきた」ジャックは努めて声を抑えた。「ハワードがいてもかまわない。で、どっかのくそ野郎が、ほんとうにデイジーにクスリを盛ったらどうするつもりだったんだ？　われこそは正義なりってんで、駐車場でそいつを撃つとでも言うのか？」

「それはいい考えだね」

「同じ奴がやる可能性はあるのか？　そんなくそったれは掃いて捨てるほどいる」

「一か八かだとは思う。でも、それで糸口がつかめるかもしれない。ひとりが口を割って、何人かの名前を明かす、そしてそいつらがまた別の名前を明かす」トッドはむっつりとした顔つきで、机の上に両手を広げてじっと見つめた。「話はまだつづくんだ。その知り合いっていうのは、あの日きみが、ぼくと一緒にいたところを見た女性と同じ人物だ。ぼくとけんかしたあと、彼女ははじめてバッファロー・クラブに行った。彼女はぼくと結婚したがっていたが、ぼくは断わった。なぜなら……ほかのことで——」

「たとえば、あんたが従事している任務のせいとか」

トッドははっとしてジャックを見上げた。「そうだ」力なく答えた。「任務のせいにした。それに、結婚は大きな変化だ。任務を言い訳にすることができて、ぼくは少しほっとしていた。彼女に夢中だったけど……くそっ、ぼくは腰が引けていた。彼女がクラブに行ったのは、そのせいなんだ」

ジャックはうなずいた。なにもかもわかった。普通につきあうだけでも大変だが、女がレイプされたりすれば、当然のことながら、男への信頼を取り戻してセックスを楽しめるようになるまでは、つらいときを過ごすことになる。「彼女はセラピーに通ったのか?」

「しばらくはね。まったく役に立たなかった。彼女は自殺したよ」

聞き違いようのない言葉が、鉛のように重くのしかかってきた。トッドの顔にも目にも、いっさい表情がなかった。

ハワードは驚きを隠さなかった。「なんてことだ——おまえはただ、友だちがレイプされたとしか言わなかったじゃないか。ああ、すまなかった」

「おれもすまなかった」ジャックは言った。「あんたは悲しんでいて、罪の意識を感じている。だから、デイジーをあんたが愛した女とまったく同じ目に遭わせようとしているってわけだ。ちくしょう、あんたを殺せたらどんなに嬉しいか」ただそうしたくて、握りしめた拳が震えた。

「そこまで同情するなよ、ラッソ」ハワードが皮肉っぽく言った。

トッドはかすかに笑みを浮かべたが、おもしろみのまったくない笑みだった。「ずいぶんと手が早いんだ。彼女を愛してるんだね。だからそんなにかっかしてる」

「デイジーには、こんなことに利用されるようないわれはない」彼女を愛しているという言葉は無視した。彼女を愛しているのかどうか、いずれ答えを出さなければならない。彼女のことはたしかに心配だし、彼女を守るためならなんでもやるつもりだった。なんでもやるということは、必要なら手段を選ばないということで、つまり手もとにある武器ならなんでも利用するということだ。この件とは別のこと、このふたりには関係のないことが起きている。万全の準備をするにはたったひとりでは苦しいが、ジャックはいまや味方がいることに気づいた。

「デイジーのまわりで、ほかにもなにかが起きている。なにかはわからないが、不安なんだ」

トッドの目に、少し表情が戻ってきた。「なんだって?」

「あんたたちの従事している任務とは……あんたたちは連邦職員か、それとも地元警察か、民間の機関？」

トッドとハワードはすばやく視線を交わした。「連邦だ。州間の詐欺事件を追ってる」

「なるほど。詳しい話はいい。ただ、手を貸してほしいのと、どこの人間とつきあうことになるのか知りたかっただけだ」

「計画を漏らすわけにはいかない——」

「その必要はない。じつは今朝、妙なことがあった。町長から電話がかかって、あるナンバーの車の持ち主を調べてくれと頼まれた。ある診療所の前の防火帯に、その車が駐まっていたのを見たと言うんだ。それから、くだらんたわごとを聞かされた。病人をあたふたさせたくないから、パトロールに切符を切れと電話しなかったとか——」

「そうだろうね、テンプル・ノーランは心の広いお方だから」トッドはつぶやいた。

「で、そのナンバーをあたったら、デイジーのものだった。彼女が防火帯に駐車するわけないし、その診療所に行ってもいない。それはまちがいない。つまり、町長はナンバーを手に入れたいきさつについて、嘘をついている。自分で車を見たのなら、デイジーのものだとわかるはずだ。だれかほかの人間が、町長に車の持ち主を調べさせたんだ」

「バッファロー・クラブで彼女を見かけて、興味を持った男かもしれないよ。どこに住んでいて、どうすれば近づけるか知りたかったのかも」

「彼女が二度とクラブにはこないと知っている奴が、それしか彼女を探す方法がないと考えたと言うのか？　そいつがたまたま町長の知り合いで？」

「わかったよ、説得力のない意見だった。ほかにましな意見はある?」

「いや、うなじの毛が逆立ってる、ただそれだけだ」

「おれにとってはそれでじゅうぶんだ」ハワードが言った。「アクセントからすると、あんたがこのへんの人間じゃないことはわかるが、どこからきたのかはわからない。ちっぽけな町の警察署長には不似合いだ。もともとなにをしてたんだ?」

「シカゴとニューヨークのSWATにいた」

「うなじの毛も、それなりに経験を積んでるようだな」

「こいつらが間違ったためしはない」

「それで、ぼくらになにをしてほしいの?」トッドが訊いた。「手がかりもないし、どこから手をつけていいかもわからない」

「ああ。だがいまのところ、おれはデイジーの安全を確保したい。さいわい、登録されている住所は彼女の実家だ。まだ現住所は公式に記録されていない。電気や水道関係から調べる手もあるが——町長なら水道局に手を回すこともできる。ただ、彼女が引っ越したことを知らなければ、調べることもないはずだ」

「ファイルをあたって、彼女の情報を持ちだせないかな?」

「水道料の請求は、コンピュータ化されている。おれはハッカーじゃないから、外からシステムに侵入するのは無理だ。だが、なかからだったらできそうだ。電話会社と電力会社はどうしよう?」

「その情報をブロックできるかどうかやってみる」トッドが言った。「それから、彼女の電話番号を電話帳に載せちゃいけない。どんな馬鹿でも番号案内に電話すれば、番号が手に入る」

「そっちはまかせてくれ」ジャックが言った。「とにかく、なにを探せばいいのかわからないし、なぜ彼女が追われているのかもわからない。それがわかるまでは、彼女を守る楯が必要なんだ」

「ぼくたちは、ある事件を二年近く追いつづけている。そっちに進展があれば、ハワードとぼくは忙しくなるから、手伝ってあげられない。どういうことかわかるだろ。でもそれまでは、なにか動きがあれば、なんでも力を貸すよ」トッドは指で机を叩いた。「もちろん、非公式に」

「もちろんだ。友だちは友だちを助けるもんだよな」

18

ヒルズボロに戻ったジャックは、トラックを部下に返して、デイジーが無事に図書館にいることを確かめ、警察署内で日々生じている細ごまとした仕事を片づけた。たとえ小さな警察署でも、仕事はけっこうある。いつもどおりの時刻にオフィスを出て、車で家に帰り、芝刈りをして時間をつぶし、シャワーを浴びてから、オフィスに電話してエヴァ・フェイが帰宅したことを確認した。エヴァ・フェイは夜間ずっとオフィスにいるのではないかと思うことがある。いつ行ってもそこにいるし、どんなに遅くまで残業しても、彼女のほうがもっと遅くまで残るからだ。秘書としての彼女はすごいのひと言だ。仕事もできるし。もし彼女がニューヨークにいたら、あっちの管区でどんなにすばらしい働きをするか、ぜひ見てみたいものだ。

オフィスの電話に出る者はなかったので、戻ってもだいじょうぶだ。だれが見てもわかるように、車はドライブウェイに駐めてある。キッチンの明かりと、二階のベッドルームのランプ、それとリビングの明かりをつけっぱなしにしておく。だれかが耳をそばだてたときのために、テレビもつけたままにする。少なくとも、こっちがデイジーとつきあっていることを、彼女をつけ狙っている奴に知られていなければ、この家を見張られているはずはないが、危険を冒すわけにはいかない。

日が暮れると、ジャックは必要になりそうな道具を取り出してポケットに入れた。黒のTシャツとジーンズを身につけ、別の帽子——黒の無地——をかぶり、裏口からそっと出て、歩いて署に戻った。この時間になれば、たいていの人間は家のまわりの雑用を終え、夕食も食べ終わって、テレビの前に陣取って夜を過ごしている。蛍を追いかけている子どもたちのかん高い笑い声が聞こえてきたが、別の通りだ。夕涼みにポーチに坐っている人もいるかもしれないが、深まっていく闇のなかでは、彼の姿は見分けられないはずだ。

全署員が使っている裏口から入っていくと、準夜勤の受付係、スコット・ワイリー巡査部長が顔を上げて驚いた。静かな夜でほかにはだれもいないので、ワイリーは読んでいた釣り雑誌を隠そうともしなかった。叩きあげでここまで昇進してきたジャックは、交替制勤務がいかに退屈かわかっているので、部下が暇つぶしになにか読んでいてもけっして注意しない。

「署長！　なにかあったんですか？」

ジャックはにやりとした。「ここでひと晩過ごせば、エヴァ・フェイがいつ出勤するのかわかるだろ」

ワイリーは笑った。「がんばってくださいよ。こういうことに関しては、彼女の第六感はすごいですからね。病気で欠勤するって電話があるかもしれませんよ」

「おれはしばらくオフィスで書類仕事を片づけている。明日やるつもりだったんだが、別件が入ったんだ」

「わかりました」ワイリーはまた雑誌を読みはじめ、ジャックはガラス扉を抜けてオフィスのある区画に入った。警察署は二階建てで、上から見るとL字型になっている。通りに面した短い辺にはオフィスが入っており、署員のロッカーやシャワー室、証拠物件の保管室や容疑者逮捕の手続きをとる部屋、取調室などは長い辺の一階部分にあり、二階部分は留置場だ。

ジャックのオフィスは通りに面した二階にあった。部屋に入ると、机の上のライトをつけて、さも仕事をしているように書類を適当に散らかし——だれかが入ってくるかもしれないので——机の引きだしから鍵を取り出して、警察署と町役場をつなぐトンネルのある地階へとこっそり向かった。このトンネルは、裁判のために犯罪者を留置場から裁判所に連れていくためのもので、両側からしっかりと鍵をかけられている。鍵を持っているのは、ジャックと受付の巡査部長だ。以前は町政担当官も持っていたが、ガールフレンドを連れこんだことがばれて取りあげられた。

警察署側の鍵をあけ、トンネルに入って鍵をかけた——これも念のためだ。トンネルのなかは墓場のように真っ暗だったが、ジャックは細くて強い光を放つペンライトを持ってきていた。反対側のドアの鍵をあけたが、町役場は午後五時を過ぎるとだれもいなくなるはずなので、こちらのほうはそのままにしておいた。思っていたとおり地階は暗く、しんとしている。

音をたてずに階段を上がった。上がりきったところにあるドアには、鍵がなかった。そのドアを少しだけあけて、隙間から怪しげな明かりはついていないか確かめた。だれもいなかった。

気分がだいぶ落ち着いてきた。水道局のお粗末な鍵をあけて――絶対に鍵をとりかえるべきだ。おれでさえ、ほんの数秒で忍びこめるじゃないか――それからコンピュータを立ちあげた。オンライン化されていないので、パスワードで保護もされていない。〝プログラム〟をクリックして、〝請求業務〟のファイルを見つけて開いた。几帳面な局員のおかげで、あらゆる項目が顧客番号と名前から検索できる。ジャックはデイジーの名前をあっさり見つけ、それをクリックして彼女の住所を自分のものに変え、変更を保存してからファイルを閉じた。一丁あがり。

処理を終えたジャックは、オペレーティング・システムを終了させて、コンピュータの電源を切り、ドアに鍵をかけてから、二階の町長のオフィスに移った。自分でもなにを探しているのかはわからないが、ぜったいに調べなければならない。

ジャックのオフィスと同じように、町長のオフィスにも入り口が二カ所あった。ナディーンの秘書室に通じるドアと、廊下のもう少し先にある町長専用の、表示のないドアだ。水道局のものにくらべて、よほどましな鍵がついている。

ナディーンなら、たまたま鍵をかけ忘れたと思ってくれるかもしれないと期待して、彼女の部屋から入ることにした。水道局で使った手順の繰り返しで、ポケットから細い棒のセットを取り出し、ペンライトを口にくわえてしゃがむと、仕事にとりかかった。ピッキングは得意だ。もっともヒルズボロにきてからというもの、この技を使うことはなかったが。SWATの訓練や実戦の経験について訊かれることはあっても、それとは別に積んでいるかもしれない特殊な訓練について尋ねる者はいなかった。ジャックとしては、実戦に関する部分は重要ではないと思っていて——おれだってほかのメンバーだって、ランボーじゃない。まあ、そういう神話にとりつかれる奴も少しはいるけれど——いくつかの訓練については、なにかのためにとっておいたほうが賢明だと思えたので、しゃべらないことにしていた。

鍵は三十秒ほどであいた。鍵のかかったドアをあけることなど、赤子の手をひねるようなもの。普通の市民が知ったら、さぞびっくりするだろう。鍵さえかければ安全だと思いこんでいる。残念ながらそういうのは、法を守り鍵のかかったドアをこじあけたりしない連中にしか通用しない。犯罪者なら窓を割り、ドアを蹴破って入ってくる。床下に潜りこみ、床に穴をあけた者だっている。警報装置や侵入者よけの柵は役に立つが、なんとしても侵入しようとする奴は、かならず方法を見つけるものだ。

町長のオフィスに忍びこもうとしているジャックこそいい例だ。ナディーンの部屋にするりと入り、にやりとした。光が窓を走らないようにペンライトを下に向けて、町長のオフィスのドアをあけてみた。鍵はかかっていなかった。ということは、次の三つのうちどれかにあてはまる。ひとつ、ノーランにはなにも隠すようなものはない。ふたつ、生きているに値しないほど不注意である。三つ、見られたら疑われるようなものは、絶対にここに置かないようにしている。一番めだったらいいのだが、三番めにちがいない。

手早くかつ系統だてて調べていくと、デイジーの車のナンバーを書いたくしゃくしゃのメモ用紙がゴミ箱のなかから見つかったが、そのほかにめぼしいものはなかった。紙の皺を伸ばすと、それは上の部分にテンプル・ノーランと印刷されたメモ用紙で、いまもノーランの机の上に載っているメモ用紙と同じものだった。つまり、車のナンバーを調べてほしいという電話を受けたとき、ノーランはこのオフィスにいたということになる。

机のなかもざっと探ったが、なにも出てこなかった。オフィスのなかを見まわしても、ファイルキャビネットはなく、調度品があるだけだ。書類ファイルはすべて、ナディーンのオフィスにあった。ただ、ノーランの机の上には電話が二台載っていた。ひとつは公務用の電話で、内線番号のリストがついている。もうひとつは、私用回線にちがいなく、これでナディーンに知られずに電話を受けることができる。

一か八か小さなレコーダーを取り出して、私用電話のリダイヤルボタンを押した。それからレコーダーを受話器に当て、ダイヤルトーンを録音して、すばやく電話を切った。トーンを聞けばダイヤルされた番号がわかる知り合いがいる。次に、コールリターン・サービスを使い、コンピュータの音声が告げる番号を書き留めた。受話器をあげて＊六九を押すと、最後にかかってきた番号に自動的にかかる仕組みだ。地元の交換局ではなかったので、最後にノーランが受けた電話は、夕食のために何時に帰宅するか尋ねる妻からのものではない。筆跡が残らないように、もう何枚かメモ用紙を破りとり、それをまるめてゴミ箱に捨てた。デイジーの車のナンバー以外にめぼしいものはなかったことを考えると、ノーランが自分でゴミを処分するのではなく、出勤してくる前に回収されるのだろう。デイジーのナンバーが書かれたメモ用紙もゴミのなかに戻した。

今夜できるのはそれだけだった。ハンカチを取り出して、触ったところをていねいに拭いてから、ナディーンの部屋を通って外に出た。地階のトンネルをくぐって自分のオフィスに戻り、エヴァ・フェイのいないあいだに戻ってきたことを悟られないように、散らかした書類をもとどおりに積み重ね、明かりを消して鍵をかけた。なにもかも、きたときのままだ。

ジャックは裏口から出た。さっきよりも活気づいていた。巡査のイーノック・スタンフィールドが酔っぱらったドライバーを連れてきたからだ。六フィート六インチくらいで、体重が少なくとも三五〇ポンドはありそうな大男だった。ジャックがドアから出てきたとき、ワイリー巡査部長とスタンフィールドがちらりと彼を見たので、一瞬、注意がそれた。酔っぱらいは逃亡のチャンスを逃さず、スタンフィールドに激しく肩からぶつかって跳ね飛ばし、頭を下げてワイリーの腹に突撃をかけた。

最後に実戦に参加してからしばらくたっていた。ジャックは歓喜の雄叫びをあげ、騒ぎに加わった。

その大男をおとなしくさせるのは三人がかりの仕事で、押さえつけるには手荒な方法をとらざるをえなかった。男に手錠がかけられていたのはさいわいだった。そうでなければ、きっとだれかが怪我をしていただろう。案のじょう、男を押さえつけて四肢を縛ったあと、ワイリー巡査部長はあばらに痛みを覚えて、しかめ面になった。

「どこか折れたか？」ジャックは鼻血を拭いながら尋ねた。

「折れてはいないと思います。ただの打ち身でしょう」だが、患部に触れたワイリーは、また顔をしかめた。

「調べてもらったほうがいい。ここはおれがみてるから」

スタンフィールドは、唇とまぶたを腫《は》れあがらせている。過剰に分泌されたアドレナリンのせいでかすかに震えながら、冷水器で濡らして冷たくしたハンカチを目にあてた。「まったく、なんていい仕事だ」疲れきった声だった。「ほかの仕事じゃ、毎日だれかに叩きのめされるなんてこともないし」ジャックを見つめた。「署長、なんだか楽しそうでしたよ」

ジャックは酔っぱらいの大男を見下ろした。縄をかけられたとたん、男は眠りこんでいた。開いた口からばかでかいいびきがもれている。「このために生きてるようなもんだ」スタンフィールドのように震えてはいなかったが、ジャックも急に疲れを感じた。

酔いを醒まさせるために、酔っぱらいをトラ箱に引っぱっていくのにもうひとり巡査を呼ばなければならなかった。警察医も呼んで、男に別状はないかチェックしてもらった。男は低血糖症などには陥っていなかった。アルコール検知器《ブレサライザー》は男が泥酔状態にあることを示していて、医者の診断と一致した。スタンフィールドの目には氷嚢《ひょうのう》があてられ、唇は縫われ、腫れあがりはじめたジャックの左手にも氷嚢があてられた。いつどうして左手を怪我したのか憶えていなかったが、けんかとはそういうものだ。激しくぶつかっていくだけで、考えるのはあとからだ。ワイリーの抜けた穴を埋める人員を手配して、すべてが片づいたときには十時三十分になろうとしていた。深夜シフトのために出勤してきた巡査たちに、引継ぎをしている遅番の巡査たち、それにスキャナーで騒ぎを聞きつけて、ようすを見にきた非番の者も何人かいた。なんといっても、署長がD&D、つまり酔って暴れている《ドランク・アンド・ディスオーダリー》男を取り押さえるのに手を貸すなんて、毎日あることではない。

「これでエヴァ・フェイにばれないわけがないよな」ジャックがむっつりと言うと、どっと笑い声があがった。

「怒られますよ、彼女がいないときに署にいたりしちゃ」勤続二十年のベテラン、マーカム巡査がからかい半分に言った。

ジャックは、部下たちがすっかりこの状況を楽しんでいるのを実感していた。平《ひら》の巡査たちが、がっくりしている署長を見ることなどめったにない。いままでずっと、ただ階級が違うからではないよそよそしさをなんとなく感じていた。もっとも大きな原因は、自分がよそ者であるということだった。酔っぱらいの大男と大立ちまわりを演じたことによって、部下たちに仲間のひとり、つまり階級とは関係なくほんとうの警官だと認められたのだ。

さんざん疲れたあげく、ジャックは歩いて帰らなければならなかった。部下に車で送ってもらうこともできたが、そうするとそもそもどうして歩いてきたのか、もっともらしい説明をしなければならなくなる。それが面倒だった。

家は出かけたときと変わりなかった。荒らされた形跡や、置き場所の変わったものはない。ジャックはまっすぐ電話に向かい、番号案内にかけて、ノーランが町役場で使っている私用回線の番号がわかるか確かめたが、案のじょう、電話帳には載っていなかった。次にトッド・ローレンスにかけると、三回のコールで眠たそうな声が応えた。「もしもし」

「住所は変更した」ジャックは言った。「それと、町長のプライベート回線をコールリターンして、最後に奴が受けた電話番号を手に入れた。奴が最後にかけた電話もリダイヤルして、ダイヤルトーンを録音した」

「なんとまあ忙しいこと」トッドの声も緊張してきた。

「これでふたつの電話番号を調べることができる。で、町長の私用回線の番号は調べられるか？　それからこの三つの通話記録も」

「も？　このぼくに、三つの電話の通話記録を調べろ、と言ってるんだ」事実を繰り返しただけだ。

「それ以外に連邦のお友だちが役に立つか？」

「おかげで連邦のお友だちのケツに火がつきそうだ」

「連邦のお友だちは、デイジーに借りがあるからな」

トッドはため息をついた。「たしかにね。わかった。できるだけやってみる。何人かの手を煩わすことになるな。完全にオフレコだよ、いいね」

そのあと、ジャックはデイジーに電話した。腕時計にちらりと目をやると、十一時を過ぎたところだった。たぶん十時きっかりに床についているだろうが、今日彼女のために費やした労力を思えば、短いおしゃべりくらいは許されるのではないか。

「もしもし」デイジーは眠そうな声をしていなかった。疲れているようだが、眠そうではない。

「もう寝ていたか？」

「まだよ。今夜は……大変だった」

「どうして？　なにがあった？」とたんにジャックは緊張した。

「一秒でも彼から目を離せなくて。むちゃくちゃにしちゃうんだもの」

「彼？」

「犬よ」

犬か。ジャックはほっとして息を吐いた。「躾がなってないようだな」

「ぜんぜんなってないの。キラー、だめっ！　離しなさい！　これで切るわね」デイジーはあわてて言った。

「すぐ行くよ」電話を切られる直前に言ったが、デイジーに聞こえたかどうかはわからない。まあいい。ジャックは鍵をつかんで明かりを消し、ドアから外に出た。

デイジーはへとへとだった。午後三時に母親から電話があって、疲れた口調で言われた。

「ジョーと一緒に子犬をあなたの家に連れていくわよ。裏庭にフェンスがあるから、この子が走りまわることができるでしょ。あなたが帰ってくるまで、この子と待ってる」

「あらまあ」よくない兆候だ。「いったいなにをしたの？」

「このちっちゃい悪魔がしなかったことのほうが少ないくらい。この子を捕まえようとするだけで、こっちはもうくたくたよ。とにかく、二時間後に会いましょう」

五時十分に家に着くと、母親もジョーおばもリビングでうたた寝をしていた。子犬も母の足のあいだで眠っている。熊の毛皮の敷物みたいに、腹ばいになって、うしろ脚をまっすぐ伸ばしているようすはとてもあどけなく、デイジーのハートをとろけさせた。

「ただいま、坊や」デイジーはささやいた。片方のまぶたが重たげに開いて、短い尻尾が揺れた。それからまた、子犬は眠ってしまった。

ジョーおばが目を覚ました。「やっと帰ってきてくれたね。幸運を祈るよ。このちっちゃい悪魔と向き合うには、運がいるからね。さあ、イヴリン、帰れるうちに帰ろうよ」

イヴリンは起きあがって、足のあいだの子犬を恨めしそうに見た。「どこか悪いのかと思って、マイリー・パークに電話したのよ。笑われちゃった。新しい場所でちょっと興奮しているんだって。でも、ゴールデン・レトリーヴァーの子犬って、四カ月くらいまではいたずらをやめないそうよ。やめるのは眠ってるときだけ」

「この子は二段変速なんだよ」ジョーおばが言った。「死にもの狂いで走るか、眠っているか。まあそういうこと。がんばってね。行きましょう、イヴリン」

「ウォルマートに行って、赤ちゃん用の柵を買えば、とりあえずひとつの部屋にこの子を閉じこめておくことができるわ。あなたの分も買っておいたほうがいい?」

「在庫があるだけ買いましょ」ジョーおばが言った。「行くよ、イヴリン」

「ねえ、そんなに手に負えないの？」うろたえながら、デイジーは尋ねた。あんなふうに寝ているると、ちっちゃな天使みたいなのに。

「しもの躾はだいたいできてるみたい」母が言った。「でも二時間ごとに外に出さなくちゃならないの。そりゃもう規則正しいわよ。トイレパッドにすることはするんだけど――」

「パッドをずたずたに食いちぎらなきゃね」ジョーおばがさえぎった。「イヴリン、行くよ」

「ぬいぐるみが好きでね――」

「なんだって好きだよ、水のお皿だって。イヴリン、こないんだったら先に行くよ。そのうち、目を覚ますよ」

子犬が頭をもたげ、小さなピンク色の舌を出してあくびをした。十秒とたたないうちに、母とジョーおばはバッグを持ってドアから出ていった。デイジーは腰に手をあてて、小さな毛糸玉を見つめた。「さて、おまえはなにをしたの？」

子犬はころりと仰向けになり、伸びをした。デイジーは小さなお腹をなでずにはいられず、それを誘いと受け取った子犬は、やっきになってピンク色の舌でところかまわず彼女を舐めはじめた。子犬を抱きあげて、ふわふわの毛に隠れた、あたたかくて小さな体をやさしく抱きしめた。子犬は太くてやわらかな足をばたつかせ、下ろしてくれと言うようにもがいた。床に下ろしたとたん、デイジーはキッチンに突進していく子犬を全力で追いかけるはめになった。

子犬はとにかく水をほしがった。夢中になってぴちゃぴちゃと飲むと、いきなり両の前足をボウルに突っこんで、水を跳ね散らかした。

デイジーはキッチンの床用モップでこぼれた水を拭き――子犬はおもしろいゲームだと思いこんだらしく、繰り返し飛びかかった――ドッグフードをやり、自由に遊ばせるために外に連れていった。足が芝生に触れるやいなや、子犬は地面に伏せ、灌木《かんぼく》に攻めかかった。木の葉が毒になったり、そうでなくても小さなお腹をこわしたりするのが心配だったので、デイジーは子犬を灌木から引き離し、買ってやった子ども用のプールにホースで水を入れた。

小さすぎてプールの縁を乗り越えられないので、手を貸して入れてやり、びしょ濡れになるまで深さ二インチの水のなかを走ったり滑ったりする子犬を見ていた。デイジーは自分もびしょ濡れになって、お腹が痛くなるほど笑った。子犬をプールから出してタオルでくるみ、自分の食事ができるように、犬がもうひと眠りしてくれることを祈りながら家に連れ帰った。

子犬はまたもや水のボウルに飛びこんだ。モップをかけると、モップを追いかけた。それから、キッチンタオルをくわえて走りまわった。デイジーはベッドの下にもぐりこもうとする子犬を捕まえて、引きずりだした。タオルを取りあげようと奮闘しているデイジーを見て、どうやら〝綱引き〟をしたがっていると思ったらしく、子犬は全身を震わせて力み、赤ちゃんらしいうなり声をあげながら、必死にタオルを引っぱった。

デイジーはぬいぐるみのアヒルで気を引いた。子犬は頭の上にアヒルを放り投げて飛びかかり、カウチの下の届かないところに押しこんでしまった。その場に立ってキャンキャンと吠えたてるので、デイジーは四つんばいになってアヒルを取り出してやった。間髪おかず、子犬はまたそれをカウチの下に突っこんだ。

今度は、嚙みついて遊ぶゴム製のおもちゃを使って気を引くと、十分間は役に立った。腹ばいになった子犬は、前足でおもちゃを挟んで、脇目もふらず齧《かじ》っていた。デイジーはやっと仕事用の服を脱いで、サンドイッチを作るチャンスに恵まれた。ところがリビングからガチャンという音が聞こえ、裸足で駆けつけると、子犬はどうやったのか、テレビのリモコンをランプテーブルから落として、懸命に壊そうとしていた。デイジーはリモコンを取りあげ、安全な場所に置いた。

子犬はデイジーの赤い爪が気に入り、裸足の爪先に飛びかかった。そして手の指をくわえようとして、何度も飛びついてきた。びっくりしたデイジーが手を引いた拍子に、尖った乳歯が指にくいこんだ。しかたなく、手を下ろしてやると、子犬は彼女を味わうように指をくわえ、満足してから離した。

ようやく子犬は眠くなった。走っている途中で、ほんとうにぱたりと止まって腹ばいになり、大きく息を吐き出して目を閉じた。

「今日はあなたにとって、大変な一日だったみたいね」デイジーは小声で話しかけた。「ママや兄妹がいなくなって寂しい？　いつも一緒に遊んでくれる相手がいたんだものね。もうひとりぼっちなのね」

そのころには七時を過ぎていて、デイジーは飢え死にしそうだった。サンドイッチを作り終えて、子犬に目が届くところで立ったまま食べた。眠っているときはあんなに愛らしくて小さいのに、目をあけた瞬間、フルスピードに戻ってしまう。

赤ん坊らしく、子犬はなにもかも忘れたように眠りつづけた。さっとシャワーを浴びることにして、子犬が目覚めたときに入ってこられるようにバスルームのドアはあけておいた。デイジーは服を床に脱ぎ落とし、バスタブのなかに入った。石鹸で洗いはじめたとたん、なにか音がしたのでシャワー・カーテンをあけると、淡い色をした毛糸玉がパンティーをくわえて廊下を走っていくのが見えた。

デイジーはあわててバスタブから出て、裸のまま滑りながら追いかけた。子犬はぶんどった宝物を持って、カウチのうしろにもぐりこんでいた。カウチを壁から離し、パンティーを取り戻した。当然、穴があいている。子犬は尻尾を振った。

「悪い子ね」子犬を抱きあげて、バスルームへ一緒に連れていった。外に出られないようにドアを閉め、子犬には届かないトイレの蓋の上に服を置き、シャワーのつづきに戻った。子犬は一緒にバスタブのなかに入りたがって、うしろ脚で立って吠えつづけた。

デイジーはモップの一件で学んでいたので、バスマットの上に出て体を拭かずに、バスタブのなかでそうした。お尻をぺたんとつけて坐り、憧れの目でタオルを見つめている子犬は天使みたいだ。

小さな顔は楽しそうで、いつも笑っているように口をあけている。黒い目は、だれかに墨でラインを引いてもらったように黒く縁どられていて、淡い色の毛や長い金色のまつげとあいまって、とてもエキゾティックだ。好奇心が強く、なんにでも熱中して、テンポを思いきりあげたメトロノームのように、たえず尻尾を振っている。

「あなたがちっちゃな悪魔でもかまわない。わたしの悪魔ちゃんなんだし、膝の上にあなたがのぼってきたとき、わたしは恋に落ちちゃったんだもの」デイジーの声に甘い響きを聞き取って、子犬はますます速く尻尾を振った。

「あなたにふさわしい名前を考えなくちゃね。大きくて強そうなのがいいな。あなたはわたしを守ってくれるはずでしょ。『行けっ、フラッフィー』なんて怒鳴っても、強盗はこわがらないわよね。ブルータスはどう?」

子犬はあくびした。

「そのとおりね。ブルータスって感じじゃない。あなたはかわいらしすぎるもの。デヴィルはどうかしら?」ほんのちょっと子犬を見て、その名前を自分から却下した。「やっぱりいやだわ。あなたは大きくなったら、すてきな犬になるってわかりきってるのに」

それからずっと名前を考えつづけた。コナン、デューク、キング、ランボー、ロッキー、サムソン、トール、ウルフ。どれもだめだ。小さな笑顔を見ていると、男らしい名前が似合うとは思えない。

ボウルには水を入れっぱなしにしないようにした。そうしなければ、キッチンの床にひっくり返されてしまう。子犬がボウルのところに行ったら、水を少しだけ入れてやり、飲み終わったらまた少し注ぎ足して、飲むのをやめるまでそれを繰り返せばいい。あいにく、いつも飲み終わったときには少し残っていて、子犬はボウルに飛びこんでしまう。その夜だけで七回、子犬に激しく飛びつかれながらモップをかけた。

だが、子犬の賢さには驚くばかりだった。午後と夜を過ごしただけで、外に出たいときは裏口のドアに行けばいいことを覚えた。ようやく子犬がだんだん落ち着いてきたので、夜中に寂しがって鳴かないように、ベッドルームに置いた犬用のベッドに連れていった。外に出られないようにドアを閉め、子犬のベッドにぬいぐるみのアヒルを入れてやってから、デイジーもよろよろとベッドにもぐりこんだ。ランプを消してきっかり二秒後、子犬はクンクン鳴きはじめた。

十五分後、デイジーは降参して子犬を自分のベッドに入れた。子犬は喜びのあまり異常に興奮して、飛び跳ねてカバーを引っぱり、デイジーの顔をぺろぺろ舐めた。子犬を落ち着かせたとたん、電話が鳴った。ジャックだった。彼としゃべっているうちに、ベッドの足もとに放っておいたロープを見つけた子犬は、袖を引っぱりはじめた。「キラー、だめっ！　離しなさい！　これで切るわね」そして電話を切り、あわててベッドの端に這っていき、子犬が床に転がり落ちる前になんとか捕まえた。

それから五分とたたないうちに、呼び鈴がなった。大きなため息をつき、ベッドから出て子犬を抱きあげ、一緒に玄関に出た。そうするのがいちばん安全だと思ったから。ちらりと外をのぞくと、ジャックがじれったそうにポーチに立っていた。明かりをつけて片手でデッドボルトをはずし、彼をなかに入れた。

ジャックは一歩入って子犬を眺め、その場で固まった。「子犬じゃないか」驚きのあまり声も出ない。彼女はてっきり成犬を飼いはじめたのだと思っていたが、とんだ早とちりだった。

「そうなの！」デイジーはショックを受けているふりをした。「騙《だま》されちゃった」

「ゴールデン・レトリーヴァーの子犬じゃないか」

デイジーは子犬をそっと抱きしめた。「だから？」

ジャックはゆっくりとした動きでドアを閉め、鍵をかけると、頭をドアの縁にとんとんと打ちつけた。

「わたしの子犬のどこが悪いって言うの？」デイジーは問いただした。

抑えた声音でジャックは答えた。「犬を飼うのは防犯のためだとばかり思ってた」

「大きくなるわよ。この足を見てごらんなさいよ。すごく大きくなるわ」

「それでもゴールデン・レトリーヴァーであることに変わりはない」

「それのどこがいけない？　この子、きれいでしょ」

「ああ。ゴージャスだ。でもゴールデンは人なつっこいから、防犯の役には立たない。だれでも友だちだと思っている。かわいがられるために生まれてきたようなもんだ。だれかがきたことを知らせるために吠えたりするかもしれないが、ただそれだけだ」

「それでいいじゃない。わたしにとっては完璧よ」デイジーは子犬の頭のてっぺんにキスをした。子犬は見慣れない人間を調べたくて、身をくねらせて下に降りようとしている。

ジャックはため息をついて手を伸ばし、大きな手でそのチビ助を取りあげた。子犬はすごい勢いで、舌が届くかぎりあちこち舐めはじめた。「で、キラーって名前なのか?」

「違うの、いま考えているところ。どれもぴんとこなくて」

「キラーって感じじゃなけりゃ、キラーじゃないよ。ゴールデンは普通、ラッキーとかファズバットとかいう名前だぜ」ジャックは子犬を抱きあげて、鼻と鼻をつきあわせた。「マイダスはどうだ? それかライリーとか——」

「マイダス!」デイジーはジャックから子犬に視線を移して、目を輝かせた。「ぴったり!」ジャックに手を回して、キスをしようと爪先だったが、名づけられたばかりのマイダスが先に割りこんで、彼女の口を舐めた。デイジーはぺっぺっと唾を飛ばして、唇を拭った。「ありがと、でもあなたはこの人ほどキスが上手じゃないわね」

「そりゃどうも」ジャックは腕を伸ばしてマイダスを遠ざけてから、屈みこんでデイジーと唇を合わせた。ぴったりと抱きあう。キスがどんどん激しくなる。とろけていく感じがまたはじまった。

「泊まってもいいか?」唇を彼女の喉に這わせながら、ジャックは訊いた。

「ぜひそうして」デイジーはそう言った端から、顎がはずれるような、大あくびをした。

ジャックは吹きだした。「嘘つけ。へとへとじゃないか」

デイジーは赤くなった。「昨日は動きづめだったし。それにゆうべも」マイダスをちらりと見た。「今夜もよ。一瞬たりとも、この子から目を離せなくて」

「おれはここに泊まるけど、なにもしないで眠るってのはどうだ?」

びっくりして目をみはり、デイジーは訊いた。「どうしてそんなことするの?」

「あんたにはぜったいに無事でいてほしいから」

「用心棒稼業にばかり精出してるみたい」

「まあ、そうだな。今日、町長からあるナンバーの車の持ち主を調べてくれって頼まれたんだ。その車は、ベネット先生の診療所の前にある、防火帯に駐まっていたらしい。だれのナンバーだと思う?」

「だれの?」

「あんたのだ」

「わたしのですって!」デイジーはむっとした。「一度だって防火帯に駐車したことなんてないわよ!」

ジャックはマイダスを降ろして、笑いを隠した。「おれもそう思った。町長がなぜあんたの車のナンバーを調べたがったのか、心当たりはあるか?」

デイジーはゆっくりと頭を振った。

「奴があんたの車を見たんだったら、あんたのだってわかるはずだろ。まちがいなくだれかに頼まれたんだ。それで少し心配になってね。あんたが引っ越したのはさいわいだった。住所が登録されているのとは違うからな」

デイジーははっとした。「しまった、すっかり忘れてた! 郡庁舎に行って、変更しなくちゃ——」

「いや、しなくていい」ジャックは厳しい口調で言った。「なにが起きているのかわかるまでは」

「テンプルに訊けばいいじゃない」

「なにもかも気がかりなんだ。怪しいことはなにもないっておれが確信するまでは、新しい住所をだれにも教えないでくれ。家族にも秘密にするように言うんだ」

「でも、わたしの住んでいるところを知りたいのなら、職場からわたしを尾《つ》ければすむこと――」

「それは今日からおれにまかせろ。車でここまで送るよ。だれにも尾行させやしない」

デイジーはジャックを見上げ、その厳しい顔つきを目にして、彼がおそろしく真剣なことに気づいた。はじめて不安で背筋がゾクゾクした。ジャックが不安になっていることが、彼女を不安にさせる。

マイダスがキッチンに駆けていき、水のボウルに飛びこんだ音がした。「あの子を捕まえて、裏庭に連れていって。そのあいだに濡れたところを拭くから」ため息をついた。「それから寝ましょう」

「あいつも一緒か?」

「赤ちゃんだもの。ひと晩じゅう、鳴かせたらかわいそう」

「おれより扱いがいいんだな」ぶつぶつと言いながらも、ジャックはおとなしくマイダスを外に連れだして、五分後には眠そうな子犬を抱いて戻ってきた。

「こいつはまんなかで眠るんだろ」ジャックはぼやいた。

デイジーはため息をついた。「いまのところは、この子の好きなところで寝かせてあげてるの。それに、二時間ごとに外に連れていかなくちゃ」

「なんだって?」ジャックはあっけにとられた。

「言ったでしょ、赤ちゃんだって。赤ちゃんは我慢できないものなの」

「さぞすばらしい夜になるだろうさ」

19

あのブロンド女が、ノーランに教えられたとおりの住所に住んでいるとしても、今日はまだ、グレン・サイクスの目に留まっていなかった。ふたりの年輩の女が出たり入ったりしているが、ブロンドではない。この種の住宅地では、気づかれずに見張りをつづけるのは難しい。老人たちがポーチに腰を据え、行き交う人に目を光らせているからだ。

サイクスは電話帳を手に入れて、マイナーという家を探した。一軒しか載ってなかったし、それも町長にもらったのと同じ住所になっていたから、ブロンド女はここに住んでいるはずだ。出張かなにかで家を離れているのかもしれない。サイクスは不安を感じつつもほっとしていた。ほっとしたのは、どうやら女は自分たちに気がついてないらしいからで、不安を感じるのは、森のなかでハンターが——見つけるのは決まってハンターだ——男の死体を発見したというニュースを聞いたからだ。新聞にミッチェルの写真が載れば、土曜の夜に奴を見かけたことを女が思い出すかもしれない。

この状況に、町長は珍しいくらいうろたえているらしく、そのこともサイクスを不安にさせた。だれも冷静さを失ったりしなければ、なんとかなるとサイクスは思っているのに、町長はそのことを忘れかけているようだ。だから電話をかけて、マイナーという女が現われないとつたえる気になれなかった。町長に取り乱されては困るからだが、かといって女のほうをこのままにしておくわけにもいかない。なにもかも収まるところに収めて、町長に落ち着きを取り戻させるためにも、女を見つけ、うまく処理しなければならない。近々また荷物が着く。今度はロシア人だ。その前に片をつけておきたいところだ。この取引一回で、莫大な金が入ってくることになっている。ひとりはまだ十三歳らしく、人形のようにかわいらしいそうだ。

日が暮れると、サイクスは夜陰に紛れてマイナー家の前を何度も車で流したが、ベージュのフォードはいつまでたっても現われなかった。サイクスはやっと、バッファロー・クラブに行くことを思いついた。そうだよな！　自分で自分に平手打ちをくらわせてやりたい。マイナーちゃんは、騒ぐのが大好きなんだぜ、夜に婆さんふたりとおとなしくしているわけがない。きっとクラブで見つけられる気がしてきて、サイクスはマディソン郡に車を走らせた。

だが、駐車場を探しても、ベージュのフォードは駐まっていなかった。週末にくらべれば、月曜日は車も混んでいないから、見落とすはずがなかった。すでにどこかの男に引っかかって、そいつと帰ったか、別のクラブに行ったのかもしれない。

そうだ、こうなりゃ女の職場を見張るのがいちばんだ。ヒルズボロのようなちっぽけな町なら、見つけるのもたやすいにちがいない。いや、町長は女を知っているのかもしれない。そういえば、女の名前とアドレスを知らせるための電話をもらったとき、町長はいやに沈んだ声を出していた。たしかに女を知っていて、良心がとがめていたのだ。

いまのところ、女は見つからないが、明日どこにいるかはわかりきっている。職場だ。家に帰って、ぐっすり眠ったほうがよさそうだ。町長が女の知り合いで、どこで働いているかも知っていることを期待して、朝になったら電話しよう――あんなにお上品な女だから、町長はむらむらしているかもしれない。そうでないことを祈る。浮気相手のひとりを消さなくても、町長はじゅうぶん怖じ気づいている。

だが、明日になればなにもかも動きだす。火曜日は忙しくなりそうだ。


デイジーとジャックは交代で、二時間ごとに起きてマイダスを外に連れていった。そのたびにマイダスは、小さな兵隊のように、やるべきことをきちんとやった。だが残念なことに、家に入れるたびに遊びの時間だと思いこむので、抱きあげて寝かしつけるまでに三十分くらいかかった。

「新生児がいるみたいなもんだな」七時になって、ジャックはテーブルで二杯めのコーヒーを飲みながら言った。顔は無精ひげでざらついていて、目の下には隈ができている。無精ひげはないものの、デイジーも彼と同じ目をしていた。

マイダスを見下ろすと、アヒルを口にくわえたまま、仰向けになって四本の足を宙に突きだしている。「新生児は追いかける必要がないけどね」デイジーは言った。「置いたところにずっといてくれるもの」

「こいつにボールを買ってやろう。ボールを追いかければ疲れるだろうから、もっと長く眠ってくれる——それに、何度もね」

疲れていたけれど、デイジーはジャックにほほえみかけた。彼女の犬におもちゃを買ってくれるなんて、ほんとうにやさしい。昨夜はいやな顔ひとつせず、終始上機嫌だった。でも、泊まると言いだしたのは彼のほうだから。できればセックスをしたかったけれど、しないで一緒に眠るというのも……けっこういいものだ。マイダスがあいだにいたけれど、あたりまえのような顔をしてふたりのあいだにもぐりこんできたけれど、どうにか寄り添って眠ることができた。

「番犬じゃなくて、ドアマットを買ったわけだから」ジャックが子犬を見つめながら言った。「車のナンバーの一件はなにも心配ないとおれが確信するまでは、とくに気をつけてくれよ。確かめたいことがまだあるんだ。それまでは、おれが職場に送り迎えして、夜はここに泊まる」

「わかったわ」デイジーはちょっとびっくりしていた。しばらくのあいだだけとはいえ、なんだかジャックが引っ越してくるみたいだ。びっくりしたのは、自分の喜びようだった。結婚相手を見つけるために出かけるべきなのに、何日か前ほどの熱意はなくなってしまった。もちろん、何日か前には恋人はいなかったし、その男が自分の子犬を真夜中のトイレのために、太い腕に抱いて連れだしてくれるのを見てもいなかった。それを思い出すだけで、体のなかがとろけていくような、センチな気持ちになる。

ジャックはタイプではないけれど、どういうわけかそれも気にならなくなっていた。

「今夜は町議会の会議がある」ジャックが言う。「おれはあんたを連れて帰ってから、自分の家に戻ってシャワーを浴びて、服を着替える。会議が終わったらここにくるよ」

「夕食は一緒にとる?」いつもこんなやりとりをしているみたい。

「いや、先に食べておいてくれ。運がよければだが」ジャックはマイダスを困ったように見て、クックと笑いだした。マイダスは、まだ仰向けで足を宙に突きだして眠っていた。

ゆうべの大変さを思い出しながら、デイジーは母親に電話して、まだ子犬をあずかってくれる気はあるか尋ねた。

「そっちに行くわ」イヴリンが言った。「そこのフェンスに囲まれた裏庭がどれほどありがたいか。八時半ごろに着けば、あなたが仕事に出かけるまで、じゅうぶん時間があるでしょう」

話をつけて電話を切ったとたん、なぜジャックに職場へ送ってもらうのか、母親にどう説明したらいいものやら途方に暮れた。彼がここにいることに関しては——もう三十四歳の女なのだから——だれとどうつきあおうと、人に説明する義務はないけれど。

「帰ってもらわないと」デイジーは言った。「母がくるの」

ジャックは笑いを噛み殺しているようだ。「朝食を作ってくれたら、八時までに帰るよ。家に戻って、ひげを剃って着替えてから、あんたを図書館まで送るのにじゅうぶん間にあうように戻ってくる」

「わかった」デイジーは即答した。「シリアルを用意するくらいなら時間はかからないし」

「ビスケットがいいな」ジャックは猫なで声で言った。

むっとしながら、デイジーはオーブンのスイッチを入れた。

「卵とベーコンも」

これからデイジーのために彼がする苦労にくらべれば、手作りの食事くらいたいした苦労じゃない。ジャックにとっては運のいいことに、ひとりならそれほど料理はしないものだとまだ気づいていないデイジーは、習慣から必要な食材を買ってあった。食卓にひとりしかいなければ、朝はシリアル、夜はサンドイッチのほうがずっと無駄をはぶける。

デイジーはベーコンをフライパンに入れ、脂が飛び散らないように蓋をかぶせてからレンジにかけた。それから小麦粉と油と牛乳を取り出し、混ぜ合わせてビスケット生地を作りはじめた。ジャックは目をみはった。「出来合いの缶詰を使うのかと思っていた」

「そういうものはないの」

「ほんとうに手作りのビスケットを作れるのか？」

「もちろんよ」デイジーは話をやめ、新品のビスケット用の天板を取り出して、くっつかないように油を引いた。ビスケット生地は伸ばさず、母親に教わった方法をとった。適当な量の生地をすくいとって丸め、ぱんとたたいて平たくして、それを天板に並べる。

「ベッシーおばもそうしていたな」ジャックはうっとりとして言った。「おばは〝絞め殺しビスケット〟と呼んでいた。ビスケット・カッターを使わずに、生地を絞め殺すみたいにするからってね」

「ビスケット・カッターはお子さま用よ」デイジーは、自分と母親とジョーおばがいつも食べるくらいの数を作ったが、ジャックならふたり分は食べるだろう。オーブンはまだ熱くなっていないので、ベーコンのようすを見てひっくり返した。

ジャックは立ちあがって、二杯めのコーヒーを注ぎ、カウンターからハンツヴィルの朝刊紙を取りあげてテーブルに戻った。前日はマイダスのせいで、デイジーには新聞を見る暇もなかった。でも、いつも図書館で読むことができる。

オーブンの余熱が終わって、ビーッという音がした。デイジーはビスケットをオーブンに入れて、冷蔵庫から卵を取り出そうと振り返った。と、一面の写真に目が留まった。その男には見覚えがあるけれど、だれなのか思い出せない。

「その人はどうしたの？」少し眉をひそめて指さした。

ジャックは写真のキャプションを読みあげた。「氏名はチャド・ミッチェル。日曜日の朝、ハンターによって死体が見つかった」

「その人、知ってる」デイジーは言った。

ジャックは新聞を置いた。灰色がかった緑色の目が鋭くなった。

「どういうことだ？」

「わからない。よく思い出せないの」デイジーは卵を取り出した。「卵はどうする？　スクランブル、それとも目玉焼き？」

「スクランブル」

　ボウルに四個の卵を割り入れ、少量の牛乳を加えてフォークでかき混ぜた。「テーブルを用意してくれる？」

　ジャックは立ちあがって戸棚の扉や引きだしをあけて、皿や銀器を探した。デイジーはベーコンを最後にもう一度ひっくり返しながら、ぼんやりと見つめていた。

「ああ、わかった！」唐突に声をあげた。

「図書館の利用者か？」

「いいえ、バッファロー・クラブにいたの。最初の晩に、踊らないかって誘ってきて、わたしにコーラを奢ってくれるって買いにいった。でも戻ってくる前にけんかがはじまったの」

　ジャックは皿を置いて、デイジーの話に神経を集中させた。「そいつに会ったのは、その一度だけか？」

　記憶を探しているように、デイジーは小首をかしげた。「そうじゃないような気がする」

「どういう意味だ？　一度だけか、それともそうじゃないのか」

「自信はないんだけど」デイジーはゆっくりと答えた。「土曜日の夜、クラブに入る前に、駐車場で見かけたかもしれない。ほかに男の人がふたりいたわ。そのあと、車からもうひとり男の人が出てきて、一緒になったの。あの人、クラブから出てきたときは、ぜんぜん酔っぱらってるようには見えなかったのに、それから気を失ったみたいで、ほかの人たちにピックアップの荷台に乗せられたの」

ジャックは荒々しい手つきでうなじをこすった。「まさか」彼はつぶやいた。

いくぶん青ざめた顔をして、デイジーは彼を見つめた。「わたし、生きているあの人を見た最後の人間なのかしら」

「あんたは、彼が殺されるところを見たんだ」ジャックが厳しい声で言った。

「でも――でも、銃声もなにも聞こえなかったのに……」声がだんだん小さくなっていき、デイジーは戸棚によろよろともたれかかった。

ジャックは事件の状況を確かめるために、記事を読んだ。「彼は刺された」

デイジーは息を呑み、ますます青ざめた。ジャックは手を伸ばしかけたが、デイジーはすぐに落ち着きを取り戻し、何世紀ものあいだ、女が動揺した場合にとってきた行動をとった。つまり、いつもの仕事に没頭したのだ。ペーパータオルを破って皿に敷き、ベーコンをフライパンから出して、ペーパータオルに脂を吸わせた。

そのフライパンを下ろして、小さめのフライパンを取り出し、調理用油を引き、かき混ぜた卵を流し入れ、火がついたままのレンジにかけた。ビスケットのようすを見てから、冷蔵庫からバターとジャムを取り出して、テーブルに並べた。

ジャックはまわりを見まわした。「コードレス電話は使いたくないんだ。電話線につながってるのはあるか?」

「ベッドルームに」

ジャックは二階のベッドルームに上がっていった。デイジーは、せっせと卵をかき混ぜたり、ふくらんで色づいてきたビスケットを見張ったりしていた。一分ほどして、ジャックがキッチンに戻ってきて言った。「いくつか調査を頼んできた。おれは、駐車場にいた男たちのひとりがあんたを見て、車のナンバーを調べたんじゃないかと思ってる」

デイジーは、ますます激しく卵をかき混ぜた。「じゃあ、町長に電話して、だれからナンバーを聞いたのか、尋ねてちょうだい」

「そこがちょっと問題なんだ」

「どういうこと？」

「ナンバーを調べてくれって頼まれたとき、町長は嘘をついていた。奴もグルかもしれない」ジャックは言葉を切った。「**きっと**グルだ」

「わたしたち、どうするの？」

「ぜったいにだれもあんたを見つけられないように、いろいろと手配しておいた。引っ越したことをだれにも言っちゃいけない。おふくろさんとおばさんにもそう言うんだ――それだけじゃない、いまおふくろさんに電話して、ここにくるときは、だれにも尾けられてないことを確認するようにつたえてくれ」

デイジーはあんぐりと口をあけて彼を見た。「わたしの母なのよ、ジェイムズ・ボンドじゃあるまいし！」

「だったら、おばさんに運転してもらうように言うんだ。あんたのおばさんはボンドよりすごそうだ」

　結局、ジャックのほうがイヴリンに電話し、落ち着いた口調で指示を出した。デイジーは朝食に集中した。いまはそれしかできない。「もうひとつ」彼が話しているのが聞こえた。「おたくの電話には発信者番号が通知されますか？　通知されていたら、消してください。デイジーの電話番号をどこにも出したくないんです」

「わたし、事情聴取を受けなくちゃならない？」彼が電話を切ってから、デイジーは尋ねた。

「そうよね？」

「できるだけ早いほうがいい」もう一度ジャックは受話器を取り、リダイヤルボタンを押した。イヴリンが出ると、彼は言った。「今日、デイジーは欠勤します。電話を――」

　ジャックはちらりとデイジーを見た。「ケンドラよ」

「――ケンドラにかけて、よろしく頼むとつたえてください。理由は適当にでっちあげて。歯痛とでも言っておいてください」

　電話を切って、ジャックは言った。「事情聴取を受けて、男の特徴を説明したり、たぶん警察にある写真から似た顔を探したりすることになる。だが、そいつはその前にあんたをなんとかしようとするだろうから、なるべく早く警察に行こう。むこうを出し抜いてやるんだ」

「証言するには生きてなくちゃね」デイジーはそう言い、声がしっかりしていることを誇らしく思った。ふわふわしたスクランブル・エッグをボウルに移して、完璧なきつね色に焼きあがったビスケットをオーブンから取り出してパンかごに並べ、それらをすべてテーブルに並べた。

「だいじょうぶだ」ジャックは言った。「保証するよ」

20

サイクスにとって、それははじめてやることだった。快晴の火曜の早朝、テンプル・ノーランの自宅に電話したのだ。あのブロンド女がどこで働いているにせよ、できれば出勤途中を襲うことができるように、じゅうぶんな余裕を持ってそこに着きたいし、それが無理なら、職場を出てから尾行できるように準備しておきたい。長い一日になるだろうが、辛抱強いことにかけてはだれにもひけをとらない。

ノーランは三回めのコールで出た。ぼんやりして眠そうな声だ。「もしもし?」

「おれです」

「サイクス!」ノーランの声はにわかに緊張した。「いったいどういうつもりで、ここにかけてきた?」

「マイナーという女は、もらった住所の家には現われませんでした。あそこに住んでいることはまちがいないですね?」

「そのはずだ。生まれてからずっとあそこにいる」

ひとつ疑問は解けた、とサイクスは思った。町長はぜったいに、この女を個人的に知っている。

「だったら、昨日の夜はどこかに泊まっています。ボーイフレンドでもいるんでしょう」

「デイジー・マイナーに？　まさか」ノーランは鼻で笑った。

「でも、バッファロー・クラブにくるような女なら、マザー・テレサじゃありませんよ」

「そうだな」ノーランはしぶしぶ言った。「しかも髪を染めたんだった。まったく！」

「いい知らせです。女はなにも気づいてないようです」

「それなら、この一件は忘れて――」

「だめです」サイクスはきっぱりと言った。「このマイナーという女は、〝綻《ほころ》び〟です。ほっとけません。ロシアのブツがすぐに入ることになってるんですよ。この女が邪魔をしないという保証はありません。あれだけの大金を手にいれ損なうのを、フィリップスがただ指をくわえて見てるとは思えない。ロシアものは、ほかのにくらべて三倍の価値があるんですよ」

「くそっ」

賛成の意思表示と受け取り、サイクスは言った。「女はどこに勤めているんですか？　できれば朝のうちか昼休みに捕まえます。それが無理なら、夕方、帰宅途中にやります」

「図書館司書だ」ノーランは答えた。

「図書館司書？」

「ヒルズボロ町立図書館。町役場の隣りで働いている。九時に図書館をあけて、昼休みまでひとりのはずだ。だが、図書館では手を出すな。町役場と警察署の人間が何人も行き来しているし、図書館の駐車場はそのどちらからも見えるんだ」

「それなら、チャンスを見はからいながら、昼休みに尾行します。心配はいりません。いずれにしろ、今日のうちに捕まえます」

ふたりの男が電話を切ったとき、ジェニファー・ノーランは、自室でそっと電話の接続停止ボタンを押し、そのまま押しつづけながら受話器を戻した。ここ何年か、テンプルの電話を盗み聞きしていた。病的な衝動を抑えきれないのだ。とっくの昔に数えることをあきらめたほどたくさんの女と、夫が逢い引きの約束を取りつけるのを聞いてきたのに、いまでも耳にするたび体の一部が死んでいくような気がする。何年もかけて、離婚するだけの自尊心をかき集めようとしてきたが、いつも楽なほうへと流されてしまう。アルコールと男で紛らすほうへと。ときには酒の酔いを借りて、夫の女が自分を傷つけたように、彼女の浮気が夫を傷つけていると思いこむこともできたが、借りのある男たちと寝てくれと夫に頼まれるようになってから、そんなはかない望みも消え失せた。

エルトン・フィリップスはそのような男たちのひとりだった。あれ以来、ジェニファーは夫を本気で憎むようになった。凄まじいほどの憎悪は酸のように彼女を蝕《むしば》んだ。エルトン・フィリップスがどんな男か、夫は**わかっていた**。わかっていたはずなのに、それでも妻を彼のもとに送ったのだ。彼のベッドルームでふたりきりになり、ジェニファーは泣きわめいて許しを請い、最後にはただ耐えて、死なないことを祈った——いまでは**死にたい**と願うまでになった。

しかし、フィリップスは彼女を殺す気はなかった。その必要はない。テンプルは妻を支配しているはずだし、どうせ彼女は警察に行ったりしないからだ。ジェニファーは、自分がなにをされたか、そして父親がどんな役割を果たしたか、子どもたちには絶対に知られたくなかった。飲酒癖のせいで、すでに子どもたちから見放されかけている。ほかの男たちとのことがなにもかもばれたら、永遠にそっぽを向かれてしまうだろう。しかもテンプルなら、子どもたちに母親の所業を洗いざらいぶちまけるぐらいのことはやりかねない。

フィリップスの虐待から回復したあと、セックスをしたくなったことにテンプルは気がついているのだろうか？　酔っぱらっていなければ、とても我慢できない。もともとみじめな楽しみではあったけれど、テンプルはそれまで奪った。彼女に残されたものは、子どもたちだけだった。

もしかすると、テンプルはたったいま、離婚してジェイソンとペイジと暮らす手段を与えてくれたのかもしれない。

ジェニファーは、いま聞いたことを懸命に思い出そうとした。テンプルは相手の男の名前を言った。ライクスとかなんとか。違う――サイクスだった。それから、意味はわからないけれど、ロシア人の荷物がどうとか言っていた。ジェニファーには、夫が不法入国者受け入れに関与しているなんて想像もできなかった。メキシコから流れてくる不法入国者を取り締まるため、国境の警備を強化するべきだ、と夫は声高に主張しているのだから。それでも、ジェニファーにはひとつだけわかっていることがあった。エルトン・フィリップスが一枚嚙んでいるなら、汚い仕事にきまっている。

だが、デイジー・マイナーについて——これは誤解していないと確信できる。デイジーが〝綻び〟で、綻びは繕わなければならないということ。ジェニファーはそれがなにを意味するのかわかったが、どうしてデイジーがテンプルと関わることになったのか、それがわからなかった。テンプルが好むのは、ルールをわかっていて自分に面倒をかけない派手な女だ。まるでデイジーが大きな面倒を引き起こすと言わんばかりの口ぶりだった。あのサイクスという男は、彼女を〝やる〟と言っていた。**殺す**という意味だろう。

だれかにこのことを話さなければいけない。でもだれに？　地元の警察というのがあたりまえの選択だろうが、真剣に聞いてくれるだろうか？　自分たちの町長が図書館司書を殺そうとしているなんて。しかもロシアのなにかを密輸入しているなんて。そう、笑われるのがおちだ。

とりあえず、デイジーに警告しなければ。ジェニファーはベッドの脇にある電話に手を伸ばしたが、受話器は取らなかった。こっちが盗み聞きできるなら、むこうがやらないという保証はない。

昼休みまで時間がある。昼休みにサイクスがデイジーを捕まえると言っていたのだから。

だれに電話すればいいのだろうか？　ジャクソン郡の保安官事務所？　ハンツヴィルのFBI？　それとも移民局だろうか？　保安官事務所はやめたほうがいいと考えた。テンプルは情報網を密に張りめぐらせているから、すぐに耳に入ってしまうだろう。彼はよくハンツヴィルに行くが、連邦レベルにも影響力を持っているのだろうか？　まさかそれはないだろう。それでも、ぜったいに彼を甘く見てはならない。チャンスはこれ一度だ。彼と別れたうえに、子どもたちの心に残るわずかな愛情を失わずにすむチャンスは、一度きりなのだ。

ジェニファーは考えようとしたが、考える習慣などとっくの昔になくしていた。助けや助言を求められるような友だちはいなかった。両親はフロリダに引っ越してしまったし、兄とはもう何年も話していない。電話番号さえわからない。いったいいつごろからこんなふうに、ひとりぼっちになってしまったのだろう。

なんとかしなければならない。図書館まで車を飛ばして、デイジーに危険を知らせるだけでも。だが、その必要はない。立ち聞きされないようにテンプルが出かけるのを待って、デイジーに電話すればいいのだ。しばらくはそれでだいじょうぶだが、エルトン・フィリップスと夫を止める手だてを考えなければならない。チャンスは一度きり。

イヴリンはやっていたことを中断すると、服を着替えて駆けつけた。デイジーの家に着くやいなや、母親らしく鋭い目つきでジャックをにらんだ。「わたしが尾けられるかもしれないとは、どういうわけかしら？　なぜデイジーが引っ越したことをだれにも言っちゃいけないの？　なぜ電話番号を発信者通知から消さなくちゃならなかったの？」

「デイジーが殺人現場を目撃した可能性があるからです」ジャックは皿をシンクに運びながが

ら答えた。

「なんですって」イヴリンは弱々しくつぶやいて、ジャックが立ちあがったあとの椅子にへたりこんだ。マイダスが足もとで熱狂的に歓迎して跳ねまわるので、無意識に屈みこんでなでてやった。

「死体がマディソン郡で見つかりました。これからデイジーをハンツヴィルに連れていって、事情聴取を受けてもらいます。心配なのは、だれかが彼女の車のナンバーから持ち主を調べようとしたことです。彼女を捜しているのかもしれません。おれが過剰に反応しているだけかもしれませんが、片がつくまで彼女を表には出したくないんです」

「あなたが話しているのは、わたしの娘のことなんですからね。過剰な反応じゃないわ。なんとしてもあの子を守ってやってちょうだい、いいわね？」

「わかりました。そのあいだご家族のみなさんに、デイジーについて訊かれてもなにも答えてはいけないとつたえてください。だれにも、どんな情報ももらしてはいけません。たとえ町長にでも。たぶん彼が絡んでいます」

「なんですって」イヴリンはまた言った。「テンプル・ノーランが？」

「車の持ち主を調べるように言ってきたのは彼なんです」

「きっと正当な理由があるはず――」

「デイジーの命をその可能性に賭けますか？」

「まさか、とんでもない」

ふたりが話し合っているあいだ、デイジーは念入りにキッチンを片づけながら、額に皺を寄せて考えこんでいた。「ノーラン町長が絡んでいるのなら、わたしたち全員を知っているのよ。母にジョーおば、ベスにわたし。だれひとり安全ではないわ。彼の目的がわたしの口封じだとしたらね。家族を守るためなら、わたしがどんなことでもするってわかっているはずだもの」デイジーはジャックを見つめた。青ざめた顔が瞳の色を際立たせている。「みんなを守ってくれる？　ベスだけじゃなくて、ネイサンと子どもたちも」

ジャックは一瞬答えをためらったが、正直に話した。「しばらくは。だがそのうち、予算の問題が持ちあがってくる。保安官代理は、警護の仕事にかかりきりになるわけにはいかない」

「わたしが警察にある写真のなかに、三人のうちひとりでも見つけるか、たまたま事件が解決して、犯人がまったくの別人でないかぎり、長期戦になるってことね」

ジャックは彼女を見つめたままうなずいた。そこまで的確に判断してほしくなかったが、デイジーは頭がよくて知識も豊富だから、いずれかならず悟る。表情に富んだ彼女の顔を見ていると、ジャックには彼女の心の動きが手に取るようにわかった。

「心配しすぎることはないんだ。もう必要な手は打ったんだから。いまのところ、やるべきことはひとつだ。事情聴取を受けて、三人の特徴を説明してくれれば、あとはおれたちがやる」

「わかったわ、でもいまは、みんなを守ってもらうだけじゃなくて、みんなにも身を隠してほしいの」デイジーはイヴリンのほうを向いた。「一週間くらい、グレート・スモーキーあたりに行ってもらえる？　ママとおばさんと、ベスの家族も一緒に」

「こんなときにあなたを置いていけるもんですか！」イヴリンは激しい口調で言った。

「そうしてくれたほうが、わたしも安全なの」デイジーは反論のしようがない点を突いた。

理性と、子どもを守ろうとする母親の本能との板挟みで、イヴリンはためらった。

「ひとつには」デイジーがたたみかける。「警察にとって、ひとりの人間を警護するほうが、七人を警護するよりもずっと簡単でしょ。もうひとつ、みんなが安全だってわかっていたら、集中できるからミスも犯さないだろうし」

「デイジーの言うとおりです」ジャックは署長の立場を利用して、彼女の言い分を後押しした。「できるだけ早く、荷物を詰めて町を出てください。それまで、部下をあなたがたの警護にあたらせます。ベスの家族も、ハンツヴィル警察に警護させますから」

「犬はどうする？」イヴリンは、椅子の脚をかじっているマイダスを見下ろした。「だれがこの子の面倒をみるの？」

デイジーはイヴリンの視線をたどって、さっと屈みこんだ。「マイダス、だめよ」厳しく言って、子犬を抱えあげた。叱られたことがわかっているのだかいないのだか、マイダスは楽しげに尻尾を振りながら舐めまわす。かまってもらって嬉しくてしかたないのだ。「これが終わるまで仕事には行かないから、わたしが面倒をみる」

「へえ、マイダスって名前にしたの」イヴリンはそう言ったが、その声音には、しぶしぶながらジャックに娘をあずけなければならないと認める気持ちが表われていた。ふさふさした毛に鼻をこすりつけた。

デイジーはこみあげる涙を隠すために、ふさふさした毛に鼻をこすりつけた。「ジャックがつけてくれたのよ。それかファズバットかどちらかだったの」

この場がやけに感動的にならないうちに、ジャックは前に出た。「さあさあ、ふたりともいろいろ準備があるでしょう。おれは電話をしてくる。ミセス・マイナー、おたくに着くころには、ふたりの警官が待機してますから」

「そうだわ」イヴリンは電話に手を伸ばした。「ジョーに気をつけるように言わなくちゃ」

三十秒後、彼女は玄関に向かった。ジャックは言った。「ベスに電話して、荷物をまとめるようにつたえてください。ネイサンはもう仕事に出かけたかな？」

「いいえ、遅番だから」

「よかった。ハンツヴィルに電話して、すぐ警護に行ってもらいます。ネイサンが休暇を取りにくいようなら、おれに知らせてください。こっちで手をまわします」

イヴリンはポーチの階段を降りながらうなずいた。が、不意に立ち止まって振り向いた。

「ひとつ憶えておいてほしいのだけれど」

「なんでしょう？」ジャックはイヴリンの険しい目を見て身がまえ、慎重に尋ねた。

「わたしはきっととってもいい姑になると思うの。でも、敵にまわしたらこわいわよ。うちの娘になにかあったら、わたしが黙ってませんから」

「承知しました」ジャックはその言葉を完全に理解した。

デイジーは驚きに目をまるくして、母親のうしろ姿を見つめた。「あなたを脅してたわ」信じられないという口ぶりだ。

「しかもみごとに」

「あの……姑っていうのは——」

「そのことはあとで話そう。さあ、支度しろ」ジャックはジョリジョリという音をたてて、ひげの伸びた顎をなでた。「剃刀を借りてもいいか？　あんたをひとりにして、家に帰ってひげを剃りたくないんだ」

デイジーは、ジャックがベッドルームで電話しているあいだに身支度した。バスルームから体を乗りだして聞き耳をたてたが、ひと言も聞き取れなかった。とうとうあきらめ、いましていることに専念した。鏡を見つめていても、なにひとつ現実に起きていることとは思えなかった。自分はただのデイジー・マイナーで、生まれてからずっとこの町で暮らしてきた図書館司書だ。そんな人間は、こんなことが自分の身に降りかかろうとは思いもしない。夫を探《ハンティング》そうとしたら、自分が狩《ハンティング》られることになろうとは。まるで狩猟解禁期《オープン・シーズン》だ。

ジャックがバスルームに入ってきた。「もうだいじょうぶ、あんたの家族に必要な手配はした。うちの警官が、おふくろさんとおばさんをベスの家まで連れていく。あと二時間もすれば、全員が安全な場所に逃れているはずだ」

「よかった」デイジーは身を乗りだしてリップグロスをつけ、うしろにさがった。「バスルームを使っていいわよ。剃刀は戸棚のなか」

ジャックはマイダスを見下ろした。当然ふたりについてきていたマイダスは、いまは腹ばいになってジャックの靴紐を嚙んでいた。「出かけているあいだ、こいつを閉じこめておく檻はあるんだろ?」

「ないわ、でもだいじょうぶよ」デイジーは屈んで、靴からマイダスを引き離した。「一緒に連れていけばいいもの」着替えるためにその場を離れながら言った。

・

絞りたてのオレンジジュースに、クリームチーズをはさんだベーグルという朝食を、テンプルはぐずぐず食べていた。いつもは八時半には家を出るのだが、今日は四十五分になっても出かけなかった。家政婦兼コックのパトリシアは、ベッドルームを整えて洗濯をするためにキッチンを出ていった。

ジェニファーはなにも食べていなかった。めったに朝食はとらないが、たいていの場合は前日の酒のせいで胃がむかむかしているからだった。だが今日の吐き気は、神経がずたずたになっているせいだ。ジェニファーは黙って坐り、コーヒーを飲みながら、ウィスキーをほんの一滴落とすことができたらと思ったが、ぐっとこらえた。一滴入れてしまえば二滴になり、結局コーヒーからそちらに切り替えてしまうだろう。震える手でカップを握りしめ、震えが止まることを願い、テンプルが早く出ていってくれることを祈った。あとどれくらい我慢しきれるかわからなかった。

テンプルは話しかけてこなかった。いつものことだ。同じ屋根の下に暮らしながら、生活は完全にばらばらだった。町長の妻として出席すべき集まりがあっても、テンプルが教えてくれることはなくなったし、どこに行くとか、いつ帰ってくるとか、そんなこともいっさい言わなくなった。その日の出来事を詳しく話してくれることもない。子どもたちから電話があっても教えてくれない。父親によく電話しているらしいことは、子どもたちの言葉の端々からうかがえた。きっと職場にかけているのだろう。ここにかけてきたためしはないのだから。

もう子どもたちの心は離れていってしまったのかもしれない。修復のきかないほどに。そう思うと、苦痛が苦い泡となってこみあげてきた。わたしの赤ちゃん……ふたりはもうおとなになったけれど、母親の部分は子どもたちが誕生した瞬間をいまでも憶えていた。とても小さくて無力で、母親がふたりの全世界であり、ふたりは彼女のものだった。

子どもたちはジェニファーを恥じていた。話をしたがらないし、寄りつきもしない。そうさせたのはテンプルだけれど、彼女自身も手を貸したのだ。真実と向き合おうとせず、酒に慰めを求めた。愛する男に愛されず、いままで愛されたこともなく、これから愛されることもない。彼女は目標を達成するための手段にすぎなかったのだ。子どもを連れて、別れるべきだった。たとえ泥仕合になったとしても――テンプルが相手ならまちがいなく泥仕合になる――少なくとも、誇りを失わずにすんだだろうし、子どもたちから軽蔑の目で見られることもなかっただろう。

ジェニファーは時計を見た。九時五分前。なぜこの人は、いつまでも出かけないんだろう？

電話が鳴って、ジェニファーはぎょっとした。テンプルは立ちあがってコードレスで応え、書斎に持って入ってドアを閉めた。

そういうわけか。電話を待っていたのだ。

ジェニファーは震えながらカップを取りあげ、二階の自分のベッドルームに行って、ドアを閉めて鍵をかけた。パトリシアがベッドを整え、バスルームの掃除もすませていた。ジェニファーはベッドに腰かけ、電話をじっと見つめた。いま受話器を取ったら、カチリという音がテンプルに聞こえてしまうだろう。盗み聞きするときは、むこうと同時に受話器を取り、雑音が入らないように、送話口を手で覆うことにしている。

心臓がどきどきした。受話器を取りあげ、あたかも電話をかけているようにボタンを押しはじめた。受話器を耳にあてててもいないのに、テンプルの怒鳴り声が聞こえた。「ジェニファー！　馬鹿野郎、おれがまだ使っているんだぞ」

「そ、そうなの？」ジェニファーは口ごもった。ろれつが怪しかった。一階に降りる前に飲みはじめたと思ってくれるかもしれない。「ご、ごめんなさい。ただ電話を――」

「まだおれが使うんだ。電話を切れ」

通話相手のくすくす笑いが聞こえた。その低い声に彼女の体は冷たくなり、全身の毛が恐怖に逆立った。エルトン・フィリップスだ。

「ごめんなさい」もう一度言って、送話口を手で覆うと、ボタンを押してすぐに離し、電話を切ったように思わせた。

「あの馬鹿女が」テンプルはぶつぶつといった。「すみませんでした」

「なに、かまわんよ」フィリップスはまた笑った。「彼女のおつむと結婚したわけじゃないだろう」

「おっしゃるとおりです。もしそうだったら、わたしはまったく運に見放されてることになりますよ、あいつに脳味噌はありませんからね」

「頭がぼけているのは彼女だけではないように思えてきたんだがね。近ごろのきみは、ミスを繰り返しているじゃないか」

「承知しています。申し訳ありません、ミスター・フィリップス。サイクスが手はずを整えていますので」

「まだこれからだ。明日の朝、ロシアの娘たちが着くことになっている。ミスター・サイクスには、細心の注意を払って荷物の処理をしてもらいたい。それまでに図書館司書のほうを片づけてくれないと、こっちはほんとうに困る」

ジェニファーはいまさらながら、電話に〈通話録音〉ができる留守番電話機能がついていることを思い出した。まばたきしながら本体をにらみ、正しいボタンを探した。ほかの機能のボタンと並んでいるはずだ。再生、消去、一時停止——あった。通話録音。その小さな赤いボタンを押し、雑音や警告音がしないことを祈った。

「司書が昼休みに図書館を出たときか、夕方に帰宅する途中で、サイクスが捕まえることになっています。女は単純に姿を消す。サイクスが自分で処理すれば、なにも問題はありません」

「そうかな？　ではなぜ、ミッチェルの死体がこんなに早く見つかったのかね？」

「サイクスが処理しなかったんです。クラブに残って、駐車場で彼らを見た者を捜していましたので。あとのふたりが死体を始末しました」

「ミスター・サイクスのミスというわけだな」

「はい」

「それでは、これが彼にとって最後のチャンスだ。そしてきみにとっても」

フィリップスがいきなり電話を切り、ジェニファーは危うく受話器を置きそうになった。だがジェニファーは待った。何秒かの長い時間を待った。なぜテンプルは電話を切らないのだろう？　ジェニファーは指をボタンにかけたまま、じっとしていた。こっちがうっかり音をさせるかもしれないと待っているのだろうか？　冷や汗が背筋をつたった。

ようやく電話が切れ、ほんの一瞬遅れて、ジェニファーも電話を切って受話器をフックに戻した。あわててドアの鍵をあけて、バスルームに駆けこみ、すばやく歯ブラシに歯磨き粉をつけて水を出し、懸命に歯を磨きはじめた。テンプルがベッドルームに入ってきたためしはないのだから、こんなに取り乱す理由などないのに――

バスルームのドアがあき、テンプルが言った。「いったい――」

ジェニファーは跳びあがって金切り声をあげ、歯磨き粉を洗面台に吐き散らした。ひどく震えていたのでバランスを崩し、よろよろとあとずさって便器にぶつかり、その上に尻もちをつきそうになったが、なんとか水洗タンクにつかまって体勢を立て直し、便器の蓋にドシンと坐った。

テンプルがうんざりしたように見つめていた。「まったく、朝食も食べずにもう飲んでいるのか」

震える手で歯磨き粉のついた口を拭い、黙っていた。酔っぱらっていると思わせるのだ。そのほうが安全だ。

「だれに電話しようとした？」

ジェニファーは髪の毛を指さし、誤って頭の側面に歯磨き粉をつけてしまった。「美容院に行こうと思って」

「冗談じゃない。今度から受話器をとって番号を押す前に、おれが電話していないか確かめろ」ジェニファーがうなずいたかどうか見もせず、くるりと背を向けて出ていった。ジェニファーは洗面台に頭をあずけ、深呼吸をして動悸を鎮めようとした。じゅうぶん落ち着いてから立ちあがり、顔を洗って口をゆすぎ、髪についた歯磨き粉をタオルで拭きとった。

留守番電話の録音機を止めていなかった。ジェニファーはベッドルームに戻った。テンプルがドアをあけっぱなしにしていたので、もう一度閉めにいき、それから電話に戻って録音を止めた。

この小さなテープは貴重だ。問題は、これをどうすればよいのだろうか？　だれに渡せばいいのだろう？　テンプルは、新しい警察署長のラッソのことを〝お気に入り〟だと何度も言っていたから、ラッソは思いどおりに動かせるのだろう。前署長のビーソンが退職したとき、テンプルは喜んでいたが、それはビーソンが長いこと勤めていろいろ嗅ぎまわり、秘密を知りすぎていたからだ。テンプルが考えているほどラッソの目が節穴かどうかはわからないが、いまは危険を冒すわけにはいかない。うまく立ちまわることがなによりも大事だ。

ジェニファーはもう三十分ほど待って、それから一階に降りてテンプルが出かけたか確めた。書斎にはいなかったので、ガレージを覗くと車がなくなっていた。

やっと行ってくれた！　夫の机に坐り、図書館の番号を探してすぐに電話した。

「ヒルズボロ町立図書館です」

ジェニファーは落ち着こうと息を吸った。「デイジー・マイナーはいますか？」

「あいにくですが、デイジーは本日休みをとっております。わたくしはケンドラ・オウエンズですが、ご用件は？」

ああ、どうしよう。「家にいるの？　家にかければつかまるかしら？」

「さあ、わたくしではなんとも。おかあさまは歯痛だと言ってらしたので、歯医者さんにいると思いますよ」

「どこの歯医者に通っているかご存知？」ジェニファーは、取り乱しそうな自分に気づいた。酒を飲みたくてたまらない。だめだめ、酒なんか**いらない**。いまやっていることに集中しなければ。

「いいえ」

「大事な用なのよ、もう！　考えてよ！　いますぐ連絡をとらないといけないのよ。デイジーが殺されちゃう」

「すみませんが、いまなんとおっしゃいました？」

「聞いてたでしょ！」ジェニファーは指の関節が白くなるほど、きつく受話器を握りしめた。「デイジーを見つけてよ！　夫が電話で話してるのを聞いたの、サイクスって男がデイジーを殺すって。先に知らせないと、やられちゃうのよ」

「警察に電話したほうが――」

ジェニファーは受話器を叩きつけ、両手に顔を埋めた。どうすればいいの？　歯医者ですって。ヒルズボロには歯医者が何軒あるの？　そんなに多くはないけど、もしデイジーが、フォートペインとかスコッツボロの歯医者に行っていたら、どうすればいい？

ちょっと待って。デイジーのおかあさんに電話して、どこの歯医者に通っているのか訊くのだ。

その番号にかけたが、呼び出し音はいつまでも鳴りつづけ、だれも出なかった。

イエローページをめくり、歯科医・歯科の欄を見つけて、電話をかけはじめた。今度こそあきらめてはならない。失敗だらけの人生だったが、もう失敗は許されない。

21

「サービスドッグ以外、公共の建物に犬は入れないんだ」ハンツヴィルに向かう途中、ジャックがそう言ったのはこれで五回めだ。

デイジーは肩越しに、バックシートのブランケットの上で眠っているマイダスを見た。

「駐車場の一件でわたしに事情聴取したければ、きっと入れてくれるわ」

餌と水を入れた皿をデイジーが車に運びこんでいるあいだ、ジャックはずっと反対した。デイジーが小さな首輪に引き綱をつけたときも反対した。デイジーがバックシートに毛布を広げて、ぬいぐるみのアヒルや噛みつくおもちゃと一緒にマイダスを乗せたときも反対した。デイジーが助手席に乗りこみ、シートベルトを締めるまで反対したのだ。それからジャックはもうなにも言わず運転席に坐った。

デイジーに言わせれば、マイダスの問題は話し合いの余地がない。人間を殺そうとする奴なら、ためらいなく犬を殺す。いまや自分がマイダスの保護者なのだから、無力で無防備なまま、家にひとりぼっちで残しておくことはできない。

「わたし、あの晩のことを考えていたんだけど」車窓から山並みをぼんやりと見つめながら、デイジーは言った。「男たちがクラブから出てきたとき、ネオンサインに照らされて顔が見えたの。ミッチェルを挟んで、ふたりの男がいたわ。それに、三人めが駐車場で待っていた。そのとき、車が入ってきて、ヘッドライトが男たちを照らしだした。三人とも車のほうを向いたから、全員の顔が見えたわ。知らない人ばかりだったけど、特徴は説明できる」

「細かいところまで正しく思い出して、頭のなかに留めておいてくれ」ジャックは手を伸ばして、デイジーの手を握った。「すぐに解決するさ」

「そうね」デイジーはなんとかほほえんだ。「あなたが母に約束したんだもの」

九時三十分に、ふたりはマディソン郡保安官事務所の入った建物に到着した。その建物は、六〇年代風の二階建てで、下側が黄色い煉瓦造り、上側が小石混じりのコンクリートになっていて、縦に細長い窓が並んでいる。看板には〈法科学ビル〉と書いてある。科学捜査研究所と公安局も、この建物に入っているからだ。

「ふうん」デイジーは言った。「やっぱりここだと思ったわ」

ジャックはわけがわからないようすだ。「どういうこと？」

デイジーは振り返って指さした。「だって、〈クリスピー・クリーム〉のドーナツショップがあったでしょ」

「頼むから、保安官たちにそんなことを言わないでくれよ」

ジャックは携帯電話をポケットに入れて、マイダス用の道具一式をかき集め、デイジーはマイダスを車から出し、狭い草地に連れていった。マイダスはおとなしくしゃがみ、デイジーにほめられると、自分がいい子だってことはわかっていると言わんばかりに、彼女の足もとを飛び跳ねた。それでも引き綱は気に入らないらしく、口にくわえた。何歩か進むごとに立ち止まっては綱に飛びかかる。とうとうデイジーはマイダスを抱きあげて、赤ん坊のように抱っこした。満足したマイダスが、彼女の顔を舐めた。

ふたりと一匹が建物に入るやいなや、女性の保安官代理に声をかけられた。「犬を連れて入らないでください」

デイジーはさっさと外に出て待った。ジャックは尾けられていないと確信していたが、彼女だけ外で待たせておきたくなかったので、保安官代理に「モリスン刑事にラッソ署長が目撃者を連れてきたとつたえてください」と頼んでから、外に出て一緒に待った。

外は夏の暑さに焼けつくようで、湿度が高いため大気が重く濃厚に感じられた。デイジーは光がほしいというように、太陽のほうへ顔を上げていた。ふたりが黙りこくって待っているところに、モリスン刑事が浅黒い顔に困惑げな表情を浮かべて出てきた。「サスネット保安官代理から、犬を連れてきているって聞いたんですが――」子犬を見て急に口をつぐみ、相好を崩した。「こりゃ犬じゃない。毛糸玉だ」

ジャックは手を差しだした。「ジャック・ラッソ、ヒルズボロの警察署長です。こちらはデイジー・マイナー、例の目撃者です。彼女が行くところには、この毛糸玉もついていきます」

モリスン刑事はジャックと握手をして、頭を掻いて言った。「すぐ戻ります」五分後、話をつけてきた刑事は、ジャックとデイジー、それにマイダスをオフィスに案内した。

マイダスが膝の上でいい子にしていたので、デイジーは土曜の夜に見たことを落ち着いて話した。ええ、たしかにまんなかにいた男は、前の週にミッチェルだと名乗った男です。ええ、たしかに新聞に載っていたのは彼の写真です。デイジーは、ミッチェルが着ていたものをできるだけ思い出して説明した。ジーンズにブーツ、明るい色のウェスタンシャツ。モリスン刑事は死体の写真をジャックにさっと渡した。埋められていたので、洋服は汚れているが、デイジーの説明どおりだった。つまり、バッファロー・クラブの駐車場でデイジーに見られたときから、ミッチェルは洋服を替えていないということだから、その夜殺された可能性がもっとも高い。

「写真を見るか?」ジャックはデイジーに尋ねた。

デイジーが頭を振ったので、ジャックはモリスン刑事に写真を返した。

ジャックの携帯電話が鳴った。ポケットから取り出して、ウィンドウに表示された番号を見た。「署からだ。外で話してきます」

廊下に出て、通話ボタンを押した。「ラッソだ」

「署長、マーヴィンですが」トニー・マーヴィンは日勤の受付係の巡査部長だ。だれに電話すべきなのかわからないとでもいうように、遠慮がちな声だった。「図書館のケンドラ・オウエンズから電話がありました。町長の奥さんのジェニファー・ノーランが電話してきて、ミス・マイナーと話したいと言ってきたので、ミス・マイナーはいないと答えたら、ミセス・ノーランはひどく興奮しだしたそうなんです。なんでも、ミス・マイナーの命が危ないとか、電話で町長がサイクスという男と話したのを聞いたとか言っていたそうです。ミセス・オウエンズによると、町長たちがミス・デイジーを殺すつもりだと、ミセス・ノーランは思いこんでいるようです。今朝、署長からミス・デイジーのご家族の警護をするように指示がありましたから、お知らせすべきだと思いました」

うなじの短い髪の毛が逆立った。「正しい判断だ、トニー。どうやら町長は、やばいことに首を突っこんでいる。ミセス・ノーランを迎えにいって、事情聴取をしてくれ」言葉を切って考えた。「彼女を署で保護しろ。取調室に引き留めておくんだ」

「ミセス・ノーランをですか、署長?」

「彼女の命も危ない」

「つまり、朝っぱらから酒に酔ったミセス・ノーランの作り話じゃない、とおっしゃるんですか?」

「作り話であってほしいよ。大至急、ノーランの家にひとり送れ」

「了解」巡査部長は答えた。「あの、町長がこれを聞きつけたときはどうしましょう?」トニーは「もし聞きつけたら」ではなく「聞きつけたときは」と言った。小さな町では〝もし〟はありえないからだ。

「うまくごまかして時間をかせぐんだ。ミセス・ノーランは酔っぱらっていたから、ひと言も信用できないとでも言っておけ。彼女の供述を取るまで、下手に揺さぶりをかけたくない」

「了解」

「それと、この件は無線でしゃべるな。電話連絡のみだ。それで時間がかせげる」

ジャックは電話を切り、トッドにかけて状況を説明した。「ジェニファー・ノーランの供述があれば、通話記録を調べる正当な理由ができて裁判所命令がとれる。あんたがまだ調べてなければ、これで合法的に通話記録を調べられる。ジェニファーは名前も教えてくれた。サイクスだ」

「合法的なやり方がいいに決まってる」トッドはそっけなく言った。

「いままでは、なんとなく気にかかっていただけだった。それがいまじゃ状況が変わった」個人的犯罪が絡んでいるとわかった以上、なにもかも規則に従って進めなければならない。個人的なことで規則を曲げるのはかまわない——おおっぴらに破ってもかまわない——が、もはや個人の域を超えている。単純な事務処理の不行き届きが理由で、不起訴にされてはたまらない。

「サイクスのことは調べてみる。スピード違反でもやったことがあれば見つかるだろう」

ジャックは刑事の部屋に戻り、ことの経過を説明した。モリスン刑事はすかさずメモをとった。左利き特有の手首を折って書くやり方だ。「チャド・ミッチェルと関わっているのなら、おたくの町長は友だちを選ばないってことですよ。ミッチェルは最低の野郎ですからね。いままでに、公務執行妨害、麻薬不法所持、強姦未遂、窃盗、不法侵入で逮捕しました。去年はデートレイプで捕まりましたが、検察側が立証できなかったんです。長い刑を食らったことはなくて、ここで半年、あそこで一年といったところですね」

「不法所持とは、いったいなにを持っていたんですか？」ジャックは尋ねた。

モリスンはファイルを調べた。「たいていはマリファナです。あとは少量のコカイン、ロヒプノール、クロナゼパム、ＧＨＢですね」

「デートレイプ・ドラッグに目がなかったんだな」

「ノーラン町長が事件とどう絡んでくるの？」デイジーは尋ねた。「ミッチェルと一緒だった三人の男のひとりではない。でもなんらかの関係があるはずだわ」

「おれが思うに、サイクスがその三人のうちのひとりだ。サイクスが町長と結びついていて、奴らはなにか胡散《うさん》臭いことをやっているんだ」

「それがいちばん筋の通ったシナリオですね」モリスンは立ちあがった。「ミス・マイナー、あなたは一瞬だがはっきりと三人を見たんですよね。時間はかかってもいいですから、ここにある前科者の写真を見て、このなかにいるかどうか確かめてください。憶測ではなく、**間違いない**と言えるものを。そうでなければ、被告側の弁護人に論破されてしまいます」

マイダスはデイジーの膝の上でずっといい子にしていたが、彼女がモリスン刑事についていくために立ちあがると、遊びの時間だと思いこんで必死にもがきはじめた。デイジーが床に下ろすと、マイダスはとたんに刑事の靴に飛びかかった。「ねえ、アヒルは？」靴紐を救いながらデイジーは言ったが、モリスン刑事が笑いだし、足をあちこちに動かして、マイダスを新しいゲームに夢中にさせたので、救出は思うようにいかなかった。

「ほら」ジャックは持ってきた子犬用の道具一式からアヒルを取り出して、ポンと床に放った。新しい標的が明らかに自分から逃げていくのを見て、マイダスはモリスンの靴をほったらかしてアヒルを追いかけた。獲物を捕まえると、激しく振りまわして頭の上に放り投げ、もう一度飛びかかった。

「ごめんなさい」デイジーは謝った。「昨日飼いはじめたばかりで、まだ六週めの子犬なんです。だから、ひとりでおいておけなくて。わたしを捜してる連中が、わたしを見つけられなかったら、マイダスを傷つけるかもしれないし」

「そのとおりです、卑劣な奴がいますからね」モリスンはうなずいた。「安全なところにいるほうがいいですよ。じゃあこうしましょう。わたしが写真を持ってきます。ここで見てください。そうすれば、その子もいっぺんにたくさんの人間を見て、興奮しすぎることもないでしょうから」

「まったくいい考えだ」ジャックはマイダスが捕まえる前にアヒルを拾い、もう一度放った。大喜びで黒い目を輝かせ、マイダスは飛び跳ねながらアヒルを追いかけて、ジャックのところまで引きずっていき、彼の足もとにぽとりと置いた。

「こいつはすごい」驚いたモリスンが言った。「あっというまに捕まえちまいますね」

ジャックがまだアヒルを放り投げているうちに、前科者の写真をどっさり抱えたモリスンが戻ってきた。ゲームに夢中のマイダスは、戻ってきたモリスンに見向きもしなかった。

写真を前にして、デイジーははじめて仕事の大変さを思い知った。五十枚、いや何百枚の写真を見ればよいというものではなかった。何千枚とあるにちがいなく、しかも写真家の腕はきわめてひどい。被写体をありのままに写しているとはとてもいえない写真ばかりだった。デイジーは目を閉じて、あのとき見た三人を思い浮かべ、いちばん特徴的な顔を選んだ。細長くて、目の上の隆起が目立っていた男。汚れたブロンドの長髪で、もみあげが長く、みすぼらしいスタイルだった。でも、髪型は変わっているかもしれない――それに関して彼女は専門家だ――から無視して、顔かたちに意識を集中することにした。マイノリティは度外視していい。速読の講座で習ったやり方を使って、ページをざっと見てはすばやくめくり、ときどき止まって顔をじっと見つめて、また次をめくった。

十五分後、マイダスはデイジーの足もとに寝そべって眠りはじめた。デイジーが手を止めて子犬を見下ろしたので、ジャックはこのチャンスに尋ねた。「飲み物はほしくないか？コーヒーかジュースでもどう？」

「コーヒーはやめといたほうがいいですよ」モリスンが言った。

デイジーは頭を振った。「だいじょうぶよ」

モリスンは言った。「では、あなたにおまかせして、わたしはちょっと電話してきます。別の部屋を使わせてもらって、終わったらようすを見に戻ってきますよ」

時間が刻々と過ぎていき、ページをめくるシュッという静かな音がするばかりだった。マイダスがとうとう目を覚まし、ジャックが外に連れていった。戻ってきたとき、マイダスは引き綱につながれて、すごいことをしてきたとでもいうように飛び跳ねていた。「昼飯の時間だ。休憩したほうがいい」

「おなかは減ってない」デイジーはうわの空で言った。

「**おれは**減っている」

デイジーはおかしそうに見上げた。「あなた、朝食のとき、わたしの四倍も食べたくせに」

「だから、あんたも食べるべきなんだ。おれが腹ぺこなら、あんたもそのはずだぞ」

「もうちょっと待って」デイジーはページに注意を戻して、まばたきすると、写真を指さして、はっきりした口調で言った。「この人がいたわ」

写真では髪が短いが、だらしないもみあげが同じように長く、色も汚らしいブロンドだ。ネアンデルタール人のような目の上の隆起も変わっていない。

ジャックはざっと写真を眺めた。「モリスンを呼んでくる」そしてドアの外に消えた。

デイジーは息を吐いてそっと目をこすった。ひとりはすんだが、ふたり残っている。そのふたりはこれほど簡単ではないだろう。いちばん特徴があったのはいまの男だから。

モリスンは大急ぎで戻ってきて、デイジーが示した写真を見た。「ジョージ・〝バディー〟・レモンズだ。こいつのことは知っています。不法侵入、暴行、強盗、器物損壊で捕まってる。こいつも最低の野郎でね。いつも組んでいる奴がいて……はて、名前は」部屋を出た彼は、廊下でだれかを呼んだ。「おい、バンジョー、バディー・レモンズを覚えてるか？去年、ボブ・ウォレス通りの婆さんの家を壊して逮捕しただろ。もうひとりの名前を憶えてないか?」

「カルヴィン……なんとかカルヴィンだ」

「そうだ、それそれ」モリスンは「カルヴィン、カルヴィン」とつぶやきながら、部屋に戻ってきた。コンピュータの前に坐り、名前を入力した。「こいつだ。ドワイト・カルヴィン。こいつが残りのふたり組の片割れじゃないですか?」

デイジーは近づいてスクリーンに映った写真を見た。「そうです」薄くなった黒髪と、大きな鼻をした男を眺めて、はっきりと答えた。

「間違いありませんか?」

「間違いありません。でも、三人めの男に似た人は見つかってないんです」

「サイクスのファースト・ネームがわかれば助かるんですが、このふたりを引っぱってくれば、すぐに吐くでしょう。バディーとドワイトだって、他人の身代わりになりたくないでしょうから。ミス・マイナー、このあとはどうしますか?」

「家に」デイジーは答えかけたが、ジャックが首を振った。

「この件が解決するまで、ホテルに泊めます。ただし、彼女の居場所をだれにも教えない――モリスン、あんたにもです。彼女と連絡が取りたかったら、わたしの携帯電話にかけてください。それが唯一の連絡方法です」

22

「わたしをどこにしまっておくつもり?」車に乗りこんで、デイジーは尋ねた。「子犬が一緒なのよ、忘れた?」

「忘れられるものなら忘れたい」ジャックはぶつぶつと言った。「あんたをしまっておきたくないが、それがいちばん理に叶ってる。ペットを受け入れてくれるモーテルがあるはずだ。地元の自動車協会に電話して訊いてみる」

「着替えも持ってきてないわ」デイジーは言った。「それに本だって」

「あんたの家にだれかやって、荷物を持ってこさせよう」

デイジーはちょっと考えた。「トッドに頼んで。あの人なら、なにを用意すればいいかわかる」

「言っただろ、トッドはゲイじゃない」

「別にかまわないわよ。トッドなら、どれとどれを組み合わせたらいいかとか、どの化粧品が必要かとかわかるもの」

「エヴァ・フェイを――」

「トッド」

「わかったよ」ジャックはぼそぼそと言った。「トッドに行ってもらう」

結局、ジャックはペット可のモーテルを見つけるために、自動車協会に電話せずにすんだ。州間高速道路《インターステート》565をはずれたところに、建ったばかりのモーテルを見つけ、乗りつけて問い合わせたところ、おあつらえ向きに小動物同伴の客のための部屋が二部屋あった。どちらも空いていたので、ジャックは裏側に面した部屋を選んだ。デイジーの本名ではなく偽名――ジュリア・パトリック――を記帳して鍵を受け取り、車に戻って部屋まで彼女を送った。

ジャックは鍵をあけてマイダスの物を運びこみ、そのあいだデイジーは、芝地でマイダスにあたりを嗅ぎまわらせたり、蝶を追いかけさせたりした。マイダスは幼いので、すぐに疲れてしまう。何分かするとぺたりと腹ばいになった。暑さは耐えがたいほどだから、日陰のないところで長いこと遊ばせるわけにはいかない。部屋に抱いて入ると、涼しさにほっとした。水をやると、マイダスは疲れたようなため息をついて、毛布の上に寝そべった。

「夜になってから、あんたの物を持ってくる」ジャックは言った。「何時になるかわからないが、その前に電話する。おれ以外のだれにもドアをあけるんじゃないぞ」

デイジーはキングサイズのベッドに腰を下ろした。「了解」ほんとうは彼に一緒にいてほしかった。でも、そこまで頼めない。考えてみれば、きょう一日、彼の頼もしい肩に寄りかかり、なにもかもまかせきりだった。もちろん、殺人事件は彼の専門分野だから、頼りになるのはあたりまえだけれど。

いつまでここにいればいいのか訊きたかったが、それは馬鹿な質問だ。彼だってわかるわけがない。モリスンがすぐにレモンズとカルヴィンを見つけるかもしれないし、ふたりはもう町を出ているかもしれない。ジェニファー・ノーランの証言は信頼できそうだけれど、町民ならだれでも彼女がアル中だと知っている。今朝も飲んでいたのなら、彼女の供述も疑わしいということになる。なにもかも宙ぶらりんだ。

ジャックがずっと支えてくれた。ひとりでもなんとかなったとは思うけれど、彼がてきぱきとことを運び、家族の安全を確保し、彼女が顔写真の山を見ているあいだは、マイダスの遊び相手もしてくれて、ほんとうに助かった。

彼はデイジーの隣りに坐り、腕を回して抱き寄せた。「だいじょうぶか?」

「まだちょっと、ぼうっとしてる」デイジーは認めた。「あまりにも、その……現実離れしている。男の人が死ぬのを見たのに、気づいていなかったなんて」

「殺人事件を目撃しているなんて、夢にも思わないからな。銃声が聞こえるか、派手な乱闘でもなければ、たいていの人間が気づかない。日常とはまったくかけ離れたことだから」ジャックはデイジーの顎を持ちあげてキスした。「これがあんたにとって日常茶飯事だったら問題だ。そうじゃなくてよかった」ぼそりと言った。

デイジーはキスされるまで、自分がどんなにジャックを、彼の味と感触を、あたたかい男の匂いを求めていたかわかっていなかった。彼の首に腕を回してささやいた。「まだ行かないで」

「そろそろ行かないと」ジャックは言ったが、ベッドから立ちあがらなかった。そうはせずにデイジーに回した腕に力を込め、もう片方の手を胸もとから差し入れて乳房をなで、ブラウスのボタンをはずした。その日のストレスのせいでかえって高まる喜びが、全身に広がりはじめ、デイジーは目を閉じた。いまだけは、ジャックに触れられているあいだだけは、すべてを忘れてリラックスできる。

デイジーはジャックのTシャツをたくしあげて、手を滑りこませ、背中の分厚い筋肉に掌をぴったりとあてた。

「わかったよ、あんたには勝てない」ジャックはTシャツを脱ぎ捨て、立ちあがってベルトをはずした。ジーンズも下着もソックスも靴も、荒っぽくいちどきに脱いで床に散らかしたまま、大きなベッドに倒れこんでデイジーを引き寄せた。サンダルがカーペットの上に転がった。ジャックはデイジーからブラウスとブラをはぎとり、部屋の奥にあるドレッサーの上に放り投げた。

腹部にキスしながら、デニムのスカートのジッパーを下ろして脱がせ、唇をじわじわと乳房へ移動させて乳首を吸い、色づいたラズベリーのように硬く尖らせる。デイジーは頭がくらくらしてきたが、ますます貪欲《どんよく》に求めた。どんなに求めても求め足りず、彼に触れたいという欲望は満足することを知らなかった。触れれば触れるほど、もっとほしくなる。

「わたしの番よ」ジャックの肩を押した。

ジャックはおとなしく仰向けになり、腕で目を覆った。「殺されそうだ」と、つぶやく。

「さあどうかしら」

チャンス到来とばかり、両手で彼の睾丸《こうがん》を包みこみ、陰嚢《いんのう》の重みとやわらかさを、中身の硬さを手ではかる。顔をうずめてムスクの香りを吸いこみ、舌を出して味わった。ペニスが屹立《きつりつ》し、頬を突いて誘うので、顔を上げてすっぽりとくわえた。

ジャックはうめき、シーツを握りしめた。

デイジーは容赦せず、ジャックも許しを求めなかった。舐めて突ついて、存分に味わっていると、彼の強靭《きょうじん》な体がベッドの上で弓なりになった。そこでやめて、起きあがる。「こんなとこかな」

胸の奥から獣じみた雄叫びをあげると、ジャックは飛び起きてデイジーを捕まえ、ねじふせてのしかかった。デイジーは声をあげて笑ったが、荒々しくパンティーを剝ぎとられ、膝を割って脚を押し広げられ、あいだに坐ったジャックが力強いひと突きで根もとまで入ってくると、笑い声は喘ぎに変わった。突きの深さと、自分の荒々しい反応を、このまま長引かせたかったから、脚を彼の腰に絡めて締めつけた。いっきに絶頂へと昇りつめるのではなく、いっときいっときをゆっくり味わいたかったが、早くも緊張は高まってゆく。

ジャックは動きを止めた。筋肉が張りつめている。「しまった」歯を食いしばりながら言う。「コンドームがない」

ふたりの視線が合った。なんとか自分の体を抑えようとして、ジャックの目は猛々しく細まり、デイジーの目は、いきなり正気に戻ってまるく見開かれた。

これ以上待てないとばかりに、ジャックの腰が前後に揺れる。「やめたほうがいいか?」顔をしかめ、振り絞るように言った。エアコンの風が直接ベッドに吹きつけているのに、彼の額と肩は汗で光っていた。

理性はイエスと言っている。習い性となった分別もイエスと言っている。危険を冒すべきではない。避妊具なしに挿入しているだけでも危ないのだから、これ以上はだめ。それなのに、心の奥深くに棲《す》む原始的本能が、体のなかに彼がいる感覚を痛切に惜しんだため、唇が勝手に動いて言葉を発した。ノー。

ジャックは抑えていた自分を解き放ち、繰り返し深く力強く突きはじめた。ただ一直線だった歓びがどんどん強まって、なにか別なものへ、せつなく激しいものへと変わってゆく。デイジーにできるのは、しがみつくことだけ。なぜならあのひと言で、彼にすべてを与えてと要求したから、そして、彼女自身も自分のすべてを投げだしていたから。絶頂に達して体が弓なりになる。踵《かかと》が彼の太腿に埋まる。体の奥がぞわぞわっとしたかと思うと、全身がわなわなと震えはじめた。長いこと、呼吸も思考も停止していた。悦楽の頂きはあまりにも強烈で、あたりがぼんやりと霞《かす》んだ。興奮が鎮まっていくにつれ、全身の力がゆっくりと抜けてゆき、両手と両脚を広げて彼を解き放った。すばやく強い動きで、彼も絶頂に達した。

覆いかぶさる彼の重みでマットレスにめりこみそうだが、デイジーには抵抗する力も意志も残っていなかった。彼はぐったりとしていて、心臓が激しく肋骨を打ち、苦しげな肺は荒い呼吸を繰り返している。まどろんでいたのかもしれない。時間が消滅してしまった。

しばらくして、ジャックがうめきながら体をどけ、横になって抱き寄せてくれた。彼の喉に顔を埋めると、脚のあいだが濡れているのをはっきりと意識した。大失敗をやらかしたのかも。でも、失敗とは思えなかった……これは正しいことなのだ。

ジャックがそっとなでてくれた。なにか言うべきだと思って言葉を探したが、ひとつとして見つからなかった。なにも言う必要はないのだ。ただ、ふたりのあいだに存在するものを受けとめるだけ。ただの火遊びではなくなったという、紛れもない事実を。

そんなまさか。でも、そうなの?

「まいったな、署に戻らなければならないのに」ジャックはつぶやいた。「このおれがこんなふうに脱線するなんて信じられない」

「五分かそこら遅れたって、たいしたことはないわよ」デイジーは慰めた。

ジャックは片目をあけて、じろりとデイジーを見た。「五分だって?　おいおい。五分しかもたなかったのは、十五の歳までだぜ」

デイジーは体をひねってナイトテーブルの上の時計を見た。問題は、うとうとしていたかどうか、していたとしたらどれぐらいの時間かということ。ここはジャックに花をもたせて、その時間をさっぴくのはやめておこう。「だったら、一時間かそこら——」

「一時間だって!　しまった!」

ジャックはベッドから飛び出し、バスルームに駆けこんだ。シャワーの水が流れる音と、トイレを流す音がしたあと、ジャックは出てきて、ベッドの足もとに近づいた。服を脱ぎ捨てた場所だ。彼は服を見下ろしてぎょっとした。

その顔つきを見て、デイジーはなにごとかと肘をついて起きあがった。

ジャックは顔を上げ、このうえなく冷静な口調で言った。「あんたの犬にパンツを食われた」

デイジーは笑うまいとした。ほんとうに努力はしたのだ。でも、一秒しか抑えておくことができなかった。くすくす笑いのせいで、体が小さな地震のように震えだした。いったん笑いだすと、とたんに腹の底からおかしくなり、ごろりと横になって腹を抱えた。そうすれば笑いで腹が爆発するのを防げるような気がして。

ジャックは屈んでマイダスを抱きあげ、目の高さまで持ちあげた。マイダスのしわざであることにまちがいはない。深緑のパンツの切れ端が、口からぶら下がっている。しかもマイダスは心底嬉しいらしく、せわしなく尻尾を振り、ジャックを舐められる位置まで移動しようと足をばたばた動かした。

ジャックは言った。「毛糸玉、こら、ほんとにしょうもない奴だ」言葉とはうらはらに甘やかすような口調で言うと、ジャックはマイダスを抱いて小さな口から切れ端を取り除いてやった。

ふわふわの子犬と、それをやさしく抱く大きな裸の男を見つめていると、心臓が胸から飛びだしてしまいそうだった。それまではまだ中途半端な気持ちだったが、この瞬間、デイジーは完全に恋に落ちた。もう、取り返しがつかない。

そう、これは火遊びなんかじゃない。少なくとも彼女のほうは。もっともっと大切なものだ。

ジャックはマイダスをベッドに載せ、デイジーにあとをまかせて服を着た。大きな足と、狂ったように舐めまわそうとする舌をかわしながら、デイジーはジーンズが裸の尻をすっぽり包むところを眺め、なんともみだらな想像をした。

服を着終わると、ジャックは身を屈めてデイジーにキスした。そんなつもりはないのに、キスは長く、深くなっていく。身を引いたときには、ジャックの頬の赤みがいっそう輝きを増していた。警戒の眼差しを彼女に向けて言う。「まったく油断も隙もないんだから」

「わたしはここに寝転がっているだけよ」シーツを引っぱりはじめたマイダスを捕まえて叱り、口からシーツを取った。

「それだよ。裸の女とむくむくの犬。男がそれ以上、なにを望む？　とりあえずビールだろ。テレビでおもしろい野球の試合をやってたらなおいい、それに――」

デイジーは枕をつかんで投げつけた。「早く行って！」

「行くとも。いいか、ぜったいにドアは――」

「あなた以外の人にあけない」デイジーが締めくくった。

「何時に戻ってこられるかわからない。腹が減ったら、隣りに〈ハドル・ハウス〉がある。あそこなら二十四時間やってるからな」ベッド脇のメモ用紙に、いくつか電話番号を書いた。

「おれの携帯電話に、おれのオフィス、トッドの店に自宅の番号だ。なにかあったら、どこでもかけてくれ」

「なぜトッドの電話番号を知っているの？」デイジーは不思議そうに尋ねた。

「あんたに訊かれるだろうと思って」ジャックはぼそりと言った。

「ねえ、どうしてよ？」

「じつはサイクスを捜してもらっている。彼には強力なツテがあって、それを使ってるんだ」ジャックはもう一度デイジーにキスをして、マイダスの耳のうしろを掻いてやり、ドアの外に消えた。

デイジーはそろそろとベッドから降りた。脚がまるで言うことをきかない。マイダスがシーツの大きなしみを見つけて調べはじめたのであわてて捕まえ、床に下ろした。マイダスはバスルームまでついてきて、デイジーが体を洗っているあいだ、そこらじゅうに鼻を突っこんで嗅ぎまわっていた。

モーテルのメイドがシーツのしみに気づいたら、と考えると恥ずかしくなり、乾いて名残りを留めないように、濡れたバスタオルとハンドタオルでていねいにしみを拭いた。

はじめてのシーツのしみ。濃いしみを見つめながら思った。こういうことがこれから何度でもあればいいのに。ジャック・ラッソに、子どもたちの父親になってほしいから。

ジャックも同じように思ってくれているのだろうか、それはまだわからない。姑としてはどうのこうのと、母が意味ありげなことを言ったとき、ジャックは逃げたりしなかった。とはいえ、殺人事件の捜査中はこっちを守らなければならないのだから、逃げはしないだろう。

ジャックは責任逃れをするような男ではない。

ほんとうは彼を止めるべきだった。デイジーは服を着ながら考えた。妊娠したからという理由で結婚してほしくない。愛してほしい。今回はだいじょうぶなはずだけれど――その時期ではないから――自然の摂理はときとしていたずらを仕掛ける。生理がはじまるまでは安心できない。

デイジーは坐ってモーテルの室内を見まわした。モーテルの部屋としては、けっこういいほうではないかしら。普通の部屋より広い。たぶんペット連れの客用だからだろう。リクライニングチェアと、丸いテーブルに二脚の椅子、それに小さな冷蔵庫の上には四杯分のコーヒーメーカーが載っている。バスルームは機能的だが、ありふれた感じだった。

さあ、これからどうする？

思わず電話帳を取り出して、サイクスという名前を探した。このサイクスのファースト・ネームも、住んでいる場所もわからないのだから、こんなことをしても意味がないけれど、サイクスの欄を見ていると、一軒一軒に電話してみたくなった。「ミスター・サイクス、わたしはデイジー・マイナーです。あなた、わたしを殺そうとしているそうですね」なんて言ってみようか。

あまりいい考えではない。彼が発信者通知サービスに入っていたらどうなる？　居場所を知られてしまう。

ふだんはそんなにテレビを見ないけれど、なんにもすることがない。マイダスはもうひと眠りすることにしたらしい。目を覚ましたら、また外に連れだしてやろう。でもそれまでどれくらいかかるかしら？　デイジーはリモコンを取って、リクライニングチェアに腰を下ろし、テレビをつけた。

なにもしないで待っているのは嫌い。ほんとにつまらない。

とにかく、家族は安全なところにいる。ジャックが連れだしてくれなかったら、いまごろ神経がまいっていただろう。母はこっちの無事を確かめて安心したくて、夜になればかならず家に電話をよこすだろうが、だれも電話に出なかったら心配させることになる。でも、ジャックは気配りの人だから、携帯電話の番号かなにかを教えて、母親が確認できるようにしてあるはずだ。

でも、ジャックはどうなのだろう？　背筋が寒くなった。彼が教会で隣りに坐ったときから、つきあっていることはおおっぴらになった。噂を聞きつけたノーラン町長が、彼女を燻《いぶ》りだそうと、このサイクスって奴にジャックのあとを追わせたらどうなる？

デイジーは電話に飛びついて、ジャックの携帯電話にかけた。一回のコールで出た。「ラッソだ」

「あなたも気をつけて」デイジーは必死で言った。

「どうした？」

「わたしたちがつきあっていることを町長が知ったら、家族と同じように、あなたも狙われるわ」

「あんたの家族とおれは違うんだよ」

みんな愛しているから、どこが違うのかわからない。「どう違うの？」

「おれは武装してる」

「お願い、気をつけるって約束して」

「約束するよ」ジャックはちょっと黙った。「だいじょうぶか？」

「退屈。早く本を持ってきてね」

電話を切って、いらいらと部屋のなかを歩きまわった。どうなっているのかもわからず、手助けもできずに、こんなところに匿《かくま》われているのはいやだ。ぼつねんと坐って待っていられるたちではない。やるべきことや問題を見つけたら、なりゆきまかせにはできない。いますぐなにか起こってくれなくちゃ、頭がおかしくなってしまう。

ジャックは眉をひそめて電話を切った。デイジーはもうそわそわしはじめたようだが、よくない兆候だ。ちゃんと言ったとおりにしているか確かめたい。サイクスを捜すのに専念できるように、彼女の無事を確かめなくては。

だが、デイジーからの電話の直前に受けた報告が気になる。刑事がノーランの家に行ったところ、ミセス・ノーランはいなかった。まだ見つかっていない。ケンドラ・オウエンズが電話で聞いたことをしゃべってまわったとしたら、町長の耳にも入っているかもしれない。

うなじの短い毛が、またもや逆立っていた。

23

ナディーンがためらいの色を浮かべて、ノーランのオフィスの入り口で立ち止まった。ノーランはいらいらして顔を上げた。今日は一日じゅうぴりぴりしながら、サイクスから連絡が入るのを待った。奴はちゃんと使命を果たしたのだろうか。ミスター・フィリップスからの電話もおもしろくなかった。エルトン・フィリップスをがっかりさせたり、不興を買ったりした者は死ぬはめになる。今度サイクスが失敗したら、なんとかしてフィリップスをなだめなければならない。たぶん、サイクスを殺すことになるだろう。サイクスを殺すとなると大変だ。グレン・サイクスは馬鹿ではない。おとなしく殺されるわけがない。

まだ入り口でぐずぐずしているナディーンに、ノーランは声を荒げた。「ナディーン、いったいなにしてるんだ？」

珍しく苛立っているノーランに、ナディーンはびっくりしたようだった。彼はめったに感情を表に出すことはない。イメージが悪くなる。だが今日は、イメージなどにかまっている余裕はなかった。

ナディーンは両手を揉みあわせた。「わたしはなんにも言ってませんよ。他人のプライバシーはそっとしとくものだと考えてますので。でも、今日ミセス・ノーランがなにをしたかはお知らせしておくべきだと思ったんです」

まったく、あとにしてくれ。ノーランは両目を覆って、痛む眉の下を揉んだ。「ジェニファーには……問題があるんだ」絞りだすように言った。これまで同情を誘いたいときに何度も使った言い方だ。考えなくてもすらすら出てくる。

「ええ、存じてます」

ナディーンはそこで口をつぐみ、ノーランはため息をついた。ほんとうに言いたいこと――あいつがなにをしようが知ったこっちゃない、どこぞの男の棹《さお》に刺し貫かれて死にゃあいいんだ――を我慢して、先をうながしてやるとするか。

「今度はなにをしたんだ?」これも常套句で、忍耐と倦怠《けんたい》を示すものだ。

そう尋ねたとたん、ナディーンはこれ以上黙っておけないというように、言葉を吐きだした。「図書館に電話してきて、町長がデイジー・マイナーを殺そうとしているって、ケンドラ・オウエンズに言ったんです」

「なんだって?」ノーランはまっ青な顔で椅子から跳びあがった。ショックで膝ががくがくするので、机の端につかまった。なんてことだ、なんてことだ。今朝、不意に感じた不安を思い出した。そのせいで、ジェニファーがなにをしているのか確かめる気になったのだ。あの女め、ベッドルームの子機で盗み聞きしてやがった。ミスター・フィリップスに殺されてしまう。文字どおりに。

「もちろん、ケンドラは本気にしなかったんですが、ミセス・ノーランがなにかするといけないから、その、なにかばかげたことをですね、それでケンドラは警察に電話したんです」

「くそったれの馬鹿女が！」つい口をついた悪態の的がジェニファーなのか、ケンドラなのか、それとも両方なのか、自分でもわからなかった。

ナディーンは彼の悪態にいささか気分を害し、あとじさった。「お知らせしたほうがいいと思って」きっぱりと言って、彼女の部屋に通じるドアをバタンと閉めた。

震える手で私用回線の受話器を取りあげ、サイクスに電話した。六回コールを鳴らしたあと、受話器を戻した。もちろん、サイクスが家にいるはずはない。デイジーが職場から帰宅するのを待っているのだ。ジェニファーのいまいましい電話のせいで、昼休みのあとにデイジーが消えたら、警察は完全な警戒態勢に入り、彼女を捜すにちがいない。だが、なにも動きがないということは、まだなにも起きていないということだ。サイクスを見つけて、すべて延期しろとつたえなければ。いまデイジーになにかあったら、自分が、このテンプルが、容疑者リストのナンバーワンだ。

ジェニファーもなんとかしなければならない。もっともこれまでの飲酒癖のおかげで、〝事故〟に仕立てあげるのはたやすい。頭を殴りつけて車ごと川に落とし、それでおしまいだ。

だがいまはだめだ。いますぐなにかあれば、怪しまれてしまう。ロシアの荷物を危険にさらすようなことをしてはならない。

とりあえず、ナディーンと仲直りする必要がある。彼女のささやかな友だちの輪のなかで、こきおろされてはまずい。この種の噂は葛《かずら》のつるのようにはびこっていくものだ。

ノーランはドアをあけて、ありったけの魅力をかき集めて言った。「すまなかったね、ナディーン。あんな言葉を使うべきじゃなかった。今朝、ジェニファーとけんかしたもので、いらいらしていたんだ。そこへ彼女がそんなことをしたと聞かされたものだから……」がっくりと肩を落とす。

ナディーンの表情が少しやわらいだ。「いいんですよ。わかっています」

ノーランはもう一度額を揉んだ。「ケンドラからその電話のことを聞いて、デイジーはびっくりしたんじゃないかな」

「デイジーは今日、休んでいますよ。お母さんから電話があって、歯が痛いんですって。わたしは怪しいもんだと思ってますけど、そういう話ですから」いたずらっぽく眉毛を動かした。

ナディーンはいたずらっぽい顔をしようとしてはいけない。ノーランは思った。発情したカエルみたいだ。「『怪しい』とは、どういうことかな？」

「デイジーがどこにいるかってことですよ。まあ、どこにいるのか知りませんけど、歯痛じゃないと思いますよ」

「どうしてそんなことを言うのかな？」

「昼休みの前に、警察署に電話しなくちゃならない用があったんですが、エヴァ・フェイが言うには、ラッソ署長も今日は署にいないそうです」

眉の奥の頭痛がひどくなった。「それがデイジーとなんの関係があるんだ?」

「ご存じじゃないんですか? ふたりはつきあってるんですよ」はじめて彼にこのニュースを聞かせるのが自分だということで、ナディーンは彼の無礼とひどい言葉遣いを埋めあわせてもお釣りがくるほどの満足を感じた。

ノーランは眉間を角材で殴られたように感じていた。「なんだって? つきあってる?」かろうじて言葉にしたが、衝撃はあまりにも強かった。足もとがぱっくりと割れたようだ。

「バーバラ・クラッドが言ってましたよ、ふたりが——その、体に着けるものを一緒に買ったって。それに日曜日には教会で、ラッソ署長がデイジーの隣りに坐ったそうですよ」

「ということは、まじめにつきあっているんだ」声がかすれ、わざと咳払いをしてみせた。

「喉がいがらっぽいな」

ナディーンは机から咳止めドロップを取り出して、ノーランに渡した。「まじめだと言っていいでしょうね、一緒に教会に行くくらいですから」

ノーランはうなずいてオフィスに逃げこみ、たったいま聞きこんだ情報をつなぎあわせてみた。畜生! ラッソは車のナンバーを調べたとき、だれが持ち主かわからないふりをしていたのかもしれない。なぜそんなことをしたのか? なぜデイジーを知っていることを隠したのか? ほかに理由はない……デイジーがベネット医師の診療所の防火帯に駐車していないことを知っていた以外には。彼がそれを知っていたのは、問題の時間にデイジーと一緒にいたからにほかならない。

　クラッズ薬局で買った〝体に着けるもの〟とはコンドームにちがいなく、つまりふたりは寝ているのだ。ラッソがデイジーの実家に泊まるはずはないが、家を持っているからそこに彼女を連れこむことができる。デイジー・マイナーが男と夜をともにするなんて考えたこともなかったが、それを言うなら、彼女が髪を染めたりバッファロー・クラブに行ったりするとも思っていなかった。どうやらデイジーはご乱行のようだ。

　車を見たというのが嘘だとラッソは知っている。ラッソは間抜けじゃない。だれかほかの者から車の持ち主を調べるように頼まれたということを、すかさず見破ったのだろう。別に悪いことをしたわけではない。ただし嘘をついたこと以外は。それで怪しまれて、ラッソはなにかあると疑いはじめた。ラッソのような男に、こっちのやっていることを疑われては困る。

　いますぐ、被害対策を講じなければならない。サイクスを見つけて計画を中止させ、ジェニファーをなんとかして、ロシアの荷物をとどこおりなく処理するのだ。いまこの時点で、わずかなつまずきでも起こせば、ミスター・フィリップスは決して許してくれないだろう。

　ジェニファーはあてもなく車を運転していた。いまごろはもう、彼女の振舞いがテンプルの耳に届いているだろうから、家に帰るのがこわかった。こんなちっぽけな町では、そういう噂はすぐに広がる。どうして泣いているのかわからなかったが、それでも泣かずにはいられなかった。神経がおかしくなっているのに、気づかないだけかもしれない。泣いてはいけない、とジェニファーは思った。テンプルに、彼女を精神病院に放りこむ口実を与えるだけだ。

留守番電話からはずした小さなテープは、バッグのなかに入れてあった。だれかにこれを聞いてもらおう。でもだれに？　頭の一部では、警察署に車を乗りつけ、派手に騒いで注意を引いて、だれかにみんなの前でテープを再生してもらおうと考えている。そうすれば無視されることもなく、酔っぱらって想像でものを言っているとだれも思わないだろう。それが賢いやり方なのに、それだけのことをちゃんとやれるとは思えなかった。

体のなかが震えてばらばらになりそうだった。お酒がほしい。こんなにほしくてたまらないのは生まれてはじめてで、しかも生まれてはじめて飲むのがこわかった。飲んでしまえばやめられなくなり、なにもできなくなってしまうだろう。しらふでいることに人生がかかっている。いまもきちんとものを考えられないみたいだが、飲んでしまったらいっさい考えることができなくなる。

いつのまにかハンツヴィルへ続く道路を走っていたことに、やっと気がついた。買い物や美容院に行く道だった。家を出るときは、ハンツヴィルに行くと決まっている。走りやすく、慣れた道だ。二度、車を停めて吐いた。もっとも、なにも食べていなかったので、たいして吐くものはなかった。禁断症状だ。ジェニファーは思った。慣れ親しんだアルコールが入ってこないので、体が反抗しているのだ。前にも断酒したことはあったが、いつも病院だったから、薬の助けを借りることができた。

たぶん、そうすべきなのかもしれない。なんとかハンツヴィルまでたどりつくことができたら、病院に入院すべきなのだ。やれるだけのことはやった。デイジーに危険を知らせようとがんばったのだ。入院してひと月ほどたって出てくるころには、なにもかも終わって、この件とは関わらなくてもすむ。

だが、もしデイジーの身になにかあれば、自分の良心と向き合わなければならない。デイジーを守るために、最善を尽くしてはいないのだもの。

両手でハンドルを握りしめて運転しているのに、右車線から逸れてしまう。切れぎれのラインが前後にのたうっているように見える。右車線を走ろうとするのに、はみ出てばかりだ。大きな白い車がクラクションを鳴らしながら追い抜いていき、ジェニファーは口走った。「ごめんなさい、ごめんなさい」できるだけのことはしていた。それでもじゅうぶんだったためしはなかった。テンプルにとっても、ジェイソンやペイジにとっても、そして自分自身にとっても。

クラクションが鳴りつづいている。自分がうっかりクラクションに寄りかかっていないか確かめたが、両手は離れていた。白い車は行ってしまったし、自分で鳴らしているわけでもないし、このクラクションはどこから聞こえてくるのだろう？　目が回ってきて、横になりたかったが、そうしてしまったら二度と起きあがれなくなる。

このいまいましいクラクションはどこで鳴ってるの？

そのとき、青い光が見えた。ストロボのように点滅しているせいで、ますます目がくらんだ。白い大きな車が左からどんどん近寄ってきて、路肩に追いこまれていく。白い車と衝突するのを避けようとして、必死にブレーキを踏んだ。握っていたハンドルが勝手に動き、手から離れた。車がすごい勢いでスピンしはじめる。ジェニファーは悲鳴をあげた。シートベルトがぐいぐいと体に食いこんでシートに押さえつける。車は道路をそれた。前輪が浅い溝に突っこみ、なにかがしたたかに顔を打った。

車内に煙がたちこめ、彼女は取り乱してシートベルトをはずそうともがいた。車が燃えていて、このままだと死んでしまう。

そのとき、車のドアがこじあけられ、オリーブ色の肌をした大柄な男が腰を屈めてのぞきこんだ。「だいじょうぶですよ」彼は落ち着いて言った。「これは煙じゃありません。エアバッグから出たほこりです」

ジェニファーは涙を流しながら男を見つめた。これで終わった。絶望と安堵が心を引き裂く。もう自分でなにも決める必要はないのだ。ラッソ署長がテンプルの仲間なら、自分にできることはなにもない。

「怪我はありませんか?」ラッソは開いたドアのところでしゃがみ、ジェニファーにめだった怪我はないか調べた。「鼻血だけみたいですね」

鼻血? 下を見ると、洋服に赤いしみが飛び散っていた。「どうしてこんなことに?」なぜ鼻から血を流しているのか、原因を突き止めることがなによりも先決と言わんばかりに、うろたえて尋ねた。

「エアバッグは威力がありますから」ラッソは持っている救急箱をあけて分厚いガーゼのパッドを取り出した。「どうぞ、これを鼻に詰めてください。すぐに止まりますよ」

言われたとおりにパッドを鼻に詰めて、小鼻をつまんだ。

「あなたは今朝、図書館に電話して、ご主人が電話でよからぬ相談をしていたとおっしゃいましたね」ラッソ署長は話をつづけた。まるで天気の話でもしているように、落ち着いた口ぶりだ。「よかったらあなたがお聞きになったことについて、供述してくれませんか」

ジェニファーはがっくりとヘッドレストに頭をもたせかけた。「あなたはあの人の仲間でしょう？」鼻声になっていた。だったらどうだと言うのだ？　彼がそうだと答えたとしても、自分にはなすすべもないのに。

「いいえ、違います」ラッソは答えた。「ご存じないようですが、デイジー・マイナーはわたしの大事な友だちでしてね。わたしは彼女に対するたくらみを深刻に受けとめています」

この男が嘘をついている可能性もある。それはわかるけれど、そうは思えなかった。男の手でさんざん痛めつけられてきたジェニファーだけに、ラッソ署長には居丈高なところがまったくないことを敏感に感じとった。溝に突っこんだときに、バッグの中身は全部床にこぼれ落ちた。シートベルトをはずして、そろそろと前屈みになり、散らばったものをかきまわして小さなカセットテープを見つけた。「聞いただけじゃありません。録音してあります」

24

ミセス・ノーランはひどく動揺していたが、話の筋は通っていた。完璧を期するために、ジャックは彼女にアルコール検知器を使った呼気検査を行なったが、アルコールは検出されなかった。酔っぱらっていないどころか、今日はアルコールを一滴も口にしていない。彼の部下のひとりが調書をとり、それから何人かで留守番電話のテープを聴いた。町長の声はくぐもっていたが、聞き分けることはできた。

「――昼休みに図書館を出たときか、夕方に帰宅する途中で、サイクスが捕まえることになっています。女は単純に姿を消す。サイクスが自分で処理すれば、なにも問題はありません」

「そうかな？」こちらは第二の男だ。ミセス・ノーランによれば、スコッツボロの裕福なビジネスマン、エルトン・フィリップスだ。「ではなぜ、ミッチェルの死体がこんなに早く見つかったのかね？」

「サイクスが処理しなかったんです。クラブに残って、駐車場で彼らを見た者を捜していましたので。あとのふたりが死体を始末しました」

「ミスター・サイクスのミスというわけだな」

「はい」

「それでは、これが彼にとって最後のチャンスだ。そしてきみにとっても」

デイジーの名前が出てきてはいないが、図書館と言っているし、録音されていない会話に関するミセス・ノーランの証言があるのでじゅうぶんだ。ミッチェルの名前と、クラブの駐車場でだれかに見られていたという話が出ている。ミッチェルを殺したふたりの男がだれかもわかっているし、デイジーの証言と、このテープにノーラン自身の声が入っていることからみて、町長は確実に殺人事件に関与している。ミセス・ノーランは、ロシアの荷物のことはわからないと言ったが、ジャックには見当がついた。まったく胸くそが悪くなるような話だ。

とにかく、ノーランと仲間たちのたくらみはわかった。

テープを聴くために集まってきた者のなかに、エヴァ・フェイがいた。腰に手をあてている。「まったく、蛇のような奴ね」

ジャックには部下たちの怒りが感じられた。刑事も巡査も事務員も、同じように激怒している。ジャックはもはやよそ者ではなく、彼らの仲間であり、危険にさらされたのは彼の女だ。しかもただの女ではなく、ここにいる人びとの長年の知り合いであるデイジー・マイナーなのだ。小さな町で暮らす欠点は、なにもかも個人的な問題になることだ。だがなにもかも個人的な問題になることは、小さな町で暮らす利点でもある。問題が起きたときの結末は固い。

「町長を連れてきて尋問するぞ」ジャックは自分の怒りを隠し、静かな声で言った。デイジーは無事だ。それが重要だった。「スコッツボロ署にも連絡して、ミスター・フィリップスを迎えに行ってもらうんだ」ミスター・サイクスを捕まえる網も張っておきたかったが、町のすべての通りに検問を敷くには人手が足りなかった。サイクスのことは気になるが、デイジーが隠れているかぎり、奴に彼女を見つけることはできない。

「無線連絡は止めています」トニー・マーヴィンが言った。「奴に目をつけていることに気づかれる心配はありません」

「いや、わからん。ケンドラ・オウエンズがいるだろう？　ミセス・ノーランの電話について、一日じゅう口をつぐんでいられると思うか？」

「ケンドラなら」エヴァ・フェイが言った。「親切だけど、おしゃべり好きですからね」

「それなら、町長がミセス・ノーランの電話について知っているものと考えるべきだな。奴は警戒するだろうが、テープのことは知らないから、逃げだしてはないと思う。さあ、とりかかるぞ」

あのマイナーという女は、町のどこにもいやしない。そのせいで、サイクスはとても不安になっていた。女は職場にも現われず、家にもいなかった。文字どおり消えてしまった。人がふだんしないことをするときには、かならずなにかある。

図書館に電話もしてみた。発信者通知サービスに入っているかもしれないので――公共施設ならたぶん入っていないだろうが、可能性はある。それに、いまいましいコールリターン・サービスがあるから、用心にこしたことはない――公衆電話からかけて、ミス・マイナーを呼び出した。電話に出た女は、ミス・マイナーが休んでいるということしか言わなかったが、声にどことなく張りつめたものがあったせいで、サイクスの不安は高まった。

よし、今日はマイナーという女を捕まえるのはよそう。勢いはそがれたが、なにもかもだめになったわけではない。

だが、なぜ図書館の女はあんなにそわそわしていたのだろうか？

声に不安がにじんでいたというのは、取るに足らないことかもしれないが、油断は禁物だ。そういう些細なことをないがしろにすると、思いもよらないときに手ひどいしっぺ返しを受けるものだ。いまこそ気をつけろと直感が言っている。

サイクスは町長の私用回線にかけたが、だれも出なかった。これもまた不安要素だ。サイクスの知っている町長なら、万一に備えて一日じゅうオフィスにいて、ミス・マイナーの失踪時に完璧なアリバイを用意しておこうとするはずだ。

次に、町長の携帯電話にかけてみた。応答なし。ほんとうに不安になってきたサイクスは、町長の自宅に電話した。二回めのコールでノーラン自身が出た。

「マイナーという女は、今日は職場に出てきていません」サイクスは言った。「明日に延ばします」

「サイクスか！　よかった！」

町長のうわずった声から、自制心を失いかけているのがわかった。よくない兆候だ。ほとぼりが冷めるまでじっとしていれば、すぐにおさまるはずだからな」

「よく聞け、困ったことになった。たがいに口裏を合わせておかなくてはならない。ほとぼりが冷めるまでじっとしていれば、すぐにおさまるはずだからな」

「困ったこととは？」サイクスは声を平静に保った。

「今朝、ジェニファーにミスター・フィリップスとの電話を盗み聞きされた。あの酔っぱらいは図書館に電話して、デイジーを呼び出したんだ。いなかったから、あいつはケンドラ・オウエンズにわたしがデイジーを殺そうとしているとばらしてしまった」

なんだって。サイクスは眉間を揉んだ。町長が電話で話すときに少しでも用心していれば

――

「ケンドラ・オウエンズはどうしましたか？」形ばかりの質問だった。ケンドラ・オウエンズがどうしたかなんて、わかりきっている。

「警察に電話した。さいわいジェニファーは酔っぱらっていた。だれもあいつの言うことなんて信じるもんか。だが、おまえが今日デイジーを捕まえていたら、やっかいなことになっていた」

そいつはけっこう。いまごろヒルズボロのおまわりは警戒している。

「話はまだある」

サイクスはやっとのことで平静を保った。「なんでしょう？」

「ラッソ署長とデイジーはつきあっているんだ」

「それがなにか?」

「昨日、わたしはラッソに車の持ち主を調べるのを頼んだんだ。診療所の防火帯に駐車しているのを見たと言ってね。ラッソはデイジーが病気じゃないって知っていたから、わたしの嘘に気づいた。そして持ち主の名前を言ったとき、デイジーを知らないふりをしたんだ」

なるほど、警察署長に疑われているというわけだ。やっぱり、些細なことをないがしろにしたせいだ。ノーランはいろいろつけ加えすぎたせいで、足もとをすくわれた。ごちゃごちゃ言わずにナンバーをたどってくれとだけ頼んでいれば、なぜ町長が自分のガールフレンドのナンバーを調べているのか、署長は知りたがるかもしれないが、嘘がばれることはなかった。だいたい、なんだってノーランは警察署長なんかに調べさせたんだ? いや、ノーランが下っ端に頼むはずがない。自分の力を誇示するためには、トップを顎で使う必要がある。

「ジェニファーを見つけて黙らせようと思って、家に帰ってきたんだが、ここにはいないんだ」

「それはよかった。そんな電話のあとに死体で見つかったらえらいことです」

「あいつは酔っぱらいだ」ノーランは見下すように言った。「酔っぱらいはしょっちゅう事故に遭う」

「そうかもしれませんが、タイミングがよくない。いまはじっとしておくことです」

ノーランは聞いていないようだった。「あいつをまたミスター・フィリップスのところに連れていくことになりそうだ。ミスター・フィリップスはお気に召しているが、あいつはそうじゃないのでね」その思いつきに満足したらしく、彼は声をあげて笑った。

こんなノータリン連中を相手にしていると思うといやになる。サイクスは目を閉じた。

「警察はジェニファーを見張っているかもしれませんよ。おまけがぞろぞろついていったら、ミスター・フィリップスはお気に召さないでしょうね」

「おお、そのとおりだ。とにかく、あの女を見つけなければならない。美容院に行くとか言っていた。あんな電話をしたあとに美容院に行くなんて、ほんとうに馬鹿な女だ」

もしくは警察が彼女の事情聴取をしている。それがいちばん可能性が高い。ノーランは警察の仕事のやり方を知らないのか？　警察がそんな電話をないがしろにするはずがない。しかも、署長の女が関わっている。都合よくミス・マイナーが消え、行方不明のミセス・ノーランはおそらく警察にいるとくれば、次は町長が連行されて尋問を受ける番だ。

まったくよくない兆候だ。昨日からの行動を見ていて、ノーランに対する評価はすっかり下がっていた。冷酷だがプレッシャーに耐えられず、ちゃんと頭を使わなければならないときに自己中心的になる。おまわりがノーランを尋問しはじめたらどうなる？　しばらくは持ちこたえても、ちょっと揺さぶりをかけられれば、取引をして仲間を売るに決まっている。だれがそんなことをさせるものか。

「その署長は切れ者ですか？」サイクスは尋ねた。

「おそろしく切れる。シカゴとニューヨークのＳＷＡＴのメンバーだった。ヒルズボロみたいな小さな町に呼ぶことができて、わたしも運がよかった」

まったく、交通量の多いハイウェイを横切る亀並みの運のよさだ。潰されずにすんだら奇跡というもんだ。ノーランが奇跡に恵まれるとは思えない。彼が警察署長に選んだのは、最前線を自分の庭と思っている男、自分の女を脅かす者には容赦しない男なのだ。現時点でこっちに有利なのは、ミッチェル殺しと死体の発見された場所が、ラッソの管轄区ではなかったということだけだ。


そのときある考えがひらめいた。「今朝、ミスター・フィリップスと話したときに、ミッチェルの話をしましたか？」

「そのことでミスター・フィリップスは電話をしてきたんだ。こんなに早く死体が見つかって、機嫌がよくなかった。だから、おまえが自分で処理しなかったからだと説明しておいた」


つまり、ノーランはミッチェルの名前だけでなく、サイクスの名前も出したということだ。ミセス・ノーランはふたりのことを知らないが、名前を知ってしまった。もつれた紐がすごい速さでほどけていくので、サイクスは端っこをつかまえることもできない。

「いいですか」サイクスは言った。「しっかり腰を据えて、おかしなことはなにも起きていないというふりをしてください。そうすれば奴らは手出しできません」**ああ、そのとおりだ。**

「なにもなかったし、ミス・マイナーに対しては、なんのたくらみもなされていません。犯罪などおきていないんです。ラッソは、あなたがどうして車のナンバーのことで嘘をついたのか疑うかもしれませんが、だからどうだって言うんです？　ご自分の話をあくまでも通してください。ナンバーを書き間違えたとか、数字の順序を間違ったとか、なんとでも言えます」

「なるほど」

「ミセス・ノーランの電話について訊かれたら、なんのことかわからないと言ってください。今朝、彼女は飲んでいましたか？」

「いつでも飲んでるよ」ノーランは言った。

「飲んでいるところを見たんですか？」

「いや、だが動きがぎこちなかった。蹴つまずいたりして」

なにをかいわんやだ。ノーランが妻は酔っぱらっていると言うのなら、賭けてもいい、彼女はまったくのしらふだったにちがいない。

「ラッソはわたしに尋問するだろうか？」

明日は太陽が昇るだろうか？「十中八九はね。心配しないで、計画どおりにしてください」

「ミスター・フィリップスにも知らせたほうがいいかな？」

「おれなら知らせません。ことがおさまれば、ミスター・フィリップスにはなにも知られずにすみます。おれたちがロシアの荷物をきちんとさばけば、彼はご満悦です」

「くそっ、荷物のことを忘れていた」

「だいじょうぶです。ぬかりはありません」サイクスは電話を切った。

なにもかもぶちこわしだ。サイクスは思った。町長の女房は、このおれの、サイクスの名前と、ミッチェルの名前を知ってしまった。ラッソがノーランの考えている半分でもちゃんとしたおまわりなら、ミセス・ノーランの事情聴取をして、証言をあらいざらいチェックしているだろう。ミッチェルが発見されたのはラッソの管轄区ではないが、どこでもコンピュータがある。ちょっと検索をかけてみれば、いやはやびっくり、ミッチェルって奴が死んでるぞってわけだ。これがきっかけとなって、死んだミッチェルがデイジー・マイナーとどんな関係があったのか、警察は不審に思いはじめ、奴の写真を彼女に見せる。彼女はどこで奴を見かけたか思い出す――そして、三人の男が一緒だったことも。

こうなったらさっさと手を引いて、損失を最小限にするしかない。いまが潮時だ。

サイクスはこれからどうするかあれこれ考えた。逃げることはできる。別の人間の身元はもう手に入れてある。だが、生死に関わる問題が持ちあがったときのために、その身元はとっておくつもりだった。いまはそれほど切羽詰まってはいない。自分は捕まる。一年かそこら、つらいお勤めをすることになるかもしれない。あるいは、もっと軽くてすむかも。殺人罪ではなく、共謀とか公務執行妨害くらいですむ可能性はある。

それに、こっちには強力な武器がある。情報だ。情報があれば状況を変え、検察と取引できる。

テンプル・ノーランは信用できない。あの男はすぐに寝返るだろう。あと数時間で、グレン・サイクスは指名手配だ。

だが、こっちが先に寝返ってやれば。

いつもと変わらない冷静さで、サイクスはヒルズボロ警察まで車を走らせた。寝ぼけたようなちっぽけな町の警察署にしては、えらく忙しそうだ。駐車場は車だらけだった。ガラスの自動ドアを抜けて、緊張した雰囲気のなか、警官が群れになってひそひそと話しているのに気づいた。巡査たちは車でパトロールに回っているはずだから、ここにいる警官たちはきっと日勤で、勤務は明けたがそのまま留まっているのだろう。これもまた、些細なことだが。サイクスはなにも持っていないことを示すため、両手は脇に添わせて受付の巡査部長に近づいた。「ラッソ署長はいらっしゃいますか?」

「いま、手が離せません。こちらでご用件を承りますが」

左手の長い廊下に目をやった。ひどく取り乱したような、きれいな女がちらりと見えた。捜査員らしき私服の男から、コーヒーカップを受け取っている。テンプル・ノーランのことは、徹底的に調べあげていたから、すぐにミセス・ノーランだとわかった。まちがいなく、酔っぱらっているようすではない。案のじょう、ノーランの言うことなど、まるっきりあてにならない。

サイクスは受付の巡査部長のほうに顔を向けた。「わたしはグレン・サイクスです。みなさん、わたしをお捜しではありませんか」

25

グレン・サイクスが署にやってきて名乗り、話をしたいと言う筋書きは、ジャックの〝予想だにしないことリスト〟の上から二番めにあった。一番めは、ミス・デイジーと親しくなるたびに変わっていく自分だ。だが、それも受け入れるようになった。だから、世のなかなにがあってもおかしくないと考えるようになっていた。

サイクスは中背だががっしりしていて、きちんとした身なりの男だった。砂色の髪は短くこざっぱりしていて、きれいにひげを剃り、服にはアイロンがあたっていた。殺し屋には見えない。だがそれを言うなら、テッド・バンディだって怪物には見えなかった。あらゆる姿かたちの、あらゆる人種の犯罪者がいる。ぼろをまとっている者もいれば、ダイヤモンドをつけている者もいる。利口な奴はダイヤモンドをつけている。ほんとうに利口な奴は、この男のような格好をする。

それにサイクスはとても落ち着いており、どうしたいのかはっきりしていた。「取引をしたい。ノーラン町長について、チャド・ミッチェルを刺した男について、エルトン・フィリップスという男について、ほかにもいろいろお話しできます。検事を連れてきてくだされば話しましょう」

「ミッチェルを刺した男はわかっている」ジャックは言って、椅子の背にもたれた。「バディー・レモンズだろ」

サイクスはまばたきもしなかった。「ミス・マイナーが彼だと見分けたんですね？」

「おまえたち三人をよく見ていたんだ」

「それで、あなたがどこか安全なところに彼女を匿った」

ジャックは返事をせずに、サイクスをただ見つめた。いっさいの感情を表わさない、みごとなポーカーフェイスだ。

「まぬけなチンピラが消された事件よりもっと大きなネタがあるんですがね」サイクスも椅子の背に寄りかかった。ジャックと同じくらいくつろいでいる。

「どうして町長が関わることになったんだろう」

「セックス産業は儲かりますからね」サイクスは遠まわしに言った。「検事を呼ぶんですか、呼ばないんですか？　急いだほうがいいですよ、今晩、なにかが起きる」

「ロシア人か」ジャックは言った。

サイクスは驚きを隠そうともせず、低く口笛を吹いた。「思ったよりいろいろとご存じなんですね。だが、場所も関わっている連中のこともご存じない」

「ノーラン町長なら知っているんじゃないかな」

「彼は小鳥のようによくさえずるでしょうね」サイクスは認めた。

「じゃあ、なぜ検事がおまえと取引したがる？」

「信頼というのはめったに出まわらない商品のようなものでしょ。あいにくわたしには持ちあわせがない」

ジャックは砂色の髪の男をじっと眺めた。目は冷たく澄みきって、完全に落ち着いている。

「全員の証拠をつかんでいると言うんだな？　なにもかも記録していると」

「そのとおりです」サイクスは薄笑いを浮かべた。「万一に備えて。不測の事態に臨んだ場合、ささやかなりとも影響力をもっていたいですからね。いつかは不測の事態が起きると決まってます。引き際が肝心です」

ジャックは部屋を出て、スコッツボロの地区検事に電話した。司法取引がなされるとすれば、サイクスはノーラン町長よりもいい証人になるだろう。理由は簡単だ。彼のほうが情け容赦なく、覚悟を決めているから。悪魔と取引をしなければならないときがあり、いまがそうなのだ。

それから、デイジーを残してきたモーテルに電話した。もうだいじょうぶだと知らせてやりたい。フロントに彼女の部屋へつないでもらい、鳴りつづける呼び出し音を聞いた。四回。五回。六回。汗がにじんできた。

フロントが別の部屋につないでしまったのかもしれない。間違いはよくある。電話を切り、かけなおして、もう一度彼女の部屋につないでくれるように頼んだ。一回。**二回**。冷たい手が心臓を鷲づかみにする。デイジーはここにいるはず。**三回**。ハドル・ハウスへ食事に行ったのかもしれない。

サイクスはここにいる。四回。デイジーが危険にさらされているはずはない。

五回。

なにがあっても出かけたりしないんじゃなかったのか？　あそこなら安全だ。だが、いつものごとく突飛な思いつきがひらめいて、サイクスと町長を罠にかけようとでも考えたとしたら？

六回。

理屈から言えばデイジーは無事だ。だが、いままで味わったことのないような不安が、あらゆる筋書きをささやく。デイジーが最後には——

七回。

デイジーのいない人生を想像しようとしたら、石の壁にぶつかった。なにも浮かばない。なにも。

八——

「もしもし？」デイジーの声は、まるで走ってきたようにちょっと息切れしていた。

安堵が体に広がったが、それはいままで感じていた不安と同じくらい強烈だった。受話器をきつく握りしめ、しばらく目を閉じる。「どうしてこんなに長くかかった？」不機嫌に言った。

「マイダスと外にいたの。じつは、引き綱が手からすり抜けちゃって、あの子を追いかけてたの」

ジャックはなにも言う気はなかったが、恐怖の数秒間の動揺がまだおさまっていなかったので、言葉が口をついて出た。「そこを抜けだしたのかと思った」

デイジーは一瞬黙った。「抜けだした？　ちょっとのあいだ外に出たとか、なにか食べに行ったとかじゃなくて、ここからいなくなるってこと？」

「またなにか思いついたんじゃないかと——」

「わたし、あなたに馬鹿だって思われるようなことをしましたっけ？」デイジーは憤慨したように問いただした。「ここにいれば安全なのよ。出かけるはずないでしょ。映画ならよくあるけど。女や子どもが指示に従わずに、やるなと言われたことをわざわざやって、自分もまわりも危険にさらしてしまうの。いつも思ったわ、そこまで馬鹿なら、馬鹿の種を撒《ま》き散らす前に死んじまえって。まったく、あなたったらわたしが——」

「デイジー」ジャックは穏やかに言った。

デイジーは熱弁の途中で口をつぐんだ。「謝るつもり？」

そのほうが話が進む。「ああ。悪かったよ。あわててたんだ」

「謝罪は受け入れました」いつものようにとりすました声で言うので、ジャックはにやりとしたくなった。

「いい知らせがあって電話したんだ。ちょっと前にサイクスが署にやってきて自首した。取引をしたがっている。もうだいじょうぶだ」

「なにもかも終わったのね？」

「ちょっとした後始末が残っている。モリスンと連絡をとったんだが、まだレモンズとカルヴィンが見つかっていない。まあ、時間の問題だろう。町長があんたを殺すと話していたところを、町長の奥さんがテープに録音していた。サイクスは仲間全員を売るつもりだ。というわけで、いつ迎えに行けるかわからないんだが」

「でも、今夜はここに泊まらなくてもいいんでしょ？」

「泊まることになりそうだ。こっちはひと晩じゅうかかりそうなんだ」

「トッドがわたしのものを持ってきてくれたら、彼に家まで送ってもらえばいいわ」

うしろめたい気持ちで、ジャックは腕時計を見た。六時を過ぎている。トッドに電話するのをすっかり忘れていた。「店にいるだろうから連絡してみる。店からならすぐだ」

「電話するのを忘れていたのね？」

ジャックはため息をついた。「ばれたか」

「こんなときだから、しかたがないわ。母から電話はあった？」

一日じゅう、携帯電話を離さず、トイレにも持ちこんでいたので、一度も電話を取り損なっていないのはたしかだ。「いや、まだない」だが、ミセス・マイナーは、まもなくデイジーが無事か確認してくるだろう。

「電話番号を聞いておいて。帰ったら電話するから。いますぐトッドに電話してね」デイジーは念を押した。

「わかった」すぐに電話すると、運よくトッドはまだハンツヴィルにいた。ジャックは状況を話し、デイジーを迎えに行ってくれるように頼んだ。

「もちろん、かまわないよ」トッドはいったん黙った。「サイクスはセックス産業って言ったんだね。ぼくが捜している連中について、なにか知っているかもしれない。デートレイプ・ドラッグの売人のことも」

「この一件は裾野が広そうだから、なにがあってもおかしくない。サイクスに尋問したかったら、なんとかする」

また沈黙。「ぼくは公式に関わることはできない」

「わかっている。地区検事にドラッグについて尋問してもらうつもりだが、そのあとで個人的に奴と話をしたければ、そう言ってくれ」

「いまのところはしゃしゃり出ずに、地区検事がどんなことを引き出すか、端で見ていることにするよ」

「あんたが決めることだ。忘れずにデイジーを迎えに行ってくれ。そうそう、彼女は子犬連れなんだ」

トッドが警戒している。「なんだか警告するような口ぶりだね」

「マイダスには会ったことないよな?」

「どういうこと?　成犬になりかけのグレート・デーンとか?」

「生まれて六週めのゴールデン・レトリーヴァーだ。毛糸玉だよ。あんなにかわいい犬はいないぞ。あっちこっちでハートをとろかしている」

「で?」

「で、奴に背中を見せるな」

にやにやしながら電話を切り、部下がサイクスの事情聴取をしている部屋に戻った。刑事と巡査がノーラン町長を連行して尋問するべく、お迎えに行っている。今朝はなにもわかっていなかったのに、夜になってほとんど決着がつくところまできた。まったくの幸運もあった。ハンツヴィルから戻る途中で、ミセス・ノーランに気づいたこともそうだ。あんな危ない運転をしていればいやでも目につく。だが、結局のところは、だれもが愚かなことをやって綻びを広げてしまったせいだ。あの抜けめのないグレン・サイクスでさえ、そもそもこの件に関わったのは愚かだった。ようするに奴らの選択の結果ということになるが、たいがいの犯罪者は愚かな選択をするものだ。

スコッツボロから地区検事と検事補が到着したが、検事は明らかにうろたえていた。ジャックを脇に引っぱっていって耳打ちした。「エルトン・フィリップスは社会的地位もある立派な人物だ。ぜったい確実な証拠があがっていないかぎり、動くわけにはいかない」

「声の入っているテープがあるし、ミスター・サイクスが裏付けとなる証言をしています。ぜったいに確実です」

「テープは合法的に手に入れたんだろうね?」

「ノーラン町長の奥さんが、ベッドルームの子機の留守番電話で録音したものです」

検事はしばし考えた。その電話はミセス・ノーランのものだから、明らかに町長は家のなかに子機があることを知っていた。ゆえに、町長は電話での会話に関しては、プライバシーの権利を主張することができない。法的に問題はないようだ。
「よし。では、ミスター・サイクスの話を聞くとするか」

白い公用車がドライブウェイに入ってくるのを見て、テンプル・ノーランは深呼吸をし、なんとか落ち着こうとした。すべてうまくいくはずだ。サイクスの助言は筋が通っている。ジェニファーの無謀な電話も、ラッソに車の持ち主を調べるように頼んだことも、うまくごまかせばいい。サイクスが言ったとおり、デイジーを見つけることができなかったのだから、犯罪は起きていない。バッファロー・クラブの駐車場で大事件を目撃したことにデイジーが気づいていれば、とっくにしゃべっているはずだ。こちらに嫌疑がおよぶことはない。

玄関の呼び鈴が鳴った。ふだんどおりの平静さを装うために、すばやくネクタイをはずし、シャツの袖をまくりあげた。ハンツヴィルの新聞を取り、それを持って玄関に出た。くつろいで新聞を読んでいた男、隠すことなどなにもない男に見えるように。

ドアをあけた瞬間、軽く驚いたふりをした。「リチャード」刑事に言った。「どうしたんだね？」
「今朝、奥さんがおっしゃったことについて、お訊きしたいことがあります」リチャード・ヒル刑事は言った。かしこまった口調ではない。そこがちょっと気になる、とノーランは思った。

「いいとも。入りなさい。ナディーンからジェニファーが図書館に電話したって聞いたよ。だが、本気にする人がいようとはね。ジェニファーは……アルコールのせいでちょっと問題があるんだよ」

「ええ」ヒルは答えた。新聞とまくりあげた袖を見つめている。「夕方は、こちらでくつろいでいらっしゃるんですか？」

「大変な一日だったからね。家に書類仕事を持って帰ったんだ。新聞を読んで夕食をとったあと、しばらく仕事をするつもりだよ。なにかおかしなことでも？」

ヒルは腕時計を見た。「今夜の町議会の会議をお忘れとは驚きですね」平然と言った。「五分前にはじまっていますよ」

ノーランはぎょっとして凍りついた。この九年間、町議会の会議に欠席したことはなかった。彼がそのことを忘れるほど混乱していることに、リチャード・ヒルは気づいている。

「忘れるものかね」ノーランはなんとか取り繕おうとした。「でも、今夜はジェニファーと一緒にいてやったほうがいいと思ってね」さいわい、ガレージの戸は下ろしてあったから、そこにジェニファーの車がないことはばれない。

「奥さまは署にいらっしゃいます」ヒルは依然として冷静で、丁寧な口調だった。「一緒にきてくだされば、車でお連れします」

「ジェニファーが警察にいる？」ああ、なんと言えばいい？　彼女の居場所を知らなかったことを、どう言い訳すればいいのだ？「ジェニファーはだいじょうぶか？」よし。心配している感じが出せた。上出来だ。

「お元気ですよ」

「安心したよ。ジェニファーは……今朝、度を超えていたからね。わたしの言いたいことはわかるだろ」

「一緒においでください」

「いいとも。自分の車であとから――」

「いいえ。こちらの車でおいでいただきたいのです」

ノーランはあとずさりしたが、ヒルと巡査がすっと脇を固め、腕をつかんで無理やり背後に回した。すばやく手首に手錠がかけられた。

憤慨したノーランは、ふたりをにらんだ。「手錠をはずせ！　自分がなにをしているのかわかっているのか？　わたしは犯罪者ではない。こんな扱いはやめてもらおう」

「あなたとわれわれの安全のためにすることです。署についたらはずします」ふたりはノーランの腕をつかみ、有無を言わさず家から連れだした。

「クビだ！」ノーランは歯ぎしりして言った。顔色がどす黒くなった。「おまえらふたりともだ。こんな扱いをしておいて、言い訳はできないぞ」

「けっこうです」ヒルが言い、ふたりはノーランを車のバックシートに押しこんで、ドアを閉めた。

ノーランは息もできないくらい怒り狂っていた。ジャック・ラッソの差し金にちがいない。自分に仕返しをするために……デイジーの車のナンバーをたどらせたからではないことはたしかだ。それじゃばかげている。だが、ほかにどんな理由がある？　ラッソは恐ろしく嫉妬深くて、だれかがガールフレンドに興味を示しただけで、かっとなるタイプかもしれない。

それ以外で唯一説明がつくのは、彼らがジェニファーを信じたということだ。

呼吸が異常に速くなってきたので、なんとか抑えようとした。なんとか切りぬけられる。落ち着きさえすればいいんだ。ジェニファーがなにを言ったのか知らないが、うまくごまかして、話の信憑《しんぴょう》性を失わせてみせる。なんといっても酔っぱらいだし、それは町じゅうの人間が知っている。ただ電話での会話を盗み聞きしたと言うだけで、証拠はないし、おおかた支離滅裂な話をしたにちがいない。

警察署に着いて、ノーランは車の数に驚いた。なにかがはじまっている。町議会どころではない。そのとき、入り口のガラス扉の外に、三人の議員が立っているのを見て、ノーランの胃袋は縮みあがった。太陽は沈みかけていて、厳しい暑さはやわらいでいたが、シャツの背中は汗で貼りついていた。ヒルが車のドアをあけて、彼がバックシートから降りるのに手を貸した。

議員たちはこっちを見たが、目を合わせようとはしない。まるで動物園の獣を見るような好奇の目で見ている。

「手錠をはずせ！」ノーランは、鋭い小声でヒルに言った。「畜生、議員が見ているじゃないか」

「なかに入ったらはずします」ヒルは言って、ノーランの腕を取った。

つまり、逃げられないところに連れていったら、ということだ。混乱した頭で見まわすと、見覚えのある車が目に入った。グレーのダッジで、パトカー専用の区画に駐められているが、だれも気にしていないようだ。

サイクスはグレーのダッジに乗っている。ありふれた車で、だれも注意を払わないと言っていた。このダッジにはマディソン郡のナンバーがついている。サイクスが住んでいるのは、マディソン郡のハンツヴィル郊外だ。

なぜサイクスがここにいるんだ？　警察が彼を逮捕したのなら、自分と同じようにここまで運転させなかったはずだ。どうやって彼を見つけたのだろう？　サイクスがここにいるわけがない、ただし、ただし――

ただし、サイクスが寝返ったのでなければ。

また呼吸が速くなって、周囲の色彩がぼやけた。「サイクス！」ノーランは吠え、肩を下げてヒルにぶつけ、彼の手から逃れた。「**サイクス！**」警察署に向かって走りはじめた。「汚いぞ、サイクス！　この野郎、**ぶっ殺してやる！**」

ヒルと巡査はノーランを追いかけ、巡査がダイビング・タックルをかけた。両腕で膝をとらえてノーランを倒した。背後で手錠をかけられていたので、ノーランは手を突くことができず、駐車場のざらざらしたアスファルトに顔から滑りこみ、あとには皮膚と血が残った。

折れた鼻から鼻汁と血をこぼしながら、ふたりに引っぱり起こされた。「サイクスめ」ノーランはもう一度言ったが、口のなかが血でいっぱいだったので、言葉は不明瞭だった。

引きずられるようにしてドアをくぐったとき、議員たちは汚らしいものを目にしたと言わんばかりに嫌悪をあらわにして、脇にどいた。テンプル・ノーランは彼らを安心させるような言葉を考えた。練習を積み、何度も使ったことがあり、かならず望みどおりの敬意を引きだすことのできた常套句。だが、なにも思い浮かばなかった。

いっさい、なにも思い浮かばなかった。

26

午前三時になろうとしていた。混成部隊が闇のなかで、ロシア人の少女たちが運ばれてくるのを待ちかまえていた。ヒルズボロ警察、ジャクソン郡保安官事務所、マディソン郡保安官事務所、ＦＢＩ、それに入国帰化局《INS》のメンバーが、樹木の陰やプロパンガスのタンクの裏など、身を隠せる場所という場所に身を潜めた。車を別の通りに駐め、草原を一マイルは歩いてトレーラーの近くまできていた。

いつもどおりの役割を果たすために、グレン・サイクスが連れてこられた。別の人間が荷物を受け取りにきたら、トラックの運転手を怯えさせてしまう。運転手は武装しているので、それは避けたかった。トラックの荷台に乗せられたロシア人の少女たちは、これまでにじゅうぶんつらい思いをしているのだ。ここで銃撃に巻きこまれ、流れ弾にあたって死んだのではあまりに哀れだ。

ジャックは黒ずくめの服装で夜陰に紛れ、大きな松の根もとに伏せていた。警察署長はめったに実戦に加わらないものだが、彼の経験が買われ参加を求められた。サイクスによれば、ふだんなら相手にするのは運転手だけだが、ロシア人は高価なので、フィリップスが念のために護衛をひとりつけるように指示したそうだ。男がふたりなら、こっちには十五倍の人数がいる。だが、どちらか一方でも馬鹿なまねをする可能性はつねにある。計画を完璧に成功させ、なにが起きているのか気づかれる前にふたりを押さえなければ、その可能性は現実のものとなる。

ジャックは黒いライフルを抱いていた。引き金を引くのにどれくらいの力がいるのか、どれくらいの反動が返ってくるのか、正確に知っていた。この武器で何千発もの弾丸を発射してきた。匂いも手ざわりも重さも、どんな特徴も知りつくしている。ライフルは古い友だちだ。家の戸棚から取り出し、腕におさまる感触を味わってはじめて、その友だちを恋しがっていた自分に気づいた。

サイクスはトレーラーのなかで明かりをつけ、テレビを見ている。トレーラーのなかをくまなく調べて、運転手と連絡をとる手段がないことは確認してあった。だが、一ダースの電話を用意してやっても使ったりしないだろうと、ジャックは考えていた。サイクスは全面的に協力して損失を最小限にくいとめようと、冷静に心を決めて約束を守った。彼が提供した証拠の豊富さに、検事は喜びの涙を流さんばかりで、かなり甘い条件で取引した。服役すら免れた。五年の保護観察など、彼のような男にとってなんの意味もない。

遠くからエンジン音が聞こえてきて、蛙やこおろぎや夜鳥のたてる夜の不協和音を掻き消した。ジャックはアドレナリンの刺激を感じ、反射的にライフルをしっかりと握った。興奮しすぎるのはよくない。

トラックはフォードのピックアップで、荷台にキャンパーを載せていた。砂利を敷いたドライブウェイに入ってきたとたん、運転手はライトを消した。クラクションを鳴らしたり、ヘッドライトを点滅させたりといった合図はなにもなかった。かわりにサイクスがポーチの明かりをつけてトレーラーのドアをあけ、そのドアにつながる三段の木製階段のいちばん上に立った。

運転手はエンジンを止めて車の外に出てきた。「やあ、サイクス」護衛は運転席に残ったままだ。

「なにか問題は？」サイクスは尋ねた。

「ひとりが気分を悪くして、何度かもどした。まあ、荷台に乗せられていたからだろう。だが臭いがひどくてね。ほかの子たちが吐かないように、トラックを停めて荷台を水で洗わなくちゃならなかった」

「じゃあ、全員をなかに入れて風呂に入れよう。ミスター・フィリップスが首を長くして待ってる」

「若いのがお好みなんだろ？　かわいい子ちゃんだが、その吐きまくってたのがそうだから、いまは元気がないぜ」

遠くから、もう一台の車が近づく音がして、隠れている男たちは凍りついた。運転手ははっとしたようだが、サイクスは動かないように手で合図した。「そのまま動くな」静かに言った。「心配ない、通りがかりの車だ」

だが、その車はスピードを落としているように見えた。運転手はトラックの運転席のほうへあとずさりしてドアをあけ、片脚を地面につけたまま半身をなかに滑りこませた。木々の陰にいる男たちは、運転手が武器を身につけたことに気づいた。全員、自分の銃をかまえてなりゆきを見守った。

車はヘッドライトをハイビームにしたままドライブウェイに入ってきた。グレン・サイクスは目がくらまないようにさっと横を向き、さらに手をかざして両目を覆った。

その車は白のレクサスで、トラックのまうしろに停まり、ヘッドライトが消えた。運転席から、白髪混じりのブロンドをまっすぐうしろになでつけた、長身の男が出てきた。蒸し暑い夜なのにスーツを着ている。しかも夜中の三時だ。

「ミスター・サイクス」なめらかな声には、俳優がよく使うような、わざとらしい南部訛りがあった。南部で二年間を過ごしたジャックは、ちょっとした違いがわかるようになっていたから、男の訛りが北アラバマのものではないことに気づいた。誇張しすぎて偽物臭くなっている。

「ミスター・フィリップス」サイクスは驚いて言った。「お見えになるとは思っていませんでした」

それは事実だった。スコッツボロ警察は、フィリップスの捜索にあまり乗り気でなかったので、居場所をつかんでいなかった。彼を勾留するまでは、できるだけ内密に動くつもりだった。彼が警戒して証拠を隠滅したり、町から逃亡したりしてはまずいからだ。ヨーロッパやカリブで一生安楽に暮らせるほどの金が彼にはある。

サイクスは運転手と護衛にちらりと目をやった。「だいじょうぶだ。ミスター・フィリップスはこの組織のオーナーだ」ふたりはほっとして、トラックから出てきた。なにも持っていない。ふたりとも武器を運転席に残していた。

「このところ、ミスがつづいたからな」フィリップスはサイクスに近づきながら言った。「自分で監督して、荷物が無事であることを確かめたかったのだよ」

つまり、トラックの荷台にいる十三歳の少女に手をかけるのを待ちきれないってことだな、とジャックは思った。厭《いと》わしさに胃がむかつく。じわじわと照準をフィリップスに移した。なぜならフィリップスの出現は予想外で、ジャックの経験では、予想外とはトラブルを意味していた。

「今回はだいじょうぶです」サイクスは落ち着いた声で言った。

「そんなはずはない」フィリップスは機嫌よく言い、上着の右ポケットからピストルを取り出した。まわりの男たちが反応する前に、フィリップスはサイクスを狙い撃ちした。サイクスは背中からトレーラーにぶつかり、階段から転げ落ちた。

ジャックの指がじわりと引き金を引いた。弾丸は正確に、ジャックの意図した場所に命中し、フィリップスは悲鳴をあげながらくずおれた。

大騒ぎがはじまった。

騒音と光が炸裂《さくれつ》し、物陰から黒ずくめの重装備の男たちが飛びだしてきて、「警察だ！

手を上げろ！」とか、ＦＢＩだとか叫ぶのを前にすれば、経験の浅い連中ならただ右往左往するだろう。ジャックにとってこれは能率のよい作戦行動だ。訓練に訓練を重ね、各自がなにをすべきか、なにが起こりうるかをじゅうぶんに掌握している。突っ立っているふたりの男は、どうやらその訓練を受けているらしい。その場から動かず、無意識に両手を挙げ、頭のうしろで組んだ。

キャンパーのなかにいるロシア人の少女たちは、ヒステリックに泣きわめき、逃げようとして鍵のかかったドアを叩いていた。ＩＮＳの捜査官が運転手から鍵を受け取ってドアをあけたが、すさまじい臭気によろよろとあとずさった。興奮した少女たちが、監禁を解かれてどっと出てきた。捕まえられると、蹴ったり引っ掻いたりして抵抗した。

ひとりの少女が捜査官たちの手を逃れ、田舎道を全速力で走っているうちに疲れ果てて転んだ。追いかけていたＩＮＳの捜査官が抱え起こし、赤ん坊のように抱いて運んでくるあいだ、その少女は泣きじゃくり、祖国の言葉でヒステリックにわめいていた。ＩＮＳはあらかじめ、ロシア語を話す女性捜査官を連れてきていた。彼女がなだめるように同じ言葉を何度も繰り返しているうちに、少女たちは耳を傾けはじめた。

全部で七人いたが、ひとりのこらず十五歳以下だった。やせ細り垢《あか》まみれで疲れきっていた。だが、サイクスの話では、ひとりも性的な暴行は受けてないらしい。全員がヴァージンで、信じられないほどの高値でギャングに売られる。それから金持ちの人でなしが、もっと高い値段ではじめてレイプする権利を買う。そのあと、少女たちは売春婦として、こっちのギャングからあっちのギャングへと売り飛ばされ、働けるだけ働かされる。だれも英語を話せず、言うことを聞かなければロシアの家族が殺されると聞かされていた。

ＩＮＳの捜査官は、家族に害は及ばないから帰国してもいいのだと、何度も言い聞かせた。やがて少女たちは落ち着いてきた。警戒はしつつも、捜査官の話はほんとうかもしれないと思いはじめていた。ロシアからつらく長い旅をつづけてきて、ひどい環境に耐えてきた少女たちは、簡単に他人を信じることができなくなっていた。一カ所に固まって、動きまわっている黒ずくめの男たちを見つめ、到着した救急車の点滅する光に怯えたが、もう逃げようとはしなかった。

救急隊員が怪我人を診ているあいだ、ジャックはサイクスのかたわらに立っていた。胸の傷からあふれ出る血で、胴体の左半分がぐっしょりと濡れていたが、意識はあった。救急隊員の処置を受けているその顔は蒼白だった。背後でフィリップスのわめき声が、しわがれたうめきに変わった。サイクスは、衝撃で焦点のぼやけた目でジャックを見上げた。「奴は……死なないよな？」

ジャックは肩越しに、もうひとつの救急隊員の一団をちらりと見た。「たぶん。敗血症にならなければな。太腿の動脈は避けておいたが、股間の傷ってやつは、腸にあたっていたら厄介なことになる」

「股間かよ……」サイクスはやっとのことでにっと笑った。「あんた……タマを吹っ飛ばしたんだ」

「確かめてはいない。もっとも、多少残っていたとしても、もう使いものにならんだろう」サイクスは苦しそうに息をした。救急隊員が言った。「無線でヘリコプターを呼びました」サイクスが助かるには、一分一秒を無駄にできないということだ。

「おれ……もっと……這いあがってやる」サイクスは言った。ジャックは彼を見下ろし、この男は強い意志の力で生き延びることができれば、ノーランとフィリップスの公判で証言するだろうと考えた。


六時十三分、ジャックは足を引きずるようにしてオフィスに戻った。家に帰らず、シャワーも浴びず、まだ黒いライフルを持っていた。こんなに疲れたのは……くそっ、最後にライフルを持ったとき以来だ。だが、気分はよかった。いまはただ、雑用を片づけて、デイジーのもとに帰りたかった。

フィリップスとサイクスは、ハンツヴィルの病院の手術室に運びこまれたが、サイクスが死んだとしても、起訴に持ちこめるだけの証拠はあった。

サイクスは、たいした情報源だった。ミッチェルが殺されたのは、少女たちにGHBを盛る癖があったからだ。ふたりの少女を死なせていて、それでノーランが彼を始末する決心をしたのだ。質問がデートレイプ・ドラッグに及ぶと、サイクスは次から次へと知り合いのディーラーの名前を挙げた。グレン・サイクスの証言の結果、いくつもの捜査がはじまった。バットッドから詳しい話を聞いていたから、ジャックはサイクスに個人的な質問をした。

ファロー・クラブでGHBを飲まされ、少なくとも六人の男にレイプされた女性について、なにか知っていることはないか尋ねた。だがこの質問だけは、サイクスでも答えられず、ジャックも答えは見つからないだろうと思った。

オフィスのドアを開けたジャックは、あっけにとられた。エヴァ・フェイが自分の席に坐っているではないか。彼女は顔を上げて、淹《い》れたての熱いコーヒーを差しだした。「どうぞ、これがほしいって顔に書いてありますよ」

ジャックはコーヒーを受け取って口をつけた。淹れたてのほやほやで、まだ豆の香りがする。カップ越しにエヴァ・フェイを眺めた。「ようし、エヴァ・フェイ、どうやっているのか教えてくれ」

「なにをですか？」びっくりしたような顔をして、エヴァ・フェイは尋ねた。

「どうしておれがいつくるのかわかるんだ？　どうしてかならず熱いコーヒーを用意できるんだ？　それと、いったいどういうわけで、朝の六時十五分にここにいるんだ？」

「昨日は忙しかったでしょう。やり残した仕事がたくさんあったから、片づけようと思って早めに出てきたんです」

「コーヒーのことを教えてくれよ」

エヴァ・フェイはジャックにほほえみかけた。「いいえ」

「『いいえ』？　『いいえ』というのはどういう意味だ？　おれはきみのボスだぞ、そのおれが知りたがってるのに」

うを向いた。
「おあいにくさま」エヴァ・フェイはそう言って、くるりとコンピュータのスクリーンのほ

まず家に帰って、風呂に入るべきだとわかっていた。無性に眠りたいこともわかっていた。だが、ジャックのいちばんの望みはデイジーに会うこと、防火帯に駐車したり、横断歩道ではないところを横切ったりしない女のそばにいることだった。腐りきったものを見たあとは、デイジーの清潔さ、無邪気な善良さが必要だった。それに彼女が無事だとわかっていても、この目で見て脳味噌を安心させるために、どうしても会わなければならなかった。いつからデイジーがこんなに大事な存在になったのかわからないが、男には抗《あらが》えないこともある。それに、デイジーならシャワーを使わせてくれるだろう。

ノックをしたのとほぼ同時に、デイジーはドアをあけた。「車の音がしたの」それから、ジャックをまじまじと見た。「あらまあ」

「洗えば落ちる」ジャックは、顔に残った黒い絵の具をこすった。署の男子トイレで、ペーパータオルを使って適当に拭いたのだが、きれいに落とすには石鹸が必要だ。

デイジーは疑わしげに言った。「だといいけど」

彼女に抱かれたマイダスが、ジャックに向かって前脚を伸ばして必死にもがいていた。マイダスはこっちの外見などおかまいなしだ。ジャックは手を伸ばして、もこもこした子犬を受け取った。例によって大興奮で舐めようとするマイダスを見て、デイジーは眉をひそめた。

「この子にそんなことをさせないでよ」

「どうして？　いつもこうするじゃないか」

「ええ、でも、いつものあなたは塗ってないでしょ……そんな汚いもの。お腹をこわすかもしれない」

ジャックはデイジーを捕まえて、その汚いものをなすりつけてやろうかと考えたが、そんなことをしたら殴られるに決まっている。デイジーはきれいだ。ジャックは思った。ブロンドの髪はくしゃくしゃで、色の違う目は眠そうでも。肌はみずみずしく艶があり、着ている淡いピンクのローブは、その下にパンティーしか着けていないことがかろうじてわかる程度には厚みがある。

「全部終わったって知らせようと思って」

「知ってるわ。トッドが電話をくれたもの」

「トッド」ジャックは不機嫌にその名を口にした。トッドのことは嫌いじゃないし、信頼しているくらいだが、いきなり嫉妬の激しい痛みを感じた。デイジーが簡単にこの男と友だちになるのは気に入らない。いくら彼女がトッドのことを、いまだにゲイだと思っているから気安くできるのだとしても、やっぱり気に入らない。

「そんなところに立ってないで、入りなさいよ」デイジーはマイダスを受け取って、床に下ろした。マイダスはおもしろいものを探しに飛んでいった。「シャワーを浴びて。そのあいだに朝食を作っておくから」

天国だ。部屋を出ながら早くも洋服を脱いだが、床の上に置きっぱなしにして子犬の鋭い歯でずたずたにされないように、すべて持っていくだけの分別は残っていた。突然、なにもかもはっきりさせたいという激しい欲求が突きあげてきて、ジャックは戸口で立ち止まった。デイジーに向かって振り返る。「デイジー」

デイジーはキッチンのドアのところで止まった。「はい？」

「おれたちの約束を憶えているか？」

「どんな約束？」

「あんたが妊娠したら結婚するってやつ」

デイジーは頬を赤らめた。ジャックは、彼女がいまだに赤くなることが嬉しかった。「もちろん、憶えてるわ。いやだって言われていたら、こういう関係にはならなかったもの。人間は責任をとるべきだし、でも、もし、この約束を取り消したいって言うのなら――」

「今週末、ガトリンバーグに行って結婚しよう」

デイジーの目はまんまるくなり、口はぽかんと開いていた。「わたし、妊娠してないのよ。とにかく、わたしはそう思ってる……だって、あれ一度きりだし――」

「またやってみればいい」ジャックは肩をすくめて言った。「結婚する前に、どうしても妊娠したいって言うんなら」

「まさか、そんなこと言わないわよ！　ほんとうに結婚したいって言ってるの――」

「ああ」ジャックは穏やかに言った。「したい」

マイダスが布巾をひきずりながら、得意げにリビングに戻ってきた。デイジーは屈んでマイダスを捕まえ、布巾を取りあげた。「子どもを作ってもいいの? わたしは少なくともふたりはほしいのよ。でも子どもがいるのか訊いたとき、あなたはすごくいやそうな顔をしてたわ」

「前の女房とのあいだにいたらって考えたら、いやな気分になっただけだ」

「なんだ。よかった」

だが、デイジーからはっきりした返事をもらったわけではない。ただ突っ立ったまま、なにかに気を取られているようだ。ジャックは不安になってきた。シャツを床に捨てて、部屋を突っきった。デイジーのウェストに片手を回して引き寄せ、もう片方の手を喉にあて、親指で顎を上向かせた。「汚れていて臭いのはわかっている。でも、おれの聞きたい返事をもらうまで離さない」

「ただの答えじゃなくて、あなたの聞きたい答えよね?」

「わかってるじゃないか」

「質問があるの」

「言ってごらん」

「わたしを愛してる?」言ったとたんに赤くなった。「あなたって、ぜんぜんわたしのタイプじゃないんだけど、でもどうでもよくなってきたみたいなの。親しくなればなるほど、一緒にいたくなったの。だから、わたしは結婚したい、でもあなたも同じように思っていてくれないと、結婚すべきじゃないと思う」

「きみを愛している」ジャックははっきりと言った。「これ以上わかりやすく言えないぞ。これで結婚してくれるか?」

デイジーはジャックに向かってにっこりした。百万ワットの笑顔だ。ヴァーチャル図書館に登録するために、図書館ではじめて彼女に話しかけたときからわかっていた。ブロンドの髪より化粧より、この笑顔にまいったのだ。「ええ、喜んで」

ジャックはデイジーにキスをした。やめたとたん、ここにきたときほど疲れていない気がした。ジャックは廊下へデイジーを引っぱっていった。「朝食はあとだ。一緒にシャワーを浴びるぞ」

「マイダスが――」デイジーは、きょろきょろといたずら小僧を探した。

「一緒に連れていこう」マイダスを抱きあげ、口からシャツを取った。「こいつも風呂に入れなきゃ」

「入れる必要ないわ、それにバスタブのなかでこの子に見られてたら、わたしにはできないわよ」

「じゃあ、目隠ししてやる」バスルームにデイジーを引きずりこんだ。

「そんなのだめよ!」

「だったら、ドアを閉めて床の上で遊ばせとけ」ジャックはその言葉を実行に移した。しばらく邪魔されないためにはシャツを犠牲にしてもよかった。シャツを落とすと、マイダスは飛びかかった。

デイジーはすぐさま取りあげようと屈んだが、ジャックはそれを押しとどめ、手際よくローブとパンティーを脱がせ、彼女をバスタブに放りこんだ。自分も残りの服を脱ぎ捨て、それも床に落とした。マイダスをぞんぶんに楽しませてやれ。

ジャックはデイジーとバスタブに入り、水を出した。熱くなったらシャワーに切り替え、最初に吹きだす冷たい水が湯に変わるあいだ、自分の体でデイジーを守った。デイジーを抱きあげると、彼女は両手を首に回し、まじめくさった顔をした。「すぐにやってみない？」

「なにを？」

疲れすぎで頭がぼんやりしていたのか、ほかのことに気を取られていたのかもしれない。

「赤ちゃんを作るのよ」むっとしたように言い、ジャックが彼女のなかに滑りこむと息を止めた。すぐに目の焦点がぼやけてきて、急に頭が重くなって支えられないというように、がくんとのけぞった。

「スイートハート、もう二度とパーティー・パックは買わなくていい」ジャックは約束した。

エピローグ

日曜日、イヴリンとジョーおばは心づくしのディナーを用意して、デイジーとジャックを祝った。前の週に結婚式が終わったあと、ガトリンバーグでディナーをしたけれど、レストランのディナーなど数のうちに入らない。いままさに、テーブルは料理の重みできしんでいる。家族全員に加え、トッドと友人のハワードがいた。デイジーはハワードに気づいてびっくりした。ハワードがゲイだとは思っていなかった。ゲイならバッファロー・クラブにいるはずがないではないか。もちろん、ジャックはあいかわらずトッドがゲイではないと言いはっているから、自分はこういうことに関して見る目がないのかもしれない。

マイダスはテーブルの下をうろつき、匂いで正確にデイジーを見つけ、足もとですとんと寝そべった。小さな舌で踵《かかと》を舐められ、デイジーはテーブルクロスの下を覗きこんで、マイダスがいるのを確かめた。眠そうなので、居眠りしようとそこに落ち着いたのだろう。たくさんの人間に挨拶したうえに、当然それぞれとしばらく遊ばなければ次の人に移れなかったので、くたくたなのだ。

たった何週間か前は、あまりにも空っぽな人生に悩んでいたのに、いまでは満たされすぎるほど満たされている。もちろん、家族はいつもそこにいてくれたけれど、大切な友だちができたし、なんといってもマイダスがいる——それにジャックが。

いったいどうして、筋肉男はタイプじゃないなんて思ってたんだろう？　この筋肉男はまさに彼女の望みどおりだ。いつ見てもタフで、短く刈りこんだ白髪混じりの髪、広い肩幅に太い首、じゅうぶんなスペースを取ってもまだ足りないというタイプの男特有の、威張りくさった歩き方。あいかわらず、ジャックはベッドのなかでも外でも詰め寄ってくるけれど、それにも慣れてきた。ジャックにベッドの半分以上を塞がれてしまえば、上に乗っかるしかないのだから、このところ彼がよく眠れないとしても、それは自業自得というものだ。

嬉しさに光り輝いているような気分だった。いまのところ、生理が四日遅れていた。こんなに早く妊娠するものだろうかと驚いたが、それはつまりジャックが約束の仕事を確実に果たしたということだ。生理がはじまるのを待っていたけれど、今朝になって、期待が理性を吹き飛ばし、自分でも確信した。母親の家を出たら、妊娠検査薬を買いにいくつもりだ。明日の朝になればはっきりする。

男の子と女の子、どちらがほしいのかはわからない。ジャックがパパ似でタフな男の子にフットボールのボールを投げているところを思い浮かべると、ハートがとろけてくる。そのあとで、えくぼのある巻き毛の女の子が、パパのたくましい腕に抱かれているところを想像すると、嬉しくて身震いしてしまう。どっちが生まれるにしても、トッドに子ども部屋の装飾を頼むつもりだ。彼はインテリアのセンスが抜群だから。それに、子どもの名付け親にもなってもらいたい。ただし、ジャックが別の友だちを考えているかもしれないから、まず話し合わなくては。

トッドはレースのテーブルクロスについて感想を言い、イヴリンにどれくらい古いものか尋ねていた。デイジーは小首をかしげ、トッドを見つめた。いつものように、きちんとした服装だ。今日は白いシルクのシャツに折り目のついた深緑のズボンをあわせ、ウェストには黒の細いベルトを締めている。

テーブルの下で、ジャックの脚が触れた。これ以上、触らずにはいられないとでも言っているみたいだ。デイジーは彼を無視して、トッドをじっと見つめた。

ジャックはデイジーがだれを見ているのか気づき、急にそわそわしはじめた。「デイジー――」口にしたが、遅かった。デイジーの声が響き渡った。はっきり、きっぱりと。

「トッド、ピュースってどんな色か知ってる?」

油断したところを突かれ、トッドはびっくりしたような目でデイジーを見て言った。「そんな色、あるわけないでしょ」

グレン・サイクスは退院して一カ月になろうとするころ、テンプル・ノーランの家に車を走らせた。もはやそこには、前町長は住んでいない。ノーランは保釈金を積み、公判までスコッツボロに住んでいるはずだが、サイクスはわざわざ捜したりしなかった。いまはとにかく生きて体力を取り戻すのに専念していた。

撃たれてからこっち、奇妙な気分がつづいていたが、それほど奇妙ではないのかもしれない。死ぬような目に遇えば、まあ一時的かもしれないが、考え方が変わるものだ。今度のことでは、自分にできる最善の方法をとったといまでも思っている。もっとも、最後にフィリップスが現われたのはあいにくだったが。思わず冷たい笑みが浮かんだ。ラッソの正確なショットは、いま思い出しても笑える。

同じようにあのショットを思い浮かべて悦にいっている人間が、もうひとりいるはずだ。そのためにここまできたのだ。

サイクスは呼び鈴を鳴らして待った。足音が聞こえて、ジェニファー・ノーランが玄関に出てきた。だが、ジェニファーは彼を知らないので、防風扉の掛け金ははずさなかった。

「どなた?」

美しい女だ。サイクスは思った。きれいなんてもんじゃない。酒を飲むのをやめたとは聞いていた。やめたかどうか確かではないが、今日の彼女は、隈に縁どられているにせよ澄んだ目をしている。

「グレン・サイクスだ」

ジェニファーは網戸を透かしてサイクスをにらんだ。サイクスは彼女の心のうちが読めた。あんたは夫に雇われていた身で、黒い秘密を知りつくしている。だから、夫があたしをフィリップスに差しだしていたことも知っているはずよね。

「帰って」ジェニファーは言って、ドアを閉めかけた。

めた。

「関係ないよ」サイクスは静かに言った。ジェニファーはドアに手をかけたまま、動きを止めた。

「なにが……なにが関係ないのよ？」低く、はりつめた声だった。

「フィリップスのやったこと。関係ないんだ。奴はあんたには触らなかった。あんたの体に触れただけだ」

感情が爆発して、ジェニファーの目は怒りに燃えていた。「いいえ、触ったわ！ あいつがわたしの一部を殺した。こんなところまできて、あいつがなにをしたとかしなかったとか言わないでちょうだい」

サイクスはポケットに手を突っこんだ。「奴を勝たせるのか？」

「あいつは負けたの。勝ったのはわたしよ。あいつは刑務所に行くしかないの、せいぜい人気者になればいい」

「奴を勝たせるのか？」サイクスがもう一度言い、冷静な目でジェニファーを見据えると、彼女はたじろいだ。

はりつめた一瞬が過ぎる。ジェニファーは途方に暮れて、ドアを閉めることもけりをつけることもできないようだった。呼吸が速く浅くなった。「なぜここにきたの？」かすれた声で尋ねた。

「あんたにはおれが必要なんだ」彼が言うと、ジェニファーはドアをあけた。

訳者あとがき

前作『Mr.パーフェクト』で、読者をドキドキ、ハラハラさせたうえに、思いきり笑わせてくれたリンダの、ロマンティック・コメディ第二弾『パーティーガール（原題 Open Season）』をお届けする。

主人公のデイジー（名前からして古くさくておかしい、日本だったら〝菊子〟さん？）は、三十四歳独身、アラバマ州のヒルズボロという人口九千の、静かな、というより眠ったような町の図書館司書だ。彼女をひとことで言い表わすなら〝退屈〟。一緒に暮らす母とおばがプレゼントしてくれるのは、きまってシアサッカー（冬ならフランネル）のパジャマだ。そう、彼女はシアサッカーのパジャマをあげたくなる類の、退屈を絵に描いたような女だった。

そんな女が、三十四歳の誕生日の朝、一大決心をする。自分を変えよう。生まれ変わって、男をゲットして、結婚までもちこんで子どもを産み、女の幸せ（おお、古くさい言葉。でも、彼女は本気でそう思っているのです）をこの手に摑むのだ！　そのためには、〝いい娘《グッドガール》〟でいるのをやめる。男にもてるために〝パーティーガール〟に変身しよう。大声で笑ったりふざけたり、いちゃついたりダンスをしたり、短いスカートをはいたりする〝パーティーガール〟に。

母とおばもこの〝変身計画〟には大賛成し、アドバイザーまで見つけてくれた。若いころはブロードウェイの舞台に立ち、年老いた母の面倒をみるため生まれ故郷に戻ってきて、アンティーク・ショップを営む〝オカマ(と噂される)〟のトッド。

トッドの助言をうけ、デイジーは茶色の髪をブロンドに染め、化粧法をマスターし、ピアスの穴をあけ、男心を惹きつける上品で女らしい服を大量に買いこみ、自立した女であることを世間にアピールするためひとり暮らしも始め、男との出合いを求めてナイトクラブに繰り出す。そのうえ地元の独身男たちに〝進んでる女〟や〝声をかけやすい女〟だと思わせるため、町の薬局に出かけて、コンドームまで買いこむ念の入れよう。それも『十種類の色とフレーバー』が謳《うた》い文句の〝パーティー・パック〟。バブルガムやスイカやイチゴの色と香りのコンドームが、六ダースも入ってる! こうしてデイジーの男性ハントが始まる。〝狩猟解禁期《オープン・シーズン》〟の到来というわけだ。

そんな彼女を、変身前から憎からず思っていた男がいた。ジャック・ラッソ、ヒルズボロの警察署長だ。二年前までは、シカゴとニューヨークの警察のSWATチーム(特殊火器戦術部隊)にいた凄腕の警官。デイジーをからかうことを生き甲斐にしているという男だ。ささいな挑発にも牛追い棒でつつかれたみたいに反応するデイジーの、生真面目で世間知らずなところに惹かれていた。

デイジーのほうは、ジャックの自信たっぷりで傲慢な態度や、いつもせせら笑いを浮かべているようなふっくらした口もとが嫌いだった。それに、シュワルツェネッガーばりの筋骨たくましい肉体も好みではない。たくましい体を維持するためにトレーニングに励む男には、基本的にナルシスティックなところがありそうだから。

だが、デイジーのナイトクラブ通いもほんの二度しかつづかなかった。とんだ横槍が入ったから、ラッソ署長という横槍が。しかも、二度めには事件に巻きこまれ、命を狙われる羽目に……。

作者のリンダ・ハワードが、あるインタビューで前作『Mr.パーフェクト』について、こんなことを語っている。「わたしに読者を笑わせる本が書けるなんて、誰が思ってたかしら？あれを書いたのはわたしではなく、登場人物だったと言ったらいいのかしら。書きはじめたときには、ああいう作品にするつもりはなかった。でもね、登場人物があゝいうふうにしてくれって望むの。もっとシリアスな物語にしようとしても、うまくいかない。で、結局開き直ったの。『オーケイ、ジェインは生意気で下品な言葉を連発する女――こうなったら彼女のやりたいようにやらせよう』ってね」

こうして思いきり笑える前作が生まれ、その笑いにいっそう磨きがかかったのが本作というわけだ。デイジーという、本人はおもしろいことを言ったりやったりしているつもりはなくても、はたから見るとその生真面目ぶりがおかしい主人公を創造したときから、愉快で楽しくて、ほろりとして、幸せな気分に浸れる作品になることが決定づけられていたと言える。

ここでリンダの経歴を簡単に紹介しておこう。生まれてからずっと、デイジーと同じアラバマ州に住んでいる。最初にお話を書いたのが九歳のとき。以来二十年間、自分を楽しませるために書きつづけていた。短大を出て運送会社に勤め、そこでご主人のゲイリーに出会った。シルエット・ロマンスから作家としてデビューしても、会社勤めはつづけていた。やがてゲイリーが会社を辞め、趣味だったバス釣りを本業にして、全米各地で開かれるトーナメントで転戦するようになり（たいていは彼女もついていくとか）、彼女も会社を辞めてフルタイムの作家となった。

三人の子ども（ゲイリーの連れ子）はすでに独立し、孫が三人。彼女のかたわらには、いつも二匹のゴールデン・レトリーヴァーがいる。なるほど、本書に登場する〝毛糸玉〟マイダスの愛くるしさは、身近に犬と暮らしている人の筆なればこそ。お手伝いさんはいないので、料理も洗濯も彼女がやっているそうだ。

「たとえ本が売れなくなっても、わたしは書きつづけるでしょうね」と言うほど書くことが大好きなリンダの次の作品は、背筋がゾゾッとするロマンティック・サスペンスだ。主人公は有能な女執事。いったいどんな物語が展開するのか……引き続き二見文庫に登場するので、どうぞお楽しみに。

ザ・ミステリ・コレクション

パーティーガール

［著　者］　リンダ・ハワード
［訳　者］　加藤 洋子

［発行所］　株式会社 二見書房
東京都千代田区神田神保町1－5－10
電話　03（3219）2311［営業］
　　　03（3219）2315［編集］
振替　00170－4－2639

［印　刷］　株式会社 堀内印刷所
［製　本］　ナショナル製本協同組合

落丁・乱丁本はお取り替えいたします。
定価は、カバーに表示してあります。

ISBN4－576－02036－6
http://www.futami.co.jp

二度殺せるなら
リンダ・ハワード
加藤洋子［訳］

長年行方を絶っていた父親が何者かに射殺された。父の死に涙するカレンは、刑事マークに慰められるが、射殺事件の黒幕が次に狙うのはカレンだった…

石の都に眠れ
リンダ・ハワード
加藤洋子［訳］

亡父の説を立証するため、考古学者となりアマゾン奥地へ旅立ったジリアン。が、彼女を待ち受けていたのは、死の危機と情熱の炎に翻弄される運命だった。

心閉ざされて
リンダ・ハワード
林 啓恵［訳］

名家の末裔ロアンナは、殺人容疑をかけられ屋敷を追われた又従兄弟に想いを寄せていた。10年後、歪んだ殺意が忍び寄っているとも知らず彼と再会するが…

青い瞳の狼
リンダ・ハワード
加藤洋子［訳］

CIAの美しい職員ニエマと再会した男は、彼女の亡き夫のかつての上司だった。彼の使命は武器商人の秘密を探り、ニエマと偽りの愛を演じること…

夢のなかの騎士
リンダ・ハワード
林 啓恵［訳］

古文書の専門家グレースの夫と兄が殺された。犯人は、目下彼女が翻訳中の14世紀古文書を狙う考古学財団の理事長。いったい古文書にはどんな秘密が？

Mr.パーフェクト
リンダ・ハワード
加藤洋子［訳］

金曜の晩のジェインの楽しみは、バーで同僚たちと「完璧な男」を語ること。思いつくまま条件をリストにした彼女たちの情報が、世間に知れたとき…！

スワンの怒り
アイリス・ジョハンセン
池田真紀子［訳］

エリート銀行家の妻ネルの平穏な人生は、愛娘と夫の殺害により一変する。整形手術で絶世の美女に生まれ変わった彼女は、謎の男と共に復讐を決意し…

真夜中のあとで
アイリス・ジョハンセン
池田真紀子［訳］

遺伝子治療の研究にいそしむ女性科学者ケイト。画期的な新薬RU2の開発をめぐって巨大製薬会社の経営者が、彼女の周囲に死の罠を張りめぐらせる。

最後の架け橋
アイリス・ジョハンセン
青山陽子［訳］

事故死した夫の思いを胸に、やがて初産を迎えようとするエリザベス。夫の従兄弟と名乗る男の警告どおり、彼女は政府に狙われ、山荘に身を潜めるが…

そしてあなたも死ぬ
アイリス・ジョハンセン
池田真紀子［訳］

女性フォトジャーナリストのベスは、メキシコの辺鄙な村を取材し慄然とした。村人全員が原因不明の死を遂げていたのだ。背後に潜む恐ろしい陰謀とは？

失われた顔
アイリス・ジョハンセン
池田真紀子［訳］

大富豪から身元不明の頭蓋骨の復顔を依頼されたイヴ・ダンカン。だが、その顔をよみがえらせた時、彼女は想像を絶する謀略の渦中に投げ込まれていた！

顔のない狩人
アイリス・ジョハンセン
池田真紀子［訳］

すでに犯人は死刑となったはずの殺人事件。しかし自らが真犯人と名乗る男に翻弄されるイヴは、仕掛けられた戦慄のゲームに否応なく巻き込まれていく。

光の旅路（上・下）
アイリス・ジョハンセン
酒井裕美［訳］

宿命の愛は、あの日悲劇によって復讐へと名を変えた…インドからスコットランド、そして絶海の孤島へ！ゴールドラッシュに沸く19世紀に描かれる感動巨編

虹の彼方に
アイリス・ジョハンセン
酒井裕美［訳］

ナポレオンの猛威吹き荒れる19世紀初頭。幻のステンドグラスに秘められた謎が、恐るべき死の罠と宿命の愛を呼ぶ…魅惑のアドベンチャーロマンス！

鏡のなかの予感
アイリス・ジョハンセン他
阿尾正子［訳］

ディレイニィ家に代々受け継がれてきた過去、現在、未来を映す魔法の鏡……。三人のベストセラー作家が紡ぎあげる三つの時代に生きる女性に起きた愛の奇跡の物語！

業火の灰（上・下）
タミー・ホウグ
飛田野裕子［訳］

猟奇連続殺人の目撃者保護を引き受けた代理弁護士ケイト。元捜査官としてかつての恋人であるFBI心理分析官と共に真相に迫るが、やがて彼女にも魔の手が

ふたりだけの岸辺
タミー・ホウグ
宮下有香［訳］

離婚後一人息子とともにミネソタの静かな町に移り住んだエリザベス。そこで傷心を癒すはずが、残虐な殺人事件が発生。捜査を進める保安官と対立するが…

心ふるえる夜に
タミー・ホウグ
木下淳子［訳］

大農園を継ぐことを拒み都会で精神科医になった女と怒りを秘め森に暮らす男が出会ったとき……アメリカ南部の大自然を舞台に心揺さぶられる感動の名作！

ささやく水
ジェイン・アン・クレンツ
中村三千恵［訳］

誰もが羨む結婚と、CEOの座をフイにしたチャリティ。彼女が選んだ新天地には、怪しげなカルト教団が…。きな臭い噂のなか教祖が何者かに殺される。

曇り時々ラテ
ジェイン・アン・クレンツ
中村三千恵［訳］

デズデモーナの惚れた相手はちょっぴりオタクな天才IT企業家スターク。けれどハッカーに殺人、次々事件に巻き込まれ、二人の恋も怪しい雲行きに…

優しい週末
ジェイン・アン・クレンツ
中村三千恵［訳］

エリート学者ハリーと筋金入りの実業家モリー。迷走する二人の恋をよそに発明財団を狙う脅迫はエスカレート。真相究明に乗りだした二人に危機が迫る！

迷子の大人たち
ジェイン・アン・クレンツ
中西和美［訳］

サンフランシスコの名門ギャラリーをめぐる謎の死。辣腕美術コンサルタントのキャディが〝クライアント以上恋人未満〟の相棒と前代未聞の調査に乗り出す！

ガラスのかけらたち
ジェイン・アン・クレンツ
中西和美［訳］

芸術家ばかりが暮らすシアトル沖合の離れ小島で、資産家のコレクターが変死した。幻のアンティークガラスが招く殺人事件と危険な恋のバカンス！

ヒロインは眠らない（上・下）
ドリス・モートマン
栗木さつき［訳］

証人保護プログラムで過去を消されたNY市警の美貌の鑑識捜査員アマンダ。が、ある日を境に不審なことが起こり始め…。過去からの刺客の正体とは!?